Fred Vargas
Bei Einbruch der Nacht

aufbau taschenbuch

»Fred Vargas ist mit allen Wassern der Seine gewaschen. Von Haus aus Archäologin, hat sie ein feines Händchen. Damit buddelt sie dem Leser kleine Fallgruben, in die er gerne reinfällt. Das ist mit soviel Raffinement, soviel Witz gemacht, daß es ... in helles Lesevergnügen ausartet.« *Die Zeit*

Im Aufbau Verlag erschienen bisher:

Die schöne Diva von Saint-Jacques
Der untröstliche Witwer von Montparnasse
Es geht noch ein Zug von der Gare de Nord
Bei Einbruch der Nacht
Das Orakel von Port-Nicolas
Im Schatten des Palazzo Farnese
Fliehe weit und schnell
Der vierzehnte Stein
Vom Sinn des Lebens, der Liebe und dem Aufräumen von Schränken
Die dritte Jungfrau
Die schwarzen Wasser der Seine
Das Zeichen des Widders
Der verbotene Ort
Die Nacht des Zorns

Die junge Camille, Komponistin für Fernsehserien und passionierte Leserin von Werkzeugkatalogen, lebt mit dem kanadischen Grizzly-Forscher Lawrence einen Sommer lang in der provenzalischen Alpen. Da passiert etwas Ungeheuerliches, das uralten Aberglauben wieder lebendig werden läßt: Ein Wolfsmensch, so sagen die Leute, zieht nach Einbruch der Dunkelheit mordend durch die Dörfer. Die Gendarmerie zeigt sich uninteressiert. So machen sich der halbwüchsige Sohn der getöteten Suzanne und ein alter Schäfer an die Verfolgung des Mörders – und die zarte Camille sitzt am Steuer ihres klapprigen Autos. Als sie nach wenigen Tagen erschöpft aufgeben müssen, entschließt sich Camille schweren Herzens, einen Profi hinzuzuziehen: Kommissar Adamsberg aus Paris, den Mann, den sie einmal sehr geliebt hat, und mit dem sie doch nicht leben konnte.

Fred Vargas

Bei Einbruch der Nacht

Kriminalroman

Aus dem Französischen
von Tobias Scheffel

aufbau taschenbuch

Titel der Originalausgabe
L'Homme à l'envers

ISBN 978-3-7466-1513-4

Aufbau Taschenbuch ist eine Marke
der Aufbau Verlag GmbH & Co. KG

21. Auflage 2014

Die deutsche Erstausgabe erschien 2000 bei Aufbau

Umschlaggestaltung Antje Walter
unter Verwendung eines Fotos Andrew Unangst/Corbis
grafische Adaption Dagmar & Torsten Lemme, Berlin
Autorenfoto © L. Oligny/Éd. Viviane Hamy
Druck und Binden CPI – Clausen & Bosse, Leck
Printed in Germany

www.aufbau-verlag.de

Am Dienstag gab es in Ventebrune in den Alpen vier Schafe mit durchgebissener Kehle. Am Donnerstag neun in Pierrefort. »Die Wölfe«, sagte ein Alter. »Sie steigen zu uns ins Tal herunter.«

Der andere leerte sein Glas und hob die Hand. »*Ein* Wolf, Pierrot, *ein* Wolf. Ein Tier, wie du noch nie eins gesehen hast. Es steigt zu uns ins Tal herunter.«

1

Zwei Männer kauerten im Gestrüpp.

»Willst du mir vielleicht meine Arbeit erklären?« flüsterte der erste.

»Ich will gar nichts«, antwortete sein Begleiter, ein großer Kerl mit langen blonden Haaren, der Lawrence hieß.

Ohne eine Bewegung beobachteten die beiden Männer mit den Ferngläsern in der Hand ein Wolfspaar. Es war zehn Uhr morgens, und die Sonne brannte ihnen auf den Rücken.

»Der Wolf da ist Marcus«, nahm Lawrence das Gespräch wieder auf. »Er ist zurückgekommen.«

Der andere schüttelte den Kopf. Es war ein Mann aus der Gegend, klein, dunkle Haut, ein bißchen bockig. Er überwachte die Wölfe des Mercantour-Massivs* seit sechs Jahren. Er hieß Jean.

»Das ist Sibellius«, murmelte er.

»Sibellius ist wesentlich größer. Der hat nicht diese gelbe Strähne am Hals.«

Verunsichert stellte Jean Mercier erneut sein Fernglas scharf und sah den Wolfsrüden, der dreihundert Meter östlich von ihrem Versteck um den ihm vertrauten Felsen strich und manchmal den Fang in den Wind hob, prüfend an. Sie waren sehr nah, zu nah, es wäre besser, sich etwas zurückzuziehen, aber Lawrence wollte um jeden Preis filmen.

* *Mercantour*, Gebirgsmassiv in den Seealpen an der französisch-italienischen Grenze. Auf der französischen Seite befindet sich der 685 km² große Mercantour-Nationalpark.

Deshalb war er da: um die Wölfe zu filmen und dann seine Reportage in Kanada loszuwerden. Aber seit sechs Monaten schob er seine Rückkehr immer wieder unter obskuren Vorwänden hinaus. Um die Wahrheit zu sagen: Der Kanadier setzte sich langsam fest. Jean Mercier wußte, warum. Lawrence Donald Johnstone, ein namhafter Spezialist für kanadische Grizzlybären, war einer Handvoll europäischer Wölfe verfallen. Und er konnte sich nicht dazu durchringen, das zu sagen. Na ja, ohnehin redete der Kanadier so wenig wie möglich.

»Sie ist im Frühling zurückgekommen«, murmelte Lawrence. »Hat ihre Familie gegründet. Aber ich erkenn sie nicht wieder.«

»Das ist Proserpina«, flüsterte Jean Mercier, »die Tochter von Janus und Juno, dritte Generation.«

»Mit Marcus.«

»Mit Marcus.« Mercier sah es endlich ein. »Und das Gute an der Sache ist, daß es ganz neue Welpen gibt.«

»Gut.«

»Sehr gut.«

»Wie viele?«

»Zu früh, um das zu sagen.«

Jean Mercier kritzelte ein paar Notizen in sein am Gürtel befestigtes Notizbuch, trank aus seiner Feldflasche und nahm seine Position wieder ein, ohne auch nur den kleinsten Zweig knacken zu lassen. Lawrence legte das Fernglas hin und wischte sich über das Gesicht. Er griff nach der Kamera, richtete sie auf Marcus und begann lächelnd zu filmen. Er hatte fünfzehn Jahre seines Lebens unter Grizzlybären, Karibus und kanadischen Wölfen verbracht, hatte allein die riesigen Nationalparks durchzogen, während er beobachtete, Notizen machte, filmte und manchmal den Ältesten unter seinen wilden Begleitern half. Nicht gerade lustige Kerle. Ein altes Grizzlyweibchen, Joan, das mit gesenkter Stirn zu ihm gekommen war, um sich den Pelz kratzen zu lassen. Lawrence hatte nicht gedacht, daß das arme, beengte, verwüstete und domestizierte Europa ihm irgend etwas ansatzweise Lohnendes zu bieten hätte. Er hatte diesen Reportageauftrag im Mercantour-Massiv unter Vorbehalten und nur deshalb angenommen, weil es Sachen gibt, die man nicht ablehnen kann.

Und so saß er nun schließlich schon ewig in diesem Winkel des Gebirges und schob seine Rückkehr vor sich her. Deutlich gesagt, er trödelte herum. Er trödelte wegen der europäischen Wölfe und ihres grauen, erbärmlichen Fells, dieser armen, keuchenden Verwandten der hellen Polarwölfe mit buschigem Fell, die seiner Vorstellung nach all seine Zärtlichkeit verdienten. Er trödelte wegen der dichten Wolken von Insekten, der Ströme von Schweiß, wegen des verkohlten Strauchwerks, der knisternden Hitze dieser mediterranen Welt. »Warte, du hast nicht alles gesehen«, sagte Jean Mercier in etwas belehrendem Ton, mit diesem stolzen Ausdruck des Kenners, des Hitzigen, des Überlebenden des Sonnenabenteuers. »Wir haben erst Juni.«

Und schließlich trödelte er wegen Camille.

Hier sagten sie, er »setze sich fest«.

»Das ist kein Vorwurf«, hatte ihm Jean Mercier mit einer gewissen Würde gesagt, »aber besser, du weißt es: Du setzt dich fest.«

»Nun, jetzt weiß ich es«, hatte Lawrence erwidert.

Lawrence stoppte die Kamera, legte sie vorsichtig auf seinen Rucksack, deckte sie mit einem weißen Tuch zu. Der junge Marcus war gerade in Richtung Norden verschwunden.

»Er ist los, um vor der großen Hitze zu jagen«, bemerkte Jean.

Lawrence besprühte sich das Gesicht, befeuchtete seine

Mütze, trank zehn Schlucke. Meine Güte, diese Sonne. Noch nie so eine Hölle erlebt.

»Drei Welpen mindestens«, murmelte Jean.

»Ich koche«, sagte Lawrence und verzog das Gesicht, während er sich mit der Hand über den Rücken fuhr.

»Wart's ab. Du hast noch nicht alles gesehen.«

2

Kommissar Jean-Baptiste Adamsberg schüttete die Nudeln ins Sieb, ließ sie zerstreut abtropfen und beförderte alles auf seinen Teller – mit Käse und Tomaten, das würde heute abend reichen müssen. Er war wegen der Vernehmung eines jungen Idioten, die sich bis elf Uhr hingezogen hatte, spät nach Hause gekommen. Denn Adamsberg war langsam, er mochte es nicht, die Dinge und die Menschen anzutreiben, so blöd sie auch sein mochten. Vor allem aber haßte er es, sich selbst anzutreiben. Der Fernseher lief auf Zimmerlautstärke, Kriege, Kriege und wieder Kriege. Er kramte geräuschvoll im Durcheinander der Besteckschublade, fand eine Gabel und stellte sich vor den Apparat.

»… kam es in einem bislang verschont gebliebenen Kanton des Departements Alpes-Maritimes erneut zu Angriffen durch Wölfe des Mercantour. Es ist die Rede von einem Tier von außergewöhnlicher Größe. Legende oder Wirklichkeit? Vor Ort …«

Ganz langsam näherte sich Adamsberg mit dem Teller in der Hand auf Zehenspitzen dem Fernseher, wie um den Moderator nicht zu erschrecken. Eine unbedachte Bewegung, und der Typ würde aus dem Fernseher fliehen, ohne die fabelhafte Geschichte von den Wölfen zu Ende zu erzählen, die er gerade begonnen hatte. Adamsberg stellte den Apparat lauter und ging wieder ein Stück zurück. Er mochte Wölfe, so wie man Alpträume mag. Seine ganze Kindheit in den Pyrenäen war eingehüllt in die Stimmen der Alten, die das Epos von den letzten Wölfen

Frankreichs erzählten. Und als er mit neun Jahren nachts durch das Gebirge gezogen war, als sein Vater ihn auf die Bergpfade geschickt hatte, um Anmachholz zu holen, ohne Widerrede, da hatte er zu sehen geglaubt, wie ihre gelben Augen ihn den ganzen Weg über verfolgten. *»Wie glühende Holzstückchen, Bürschchen, wie glühende Holzstückchen leuchten die Wolfsaugen in der Nacht.«*

Und wenn er heute dorthin in seine Berge zurückkehrte, nahm er nachts dieselben Pfade. Wie deprimierend der Mensch doch ist, er klammert sich immer an das Schlimmste.

Er hatte sehr wohl gehört, daß einige Wölfe aus den Abruzzen wieder die Alpen überquert hatten, schon vor ein paar Jahren. Eine Bande von Verantwortungslosen gewissermaßen. Beschwipste Trunkenbolde. Sympathischer Streifzug, symbolische Rückkehr, herzlich willkommen, ihr drei Kerle aus den Abruzzen mit eurem schütteren Pelz. Salut, Kameraden. Er glaubte zu wissen, daß ein paar Typen dort oben im Geröll des Mercantour sie seitdem wie einen Schatz hätschelten. Und daß ihnen von Zeit zu Zeit ein Lamm vor die Zähne kam. Aber es war das erste Mal, daß er Bilder davon sah. Wie, was – diese plötzliche Bestialität sollte das Werk der wackeren Burschen aus den Abruzzen sein? Während er schweigend weiter aß, sah Adamsberg auf dem Bildschirm ein zerfetztes Schaf, er sah blutverschmierten Boden, das verzerrte Gesicht eines Schafzüchters, das blutbefleckte Fell eines Schafes, das zerrissen auf dem Gras einer Weide lag. Die Kamera fuhr genüßlich die Wunden ab, und der Journalist spitzte seine Fragen zu, schürte das Feuer der dörflichen Wut. Zwischen diesen Bildern tauchten Wolfsschnauzen auf dem Bildschirm auf, hochgezogene Lefzen, aus alten Dokumentarfilmen eingeblendet und eher vom Balkan als aus den Alpen stammend. Man hätte glauben können, das gesamte Hinterland von Nizza ginge plötzlich vor dem Atem der wilden Meute in die Knie, während alte Schäfer stolze Gesichter reckten, um das Tier herauszufordern und ihm direkt in die Augen zu sehen. *»Wie glühende Holzstückchen, Bürschchen, wie glühende Holzstückchen.«*

Blieben die Fakten: etwa dreißig im Massiv erfaßte Wölfe, wenn man die jungen, verstreuten nicht mitzählte, etwa zehn an der Zahl, dazu die streunenden Hunde, die kaum weniger gefährlich waren. Hunderte von Schafen mit zerbissener Kehle im Lauf der vergangenen Saison in einem Umkreis von zehn Kilometern um den Mercantour-Nationalpark. In Paris redete man nicht davon, weil einem Geschichten von Wölfen und Schafen in Paris ziemlich egal sind, und Adamsberg hörte die Zahlen mit Verblüffung. Mit zwei neuen Überfällen im Kanton von Auniers war die Sache wieder in die Schlagzeilen gerückt.

Auf dem Bildschirm erschien ein bedächtiger, sehr professioneller Tierarzt, der mit dem Finger auf eine Wunde zeigte. Nein, da sei kein Zweifel möglich, hier die Bißspur der oberen Reißzähne, der vierte vordere Backenzahn rechts, sehen Sie, und da, davor, der rechte Eckzahn, sehen Sie dort und hier und darunter, hier. Und der Abstand zwischen den beiden, sehen Sie. Das ist der Kiefer eines großen Mitglieds der Familie der Canidae.

»Würden Sie sagen, ein Wolf, Doktor?«

»Oder ein sehr großer Hund.«

»Oder ein sehr großer Wolf?«

Dann erneut das verstockte Gesicht eines Schafzüchters. Vier Jahre schlugen sich diese Drecksviecher jetzt schon mit dem Segen der Leute aus der Hauptstadt den Wanst voll, noch nie hatte man derartige Verletzungen gesehen. Noch nie. Fangzähne, groß wie eine Hand. Der Schafzüchter streckte den Arm aus und deutete auf die Linie der Berge am Horizont. Da oben streicht er herum. Ein Tier, wie man es noch nie gesehen hat. Sollen sie doch lachen in Paris, sollen sie doch lachen. Es wird ihnen schon vergehen, wenn sie's erst mal sehen.

Fasziniert aß Adamsberg im Stehen seinen Teller mit kalten Nudeln leer. Der Moderator wechselte zum nächsten Thema. Die Kriege.

Langsam setzte sich der Kommissar, stellte seinen Teller auf den Boden. Meine Güte, die Wölfe vom Mercantour. Die kleine, unschuldige Meute vom Anfang hatte sich ganz schön vergrößert. Sie weitete ihr Jagdrevier Kanton für Kanton aus. Sie drang über das Departement Alpes-Maritimes hinaus. Wie viele von den vierzig Wölfen mochten wohl angreifen? Rudel? Paare? Ein Einzelgänger? Ja, so war das in den Geschichten. Ein heimtückischer, grausamer Einzelgänger, der sich nachts den Dörfern näherte, das Hinterteil tief geduckt über seinen grauen Läufen. Ein mächtiges Tier. Das Tier vom Mercantour. Und die Kinder in den Häusern. Adamsberg schloß die Augen. *»Wie glühende Holzstückchen, Bürschchen, wie glühende Holzstückchen leuchten die Wolfsaugen in der Nacht.«*

3

Lawrence Donald Johnstone stieg erst Freitag gegen elf Uhr abends wieder ins Dorf hinunter.

Zwischen eins und vier machten die Männer des Mercantour-Nationalparks im Schatten von Baracken aus Trockenmauerwerk, die man hier und da an den Hängen fand, eine lange Pause, während der sie lasen oder dösten. Lawrence hatte sich unweit des neuen Reviers von Marcus einen leerstehenden Schafstall angeeignet, dessen Boden er von uraltem und eigentlich geruchlosem Mist befreit hatte. Es ging ums Prinzip. Der große Kanadier, der es eher gewohnt war, seinen nackten Oberkörper mit Schneeklumpen zu waschen als sich, klebrig von altem Schweiß, in Schafsscheiße zu wälzen, fand die Franzosen schmuddelig. Paris, das er rasch wieder verlassen hatte, hatte ihm schwere Schwaden von Pisse und Schweiß entgegengehaucht, üble Gerüche von Knoblauch und Wein. Aber in Paris war er Camille begegnet, und so war Paris entschuldigt. Auch dieser überhitzte Mercantour und das Dorf Saint-Victor-du-Mont waren entschuldigt, wo er sich vorläufig mit ihr niedergelassen hatte. Aber trotzdem waren sie schmuddelig, vor allem die Männer. Er konnte sich nicht an schwarze Fingernägel, klebriges Haar oder unförmige, vor Schmutz grau gewordene Unterhemden gewöhnen.

In seinem gesäuberten alten Schafstall legte sich Lawrence jeden Nachmittag auf ein großes Leintuch, das er auf dem gestampften Boden ausbreitete. Er ordnete seine Notizen, sah die Aufnahmen vom Vormittag durch, bereitete die

Beobachtungen des Abends vor. In den letzten Wochen jagte ein alter, völlig erschöpfter Wolf, ein etwa fünfzehn Jahre alter Einzelgänger, der ehrwürdige Augustus, am Mont Mounier. Er kam nur frühmorgens hervor, wenn es noch kühl war, und Lawrence wollte ihn nicht verpassen. Denn der greise Vater versuchte eher zu überleben, als zu jagen. Seine schwindenden Kräfte ließen ihn selbst die einfachste Beute verlieren. Lawrence fragte sich, wie lange der Alte wohl noch durchhielt und wie das enden würde. Und wie lange er, Lawrence, noch durchhielt, bis er für den alten Augustus etwas Fleisch wildern und damit die Gesetze des Naturparks brechen würde, die vorschrieben, daß die Tiere sich allein durchschlagen oder krepieren sollten wie zu Anbeginn der Welt. Wenn Lawrence dem Alten einen Hasen brächte, würde das den Planeten doch wohl nicht aus dem Gleichgewicht bringen, oder? Wie dem auch sei, wenn schon, dann müßte er es tun, ohne den französischen Kollegen auch nur ein Sterbenswörtchen zu sagen. Die Kollegen waren der festen Ansicht, daß Hilfe die Tiere verweichlichen und die Gesetze der Natur zerrütten würde. Sicher, aber Augustus war schon verweichlicht, und die Gesetze der Natur waren schon zerrüttet. Was würde das also ändern?

Nachdem er Brot, Wasser und Wurst verschlungen hatte, streckte sich Lawrence auf dem Boden im Kühlen aus, die Hände im Nacken verschränkt, und dachte an Camille, dachte an ihren Körper und an ihr Lächeln. Camille war sauber, Camille duftete, und vor allem verfügte Camille über eine unbegreifliche Anmut, die einem Hände, Bauch und Lippen erzittern ließ. Niemals hätte Lawrence sich vorstellen können, für ein so braunes Mädchen mit glatten schwarzen Haaren, das Kleopatra ähnelte, erzittern zu können. Immerhin, dachte er, Kleopatra ist jetzt zweitausend Jahre tot, aber sie bleibt noch immer der Archetypus jener stolzen braunen Mädchen mit gerader Nase, zartem

Hals, reinem Teint. Ja, ganz schön stark, diese alte Kleopatra. Im Grunde wußte er nichts über sie und nicht sehr viel über Camille, außer daß sie keine Königin war und ihr Leben mal mit Musik, mal mit Klempnerarbeiten bestritt.

Dann mußte er sich von diesen Bildern lösen, die ihn daran hinderten, sich auszuruhen, und er konzentrierte sich auf den Lärm der Insekten. Diese Viecher schafften ganz schön was weg. Neulich hatte ihm Jean Mercier am Fuß der Berge seine erste Zikade gezeigt. Dick wie ein Fingernagel, viel Lärm um fast nichts. Lawrence mochte die Stille.

Heute morgen hatte er Jean Mercier gekränkt. Aber im Ernst, es war wirklich Marcus.

Marcus mit der gelben Strähne am Hals. Vielversprechend, dieser Wolf. Kräftig, guter Spürsinn, gefräßig. Lawrence hatte ihn im Verdacht, im vergangenen Herbst eine ordentliche Zahl Lämmer im Kanton von Trévaux gefressen zu haben. Die klare Arbeit eines Räubers, überall im Gras Blut um die zu Dutzenden zerrissenen Felle, eine Tat, die die Leute vom Nationalpark verzweifeln ließ. Die Verluste waren ersetzt worden, aber die Gemüter der Schafzüchter erhitzten sich, sie besorgten sich Schutzhunde, und im letzten Winter wäre es beinahe zur allgemeinen Treibjagd gekommen. Seit Ende Februar, seit die Wintermeute sich zerstreut hatte, hatten sich die Wogen wieder geglättet. Ruhe.

Lawrence stand auf seiten der Wölfe. Er war der Ansicht, daß die Tiere dem armseligen Frankreich Ehre erwiesen hatten, indem sie wagemutig, wie würdevolle Schatten aus der Vergangenheit, die Alpen überquerten. Es kam überhaupt nicht in Frage, sie von kleinen, hitzigen Männern massakrieren zu lassen. Aber wie jeder nomadische Jäger war der Kanadier ein vorsichtiger Mann. Im Dorf redete er nicht von den Wölfen, er blieb stumm und folgte darin dem Prinzip seines Vaters: »Wenn du frei bleiben willst, halt's Maul.«

Seit fünf Tagen war Lawrence nicht wieder nach Saint-Victor-du-Mont hinabgestiegen. Er hatte Camille gesagt, daß er dem ehrwürdigen Augustus bis Donnerstag mit der Infrarotkamera auf seinen hoffnungslosen nächtlichen Jagden folgen würde. Aber am Donnerstag hatten die wiederholten Mißerfolge des greisen Wolfs Lawrences Widerstand gebrochen, und er hatte seine Beobachtungsaktion um einen Tag verlängert, um etwas zu fressen für ihn zu finden. Er hatte zwei Wildkaninchen aus ihrem Bau gefangen, ihnen mit einem Schnitt die Kehle durchtrennt und die Kadaver auf einer der Fährten von Augustus ausgelegt. Im Schutz des Gebüschs, eingewickelt in ein Wachstuch, das seinen Menschengeruch verbergen sollte, hatte Lawrence besorgt auf das Auftauchen des mageren Tieres gewartet.

Jetzt durchquerte er, erleichtert pfeifend, das wie ausgestorben daliegende Saint-Victor. Der Alte war erschienen, und der Alte hatte gefressen.

Camille ging ziemlich spät schlafen. Als Lawrence die Tür aufstieß, sah er sie über die Tasten ihres Synthesizers gebeugt, die Kopfhörer über den Ohren, mit gerunzelter Stirn, geöffneten Lippen, während sich ihre Hände, manchmal zögernd, von einer Note zur nächsten bewegten. Nie war Camille so schön, wie wenn sie sich konzentrierte, sei es bei der Arbeit, sei es bei der Liebe. Lawrence legte seinen Rucksack ab, setzte sich an den Tisch und beobachtete sie ein paar Minuten. Abgekapselt unter ihren Kopfhörern, für äußere Geräusche unempfänglich, kritzelte sie auf Notenpapier. Lawrence wußte, daß sie bis November den Soundtrack für einen romantischen Fernseh-Zwölfteiler abliefern mußte, ein wahres Desaster, hatte sie gesagt. Und sehr viel Arbeit, wenn er es richtig verstanden hatte. Lawrence verbreitete sich ungern über Details der

Arbeit. Man machte die Arbeit, und fertig. Das war das Wichtigste.

Er stellte sich hinter sie, betrachtete ihren Nacken unter den kurzen Haaren und küßte sie rasch, Camille nie bei der Arbeit stören, und sei es nach fünftägiger Abwesenheit, er verstand das besser als jeder andere. Sie arbeitete noch zwanzig Minuten, bevor sie ihre Kopfhörer absetzte und zu ihm an den Tisch kam. Lawrence ließ gerade die Bilder von Augustus ablaufen, wie er die Wildkaninchen verschlang, und hielt ihr die Kamera hin.

»Das ist der Alte, der sich den Bauch vollschlägt«, erklärte er.

»Siehst du, es geht noch nicht mit ihm zu Ende«, sagte Camille, während sie ihr Auge an das Okular drückte.

»Ich hab ihm das Fleisch besorgt«, antwortet Lawrence und verzog das Gesicht.

Camille legte ihre Hand auf das blonde Haar des Kanadiers, während sie weiter mit einem Auge durch den Sucher sah.

»Lawrence«, sagte sie, »es hat Aufruhr gegeben. Mach dich bereit, sie zu verteidigen.«

Lawrence fragte sie, wie es seine Art war – mit einer einfachen Bewegung des Kinns.

»Dienstag haben sie in Ventebrune vier Schafe mit durchgeschnittener Kehle gefunden, und heute morgen neun weitere zerrissen in Pierrefort.«

»God«, flüsterte Lawrence. »Jesus Christ. Bullshit.«

»Das ist das erste Mal, daß sie sich so weit runter wagen.«

»Werden eben mehr.«

»Ich hab's von Julien erfahren. Es kam in den Nachrichten, es wird zum landesweiten Thema. Die Schafzüchter haben gesagt, daß sie den Wölfen aus Italien die Gier auf Fleisch schon austreiben würden.«

»God«, wiederholte Lawrence. »Bullshit.«

Er sah auf seine Uhr, schaltete die Kamera aus und machte besorgt einen winzigen Fernseher an, der in einer Ecke auf einer Kiste stand.

»Es kommt noch schlimmer«, fügte Camille hinzu.

Lawrence wandte ihr mit erhobenem Kinn das Gesicht zu.

»Sie sagen, diesmal sei es kein Tier wie die anderen.«

»Kein Tier wie die anderen?«

»Anders. Größer. Eine Naturgewalt, ein riesiger Kiefer. Eben nicht normal. Mit einem Wort: ein Ungeheuer.«

»Ach was.«

»So sagen sie.«

Lawrence schüttelte bestürzt sein blondes Haar.

»Dein Land ist ein verdammt zurückgebliebenes Land alter Arschlöcher«, sagte er nach kurzem Schweigen.

Der Kanadier schaltete von einem Sender zum nächsten, bis er auf eine Nachrichtensendung stieß. Camille setzte sich auf den Boden, schlug ihre Stiefel übereinander und lehnte sich an Lawrences Beine, während sie an den Lippen nagte. Alle Wölfe kämen jetzt dran, auch der alte Augustus.

4

Lawrence verbrachte das Wochenende damit, die regionalen Zeitungen zu sammeln, die Nachrichten abzuwarten und ins Café unten im Dorf hinunterzugehen.

»Geh nicht«, riet Camille. »Sie werden dir Ärger machen.«

»Why?« fragte Lawrence mit diesem schmollenden Gesichtsausdruck, den er an sich hatte, wenn er besorgt war. »Es sind ihre Wölfe.«

»Es sind nicht ihre Wölfe. Es sind die Wölfe der Pariser, Maskottchen, die ihnen ihre Herden wegfressen.«

»Bin kein Pariser.«

»Du beschäftigst dich mit Wölfen.«

»Ich beschäftige mich mit Grizzlys. Das ist meine Arbeit, Grizzlys.«

»Und Augustus?«

»Was anderes. Respekt vor den Alten, Ehrerbietung gegenüber den Schwachen. Er hat nur noch mich.«

Lawrence war wenig begabt zum Reden und zog es vor, sich durch Zeichen, Lächeln oder Grimassen verständlich zu machen, so routiniert, wie es Jäger oder Taucher tun, die gezwungen sind, sich stumm zu verständigen. Seine Sätze zu beginnen wie auch zu beenden verursachte ihm Qualen, und er lieferte zumeist nur verstümmelte Mittelteile, die mehr oder minder unhörbar waren – in der deutlichen Hoffnung, jemand anderes möge diese Fron für ihn beenden. Sei es, daß er die arktische Einsamkeit gesucht hatte, um dem Geschwätz der Menschen zu entgehen, sei es, daß die unermüdlichen Reisen in die arktischen Weiten ihm die Freude am Wort genommen und ihm die Stimme geraubt hatten, jedenfalls redete er mit gesenktem Kopf, geschützt von seiner blonden Mähne, und so selten wie möglich.

Camille, die mit großer Freigebigkeit Worte verschwendete, hatte Mühe gehabt, sich an diese sparsame Kommunikation zu gewöhnen. Sie hatte Mühe, zugleich aber auch Erleichterung verspürt. In den letzten Jahren hatte sie viel zu viel geredet, auch noch ohne jeden Anlaß, und das hatte sie selbst angeekelt. So boten das Schweigen und das Lächeln des großen Kanadiers ihr eine unerwartete Rast, eine Ruhephase, die sie von ihren alten Gewohnheiten reinigte, deren zwei nervigste unbestritten das Argumentieren und das Überzeugen waren. Es war für Camille unmöglich, die so unterhaltsame Welt der Worte aufzugeben, aber zumindest hatte sie das ganze fabelhafte Hirnareal eingemottet, das sie früher in den Dienst der Überzeugung anderer gestellt hatte. Es gammelte endgültig in einem Winkel ihres Kopfes vor sich hin, ein erschöpftes, stillgelegtes Ungeheuer, dessen Räderwerk der Argumente und dessen glänzende Metaphern immer mehr verrotteten. Dank einem Kerl, der aus lauter stummen Gesten bestand, der seinen Weg ging, ohne irgend jemanden um seine Meinung zu fragen, und der um keinen Preis wünschte, daß man ihm gegenüber Kommentare über das Leben abgab, atmete Camille tief durch und befreite ihren Geist, so wie man einen Dachboden von angehäuftem Gerümpel leert.

Sie brachte eine Folge von Noten zu Papier.

»Wenn dir die Wölfe egal sind, warum willst du dann runtergehen?« nahm sie das Gespräch wieder auf.

Lawrence lief in dem kleinen, dunklen Zimmer mit den geschlossenen Holzläden auf und ab. Die Hände im Rükken, ging er von einer Ecke in die andere, ließ unter seinem Gewicht ein paar Fliesen wackeln und streifte mit seinem Haar den Hauptbalken. Diese Hütten im Süden waren nicht für Kanadier seines Formats vorgesehen. Mit der linken Hand suchte Camille einen Rhythmus auf ihren Tasten.

»Rauskriegen, welcher es ist«, sagte Lawrence. »Welcher Wolf.«

Camille wandte sich von den Tasten ab und drehte sich zu ihm herum.

»Welcher es ist? Denkst du dasselbe wie sie? Daß es nur ein einziger ist?«

»Jagen oft allein. Man müßte die Wunden sehen.«

»Wo sind die Schafe?«

»Im Kühlraum, der Fleischer hat sie eingesammelt.«

»Will er sie verkaufen?«

Lawrence schüttelte lächelnd den Kopf.

»Nein. ›Die toten Tiere werden nicht gegessen‹, hat er gesagt. Es ist für das Gutachten.«

Camille legte einen Finger an ihre Lippen und überlegte. Sie hatte noch nicht darüber nachgedacht, daß das Tier identifiziert werden könnte. Sie glaubte nicht an das Gerücht von einem Riesenungeheuer. Es waren Wölfe, und Schluß. Aber für Lawrence hatten die Angriffe möglicherweise ein Gesicht, eine Schnauze, einen Namen.

»Wer von ihnen ist es? Weißt du es?«

Lawrence hob seine schweren Schultern und breitete die Arme aus.

»Die Wunden«, wiederholte er.

»Was sagen die?«

»Größe. Geschlecht. Mit ziemlich viel Glück.«

»An welchen denkst du?«

Lawrence rieb sich mit den Händen übers Gesicht.

»An den großen Sibellius«, stieß er durch die zusammengebissenen Zähne hervor, als mache er sich einer Denunziation schuldig. »Hat sich sein Revier abspenstig machen lassen. Von Marcus, einem jungen Angeber. Muß übel sein. Hab den Typen seit Wochen nicht gesehen. Sibellius ist ein harter Knochen, ein wirklich harter. God. Tough guy. Hat sich womöglich ein neues Revier erobert.«

Camille stand auf und legte ihre Arme um Lawrences Schultern.

»Was kannst du tun, wenn er es ist?«

»Eine Spritze, in den Laster schmeißen. In die Abruzzen bringen.«

»Und die Italiener?«

»Nicht zu vergleichen. Die sind stolz auf ihre Tiere.«

Camille stellte sich auf die Zehenspitzen, um Lawrences Lippen zu berühren. Lawrence beugte die Knie, schlang seine Arme um ihre Taille. Warum sich mit diesem verdammten Wolf rumärgern, wenn er sein ganzes Leben mit Camille in diesem Raum verbringen konnte?

»Ich geh runter«, sagte er.

Im Café wurde zunächst ziemlich heftig gestritten, bevor man schließlich einwilligte, Lawrence in den Kühlraum zu führen. Der »Trapper«, wie man ihn hier nannte – denn wer in den kanadischen Wäldern herumläuft, ist zwangsläufig ein »Trapper« –, galt inzwischen auf unbestimmte Weise als Verräter. Sie sagten es nicht. Sie riskierten es nicht. Denn sie spürten, daß sie ihn brauchen würden, ihn, seine Kenntnisse und auch seine Stärke. Ein solches Kaliber war in einem so kleinen Dorf nicht zu unterschätzen. Vor allem ein Bursche, der mit Grizzlys von gleich zu gleich redete. Da sind Wölfe doch nur ein Witz. Sie wußten nicht mehr so recht, auf welcher Seite man den Trapper einordnen, ob man mit ihm reden oder nicht mit ihm reden sollte. Was in Wahrheit keinen großen Unterschied gemacht hätte, denn der Trapper selbst redete nicht.

Mit ruhigen Gesten betastete Lawrence unter den Blicken von Sylvain, dem Fleischer, und Gerrot, dem Schreiner, die getöteten Tiere. Einem fehlte ein Huf, dem anderen der obere Teil der Schulter.

»Nicht klar, die Abdrücke«, murmelte er. »Haben sich bewegt.«

Mit einer Handbewegung bedeutete er dem Schreiner, daß er ein Metermaß brauche. Gerrot legte es ihm ebenso wortlos in die offene Hand. Lawrence maß, dachte nach, maß erneut. Dann richtete er sich auf und gab dem Fleischer ein Zeichen, der die Tiere in den Kühlraum zurückbrachte, die schwere weiße Türe zuschlug und den Hebel umlegte.

»Ergebnis?« fragte er.

»Derselbe Angreifer. Scheint so.«

»Großes Tier?«

»Schöner Rüde. Mindestens so groß.«

Am Abend standen noch etwa fünfzehn Dorfbewohner in kleinen Gruppen auf dem Platz um den Brunnen. Man zögerte, schlafen zu gehen. In gewisser Weise, auch wenn keiner es aussprach, hielt man bereits Wache. Man hielt Waffenwache, die Männer mochten das. Lawrence ging zu Gerrot, dem Schreiner, der allein auf einer Steinbank saß und zu träumen schien, während er die Spitzen seiner groben Schuhe betrachtete. Vielleicht sah er auch nur auf die Spitzen seiner groben Schuhe, ohne zu träumen. Der Schreiner war ein vernünftiger Mann, nicht sehr kriegerisch und nicht sehr gesprächig, und Lawrence hatte Respekt vor ihm.

»Gehst du morgen wieder in die Berge?« begann Gerrot.

Lawrence nickte.

»Suchst du nach den Tieren?«

»Ja, mit den anderen. Die müssen schon angefangen haben.«

»Kennst du das Tier? Hast du eine Vorstellung?«

Lawrence verzog das Gesicht.

»Vielleicht ein Neuer.«

»Warum? Was stört dich?«

»Die Größe.«

»Groß?«

»Viel zu groß. Der Kieferbogen ist sehr entwickelt.«

Gerrot stützte die Ellbogen auf die Knie, kniff die Augen zusammen und musterte den Kanadier.

»Verdammt, dann ist es wahr, was sie sagen?« murmelte er. »Daß das kein normales Tier ist?«

»Außergewöhnlich«, antwortete Lawrence im selben Ton.

»Vielleicht hast du schlecht gemessen, Trapper. Es gibt nichts, was sich so verändert wie Maße.«

»Ja. Die Zähne sind gerutscht. Abgerutscht. Haben den Abdruck womöglich länger gemacht.«

»Siehst du.«

Die Männer schwiegen eine ganze Weile lang.

»Aber trotzdem groß«, begann Lawrence schließlich wieder.

»Bald wird's was geben«, sagte der Schreiner und ließ den Blick über den Platz und die Männer mit den Fäusten in der Tasche gleiten.

»Sag's ihnen nicht.«

»Sie sagen's sich selbst schon genug. Was wäre dir am liebsten?«

»Ihn vor ihnen zu fassen zu kriegen.«

»Verstehe.«

Am Montag schnürte Lawrence im Morgengrauen seinen Rucksack zu und brach wieder in den Mercantour auf. Marcus und Proserpina bei ihrer jungen Liebe überwachen, Sibellius ausfindig machen, die Bewegungen des Rudels überprüfen, kontrollieren, wer da war und wer fehlte, den Alten ernähren und dann Elektra suchen, ein kleines Weibchen, das seit acht Tagen nicht mehr gesehen worden war. Er würde Sibellius' Fährte in Richtung Südosten verfolgen, bis in die Nähe des Dorfes Pierrefort, wo der letzte Angriff stattgefunden hatte.

5

Lawrence folgte Sibellius' Fährte zwei Tage lang, ohne das Tier zu finden. Er rastete nur dann im Schatten eines Schafstalls, wenn diese Drecksonne allzusehr brannte. Gleichzeitig suchte er zwanzig Quadratkilometer Gelände nach Resten gerissener Schafe ab. Nie wäre Lawrence seiner Leidenschaft für die großen kanadischen Bären untreu geworden, aber er mußte einräumen, daß sich dieser Haufen magerer europäischer Wölfe in sechs Monaten ziemlich tief in ihn eingegraben hatte.

Als er gerade vorsichtig einen schmalen Pfad an einem Steilhang entlang ging, entdeckte er Elektra, die verletzt tief unten in der Schlucht lag. Lawrence wog seine Chancen ab, den Teil des mit dichtem Gestrüpp bedeckten Abhangs zu erreichen, wo die Wölfin lag, und kam zu dem Ergebnis, daß er es allein schaffen könnte. Alle Aufseher des Nationalparks durchstreiften das Gelände, und er hätte zu lange auf die Hilfe eines Kollegen warten müssen. Er brauchte über eine Stunde, um das Tier zu erreichen, Griff für Griff sicherte er sich unter der höllisch brennenden Sonne ab. Die Wölfin war derart geschwächt, daß er ihr nicht einmal das Maul zubinden mußte, um sie abzutasten. Eine gebrochene Pfote, zwei Tage nichts gefressen. Er legte sie auf ein Tuch, das er um seine Schulter knotete. Selbst in abgemagertem Zustand wog das Tier seine dreißig Kilo, ein Federgewicht für einen Wolf, eine Last für einen Menschen, der einen Steilhang hinaufklettert. Als er den Pfad erreicht hatte, erlaubte sich Lawrence eine halbe Stunde Rast, er legte sich im Schatten auf den Rücken, eine Hand auf dem Fell der Wölfin, um ihr klarzumachen, daß sie hier nicht allein einfach so krepieren würde wie zu Anbeginn der Welt.

Um acht Uhr abends brachte er die Wölfin in die Pflegestation.

»Gibt's unten Ärger?« fragte der Tierarzt, als er Elektra auf einen Tisch legte.

»Zusammenhang?«

»In Zusammenhang mit den gerissenen Schafen.«

Lawrence schüttelte mißbilligend den Kopf.

»Müssen ihn kriegen, bevor sie hier raufkommen. Sie würden alles verwüsten.«

»Gehst du wieder los?« fragte der Tierarzt, als er sah, wie Lawrence Brot, eine Wurst und eine Flasche einpackte.

»Hab zu tun.«

Ja, für den Alten auf die Jagd gehen. Das konnte ein Weilchen dauern. Manchmal klappte es nicht, genau wie bei dem Veteranen.

Er ließ eine Nachricht für Jean Mercier da. Sie würden sich heute abend nicht begegnen, er würde in seinem Schafstall schlafen.

Camille rief ihn am nächsten Tag an, kurz vor zehn Uhr, als er seinen Kontrollgang in Richtung Norden fortsetzte. An ihrer gehetzten Stimme merkte Lawrence, daß sich etwas zusammenbraute.

»Es ist schon wieder passiert«, sagte Camille. »Ein Gemetzel in Les Écarts, bei Suzanne Rosselin.«

»In Saint-Victor?« fragte Lawrence und schrie fast dabei.

»Bei Suzanne Rosselin«, wiederholte Camille, »im Dorf. Der Wolf hat fünf getötet und drei verletzt.«

»An Ort und Stelle gefressen?«

»Nein, er hat Stücke herausgerissen, wie bei den anderen. Er scheint nicht aus Hunger anzugreifen. Hast du Sibellius gesehen?«

»Keine Fährte.«

»Du solltest herunterkommen. Hier sind zwei Gendarmen aufgekreuzt, aber Gerrot sagt, sie sind nicht in der Lage, die Tiere korrekt zu untersuchen. Und der Tierarzt ist kilometerweit entfernt, zum Fohlen. Alle brüllen, alle schreien rum. Verdammt, komm runter, Lawrence.«

»In zwei Stunden in Les Écarts.«

Suzanne Rosselin leitete die Schäferei Les Écarts, im Westen des Dorfes, allein, und zwar mit eiserner Hand, hieß es. Die derbe, ja männliche Art der großen, kräftigen Frau hatte dazu geführt, daß sie im ganzen Kanton respektiert und gefürchtet wurde, aber außerhalb ihres Guts suchten die Leute wenig Kontakt zu ihr. Man fand sie zu brutal, zu grobschlächtig. Und häßlich. Man erzählte, ein durchreisender Italiener habe sie vor dreißig Jahren verführt und sie habe ihm ohne Zustimmung ihres Vaters folgen wollen. Verführt mit Haut und Haaren, so sagte man im Dorf. Aber das Leben hatte ihr nicht die Zeit gelassen, gegen ihren Vater aufzubegehren, weil der Italiener schon wieder in seinem heimatlichen Stiefel verschwunden und ihre Eltern im selben Jahr gestorben waren. Manche sagten, daß der Verrat, die Schande und das Fehlen eines Mannes Suzanne hart gemacht hätten. Und daß das Schicksal sie aus Rache zu einem Mannweib gemacht habe. Andere versicherten, das sei nicht wahr, sie sei schon immer maskulin gewesen. Es lag wohl mit an all diesen Gründen, daß Camille sie mochte. Suzannes bis ins Extreme getriebene Fuhrknechtsprache hatte etwas Bewundernswertes. Dank ihrer Mutter hielt Camille Grobheit für eine Lebenskunst, und die Professionalität von Suzanne beeindruckte sie.

Etwa einmal pro Woche stieg sie zur Schäferei hinauf, um die Kiste mit Lebensmitteln zu bezahlen, die Suzanne ihr packte. Sobald man das Gelände von Les Écarts betrat, war Schluß mit giftigen Kommentaren und Spott: Die fünf Männer und Frauen, die dort arbeiteten, hätten sich für Suzanne Rosselin in Stücke reißen lassen.

Camille folgte dem steinigen Weg, der zwischen den Terrassen steil bis zum Haus hinaufführte, einem schmalen, hohen Steingebäude mit einer niedrigen Tür und winzigen asymmetrischen Fensteröffnungen. Sie dachte sich, daß das vergammelte Dach nur noch dank der stillen Solidarität der Ziegel hielt, die sich aus reinem Korpsgeist aneinanderklammerten. Das Haus war verlassen, und sie ging zu dem langen Schafstall, der sich fünfhundert Meter weiter oben quer zum Hang erstreckte. Man hörte Suzanne Rosselin schon von weitem herumschreien. Camille blinzelte in der Sonne und erkannte die blauen Hemden zweier Gendarmen sowie den Fleischer Sylvain, der hin und her rannte. Sobald es um Fleisch ging, mußte er dabei sein.

Und dann stand da, priesterlich, gerade, aufrecht an die Mauer des Schafstalls gelehnt, der »Wacher«. Sie hatte noch keine Gelegenheit gehabt, den alten Schafer von Suzanne, der immer inmitten seiner Schafe zu finden war, von nahem zu sehen. Es hieß, er schlafe in dem alten Gebäude, umgeben von seinen Tieren, aber das schockierte niemanden. Man nannte ihn den »Wacher«, das heißt den »Wächter«, den »Hüter«, wie Camille schließlich verstanden hatte, seinen richtigen Namen kannte sie nicht. Da stand er, mager und starr, mit stolzem Blick, etwas langen weißen Haaren, die Fäuste um einen in den Boden gerammten Stock geballt, und war im wirklichen Wortsinne ein würdevoller Greis, so daß Camille nicht wußte, ob sie ihn wohl ansprechen durfte.

Neben Suzanne stand genauso aufrecht, so als wolle er dem Wacher in nichts nachstehen, der junge Soliman. Wenn man die beiden so sah, wie zwei unbewegliche Leibwächter rechts und links neben Suzanne, hätte man glauben können, daß sie nur auf ein Zeichen von ihr warteten, um mit einem Stockschlag eine imaginäre Horde heranstürmender Angreifer zu vertreiben. Aber das schien nur so. Der Wacher stand in seiner normalen Haltung, und Soliman richtete sich angesichts der etwas dramatischen Umstände ganz einfach nach ihm aus. Suzanne verhandelte mit den Gendarmen, es wurden Protokolle aufgenommen. Die toten Schafe waren an einen kühleren Ort geschafft worden, in die Dunkelheit des Schafstalls.

Als Camille vor ihr stand, legte Suzanne ihr eine kräftige Pranke auf die Schulter und schüttelte sie.

»Jetzt wär der Moment, wo dein Trapper hier sein sollte«, sagte sie. »Damit er uns was sagt. Er ist bestimmt schlauer als diese beiden Arschlöcher, die kriegen's einfach nicht auf die Reihe.«

Der Fleischer Sylvain schien etwas sagen zu wollen.

»Halt's Maul, Sylvain«, unterbrach ihn Suzanne. »Du bist genauso bescheuert wie die anderen. Ich nehm's dir nicht krumm, bist entschuldigt, ist ja nicht dein Job.«

Niemand fühlte sich beleidigt, und die beiden Gendarmen füllten weiter apathisch die Formulare aus.

»Ich hab ihm Bescheid gesagt«, sagte Camille. »Er kommt runter.«

»Hast du danach noch 'ne Minute Zeit? In den Latrinen ist was undicht, das müßtest du mir reparieren.«

»Ich hab mein Werkzeug nicht dabei, Suzanne. Später.«

»Schau dir inzwischen mal das da drinnen an, meine Liebe«, sagte Suzanne und wies mit ihrem dicken Daumen in Richtung Schafstall. »Wirklich das Blutopfer eines Wilden.«

Bevor Camille durch die niedrige Tür ging, grüßte sie respektvoll und etwas eingeschüchtert den Wacher und schüttelte Soliman die Hand. Im Gegensatz zu dem Wacher kannte Camille Soliman, der Suzanne wie ein Schatten überallhin folgte und ihr bei allen Arbeiten half, gut, und sie kannte auch seine Geschichte.

Es war sogar die erste Geschichte gewesen, die man ihr bei ihrer Ankunft erzählt hatte, so als sei es das Allerwichtigste: Ein Schwarzer im Dorf – davon hatte man sich dreiundzwanzig Jahre danach mit Ach und Krach erholt. Der junge Afrikaner war wie im Märchen als kleines Baby in einem Feigenkorb vor der Kirchentür ausgesetzt worden. Niemand in Saint-Victor oder in der Umgebung hatte je irgendeinen Schwarzen gesehen, und man vermutete, das Baby sei in der Stadt gemacht worden, vielleicht in Nizza, wo man sich alles mögliche vorstellen konnte, einschließlich schwarzer Babys. Aber nun lag es vor dem Portal der Kirche Notre Dame in Saint-Victor und schrie wie am Spieß. Im Morgengrauen hatte sich das halbe Dorf bestürzt um den Korb und das pechschwarze Kind versammelt. Dann hatten sich, zögernd noch, Frauenarme nach ihm ausgestreckt, um es hochzuheben, es dann in den Armen zu wiegen und zu beruhigen. Lucie, die das Café am Platz führte, hatte als erste gewagt, ihm einen Kuß auf die rotzverschmierte Wange zu geben. Aber nichts hatte den Kleinen, der vor Brüllen schier erstickte, beruhigen können. »Es hat Hunger, das Negerkind«, hatte eine Alte gesagt, »Es hat geschissen« ein anderer. Dann hatte sich die massige Suzanne mit athletischen Schritten genähert, hatte die Reihen durchbrochen, sich den Kleinen geschnappt und ihn auf ihrem Arm gehalten. Das Kind hatte augenblicklich aufgehört zu brüllen und seinen Kopf an Suzannes großen Busen fallen lassen. In diesem Augenblick hatte jeder – wie in einem Märchen, in dem die Prinzessinnen alle dicke Suzannen sind – es für eine ausgemachte Sache gehalten, daß das kleine Negerkind von nun an der Herrin von Les Écarts gehörte. Suzanne hatte ihren Zeigefinger in den gierigen Mund gesteckt und gebrüllt – Lucie würde sich noch ihr ganzes Leben daran erinnern:

»Durchsucht den Korb, ihr Arschlöcher! Da liegt garantiert ein Zettel!«

Dort hatte tatsächlich ein Zettel gelegen. Der Pfarrer hatte sich auf die Stufen vor der Kirche gestellt, würdevoll einen Arm ausgestreckt, um Ruhe einkehren zu lassen, und mit lauter Stimme vorzulesen begonnen: *Biteschon, beschaftigen ihm …*

»Red deutlicher, du Arschloch!« hatte Suzanne lauthals gerufen und das Baby geschüttelt. »Man versteht kein Wort!«

Daran würde sich Lucie noch ihr ganzes Leben erinnern. Suzanne Rosselin hatte vor nichts und niemandem Respekt.

»Biteschon«, hatte der Pfarrer folgsam wiederholt, *»beschaftigen ihm, beschaftigen gut. Er heist Soliman Melchior Samba DIAWARA sagen sie ihm seine Mutter gut und sein Fater böse wie Sumfhölle. Beschaftigen ihm, lieben ihm, biteschon.«*

Suzanne hatte sich an den Pfarrer gedrückt, um über seine Schulter mitzulesen. Dann hatte sie ihm den vollgepißten Zettel weggenommen und ihn in eine Tasche ihres Sackkleids gestopft.

»Soliman Melchior Dingsbums?« hatte Germain, der Straßenwärter, lachend gefragt. »Was denn noch alles? Was soll der Scheiß? Kann der nicht Gérard heißen wie alle? Was glaubt die Mutter, wo sie herkommt? Hält sich wohl für was Besonderes?«

Hier und da wurde gelacht, aber nicht viel. Das mußte man den Leuten von Saint-Victor schon lassen, hatte Lucie hinzugefügt, es waren nicht alles Arschlöcher, sie konnten sich beherrschen, wenn es nötig war. Nicht wie in Pierrefort, wo Menschliches nicht viel zählte.

Einstweilen lag der kleine schwarze Kopf des Babys

noch immer in der Armbeuge der großen Frau. Wie alt mochte es sein? Einen Monat, wenn's hochkam. Und wen mochte es? Suzanne. So ist das Leben.

»Gut«, hatte Suzanne gesagt und ihr Völkchen von der Kirchentreppe aus gemustert. »Wenn jemand nach ihm sucht, so ist er auf Les Écarts.«

Und damit war die Angelegenheit erledigt.

Niemand hatte je nach dem kleinen Soliman Melchior Samba Diawara gesucht. Und manchmal fragte man sich, was auf Les Écarts geschehen wäre, wenn die leibliche Mutter auf den Gedanken gekommen wäre, ihn zurückzuholen. Denn Suzanne Rosselin hatte seit diesem entscheidenden Moment – den man im Dorf »den Tag auf der Kirchentreppe« nannte – entschieden Zuneigung zu dem Kleinen gefaßt, und es wurde allgemein daran gezweifelt, daß sie ihn kampflos zurückgegeben hätte. Nach zwei Jahren hatte der Notar sie dazu gebracht, den Papierkram für das Kind zu erledigen. Nicht, den Kleinen zu adoptieren, dazu hatte sie kein Recht, aber die Vormundschaft zu legalisieren.

Auf diese Weise war der kleine Soliman zum Sohn Rosselin geworden. Suzanne hatte ihn wie einen Jungen aus der Gegend aufwachsen lassen, ihn dabei aber heimlich wie einen afrikanischen König erzogen, weil sie unterschwellig davon überzeugt war, daß ihr Kleiner ein unehelicher, aus dem Weg geräumter Prinz eines mächtigen Königreichs sei. So schön, wie er geworden war – schön wie ein Gott –, wäre das auch das mindeste. Daher wußte der junge Soliman Melchior mit dreiundzwanzig Jahren genausoviel über Tomatenstecklinge, Olivenpressen, Kichererbsenschößlinge und das Ausbringen von Jauche wie über die Sitten und Gebräuche des großen Schwarzen Kontinents. Alles, was er über Schafe wußte, hatte der Wacher ihm beigebracht. Und alles, was er über Afrika wußte, alles Glück und Unglück, alle Sagen und Legenden des Kontinents hatte er aus den Büchern, die ihm Suzanne gewissenhaft vorgelesen hatte – eine Tätigkeit, über der sie selbst zu einer fachkundigen Afrikanistin geworden war.

Noch heute achtete Suzanne im Fernsehen auf jeden ernsthaften Dokumentarfilm, der geeignet schien, den Jungen zu bilden: die Reparatur eines Tanklastwagens auf einer Piste in Ghana, grüne Meerkatzen aus Tansania, Polygamie in Mali, Diktaturen, Bürgerkriege, Staatsstreiche, Aufstieg und Glanz des Königreichs Benin.

»Sol«, rief sie, »beweg deinen Hintern! Im Fernsehen kommt was über dein Land.«

Suzanne hatte sich nie entscheiden können, aus welchem Land Soliman nun stammte, und so ging sie aus praktischen Gründen davon aus, daß ganz Schwarzafrika ihm gehören würde. Und es kam überhaupt nicht in Frage, daß Soliman auch nur einen einzigen Dokumentarfilm verpaßte. Mit siebzehn hatte der junge Mann ein einziges Mal versucht aufzubegehren.

»Ich hab mit diesen Typen nichts zu schaffen«, hatte er angesichts einer Reportage über Warzenschweinjagden gejammert.

Und zum ersten und letzten Mal hatte Suzanne ihm eine Backpfeife verpaßt.

»Red nicht so über deine Herkunft!« hatte sie befohlen.

Und da Soliman den Tränen nahe war, hatte sie versucht, es ihm sanfter zu erklären, während sie ihre dicke Hand auf die zarte Schulter des Kleinen drückte.

»Wir scheißen auf das Vaterland, Sol. Man wird geboren, wo man eben geboren wird. Aber versuch nicht, deine Vorfahren zu leugnen, das bringt dich in eine blöde Situation. Verleugnen ist nicht gut. Verleugnen, abstreiten, drauf spucken, das ist was für die Frustrierten, die Kraftprotze, die Typen, die glauben wollen, daß sie sich ganz allein erschaffen haben. Arschlöcher halt. Du hast Les Écarts und dann noch ganz Afrika. Nimm das alles, und du bist doppelt so viel.«

Soliman führte Camille in den Schafstall und deutete auf die blutigen Tiere, die aufgereiht auf dem Boden lagen. Camille sah sie aus sicherer Entfernung an.

»Was sagt Suzanne?« fragte sie.

»Suzanne ist gegen die Wölfe. Sie sagt, daß da nichts Gutes bei rauskommt. Daß dieses Tier aus Lust am Töten angreift.«

»Ist sie für die Treibjagd?«

»Sie ist auch gegen die Treibjagden. Sie sagt, daß man ihn nicht schnappen wird, daß er woanders ist.«

»Und der Wacher?«

»Der Wacher ist trübsinnig.«

»Ist er für die Treibjagd?«

»Ich weiß es nicht. Seitdem er die Schafe gefunden hat, hat er keinen Ton gesagt.«

»Und du, Soliman?«

In diesem Augenblick betrat Lawrence den Stall. Er rieb sich die Augen, um sie an die plötzliche Dunkelheit zu gewöhnen. Der alte Raum stank stark nach fettiger Wolle und alter Pisse, er fand die Franzosen schmuddelig. Könnten mal saubermachen. Ihm folgte Suzanne, die Lawrences Ansicht nach ebenfalls stank, sowie in respektvollem Abstand die beiden Gendarmen und der Fleischer, den Suzanne erfolglos wegzuschicken versucht hatte. »*Ich* hab den Kühlraum, *ich* nehm die Schafe mit«, hatte er erwidert.

»Nichts da«, hatte Suzanne geantwortet. »Der Wacher wird sie hier auf Les Écarts begraben, mit dem gebotenen Respekt vor den Tapferen, die auf dem Felde der Ehre gefallen sind.«

Das hatte Sylvain die Sprache verschlagen, aber er war ihr trotzdem gefolgt. Der Wacher war an der Türe stehengeblieben. Er wachte.

Lawrence grüßte Soliman und kniete sich dann neben die zerrissenen Kadaver. Er drehte sie um, untersuchte die Wunden und durchwühlte die blutgetränkte Wolle auf der Suche nach dem deutlichsten Abdruck. Er zog ein noch ganz junges Weibchen zu sich heran und untersuchte die Bißspur an der Kehle.

»Sol, nimm die Lampe vom Haken«, sagte Suzanne. »Mach ihm Licht.«

Unter dem gelblichen Lichtbündel beugte sich Lawrence über die Wunde.

»Der Reißzahn ist kaum eingedrungen«, murmelte er. »Dafür aber der Eckzahn.«

Er klaubte einen Strohhalm vom Boden und steckte ihn in die blutige Öffnung.

»Was machst du da?« fragte Camille.

»Ich sondiere«, erwiderte Lawrence ruhig.

Der Kanadier zog den Strohhalm heraus und markierte mit einem Fingernagelstrich das Ende des Geröteten. Er gab ihn wortlos Camille, nahm dann einen zweiten Strohhalm, den er zwischen den Wunden ausrichtete. Er stand auf und ging hinaus an die frische Luft, den Daumennagel noch immer auf dem Halm. Er brauchte Luft.

»Die Schafe gehören jetzt dir«, sagte er im Vorbeigehen dem Wacher, der ihm zunickte.

»Sol«, sagte er dann, »hol mir ein Metermaß.«

Soliman lief mit langen Schritten zum Haus hinunter und kam fünf Minuten später mit dem Zollstock von Suzanne zurück.

»Miß«, sagte Lawrence und hielt ihm die beiden Strohhalme ganz gerade hin. »Miß genau.«

Soliman hielt den Zollstock an die blutigen Enden.

»Fünfunddreißig Millimeter«, verkündete er.

Lawrence verzog das Gesicht. Er maß den anderen Strohhalm und gab Soliman den Zollstock zurück.

»Und?« fragte einer der Gendarmen.

»Ein Eckzahn von fast vier Zentimetern.«

»Ja und?« wiederholte der Gendarm. »Ist das schlimm?«

Ein lastendes Schweigen trat ein. Alle ahnten es. Alle begannen, allmählich zu begreifen.

»Großes Tier«, folgerte Lawrence und faßte den allgemeinen Eindruck zusammen.

Zögernd löste sich die Gruppe auf. Die Gendarmen grüßten. Sol ging zum Haus hinunter, der Wacher in den Stall. Lawrence stand etwas abseits, er hatte sich die Hände gewaschen, seine Handschuhe übergezogen und setzte den Motorradhelm auf. Camille trat auf ihn zu.

»Suzanne lädt uns auf ein Glas ein, um klarer zu sehen. Komm.«

Lawrence verzog das Gesicht.

»Sie stinkt«, sagte er.

Camille erstarrte.

»Sie stinkt nicht«, sagte sie etwas aufgebracht, unter Mißachtung jeglicher Wahrheit.

»Sie stinkt«, wiederholte Lawrence.

»Sei nicht unhöflich.«

Lawrence sah Camilles gerunzelte Stirn und lächelte plötzlich.

»Einverstanden«, sagte er und nahm seinen Helm ab.

Er folgte ihr auf dem Weg, der durch vertrocknetes Gras zu der Steinbaracke hinunterführte. Gegen diese Gewohnheit der Franzosen, sich bereits ab Mittag mit Schnäpsen zugrunde zu richten, hatte er allerdings nichts einzuwenden. Das konnten die Kanadier genausogut.

»Ändert aber nichts«, sagte er und legte ihr eine Hand auf die Schulter. »Sie stinkt.«

6

Noch am selben Abend ließ sich die landesweite Nachrichtensendung lang und breit über die neuesten Opfer der Mercantour-Wölfe aus.

»God«, sagte Lawrence. »Könnten die uns vielleicht mal in Ruhe lassen.«

Übrigens war nicht mehr von Wölfen die Rede, sondern von *dem Wolf* des Mercantour. Eine lange, atemlose Reportage zu Beginn der Nachrichten beschäftigte sich mit ihm. Sie weckte Entsetzen und Haß, indem sie die miteinander verwandten Zutaten Lust und Angst zu einem ungesunden Brei verkochte. Genüßlich wurde das Gemetzel verdammt, ausführlich die Kraft des Tieres geschildert: nicht zu fassen, blutrünstig und von riesenhafter Größe. Vor allem letzteres war Triebkraft des leidenschaftlichen Interesses, das das ganze Land jetzt der »Bestie vom Mercantour« entgegenbrachte. Die außerordentliche Größe, die das Tier über alles Normale hinaushob, aus dem Gewöhnlichen ausschloß, ließ es zu einem Angehörigen der teuflischen Heerscharen werden. Man hatte einen Höllenwolf entdeckt und würde ihn um nichts auf der Welt aufgeben.

»Es wundert mich, daß Suzanne die Journalisten reingelassen haben soll«, sagte Camille.

»Sind allein rein.«

»Diesmal kommt's zur Treibjagd. Man wird sie nicht verhindern.«

»Werden ihn im Mercantour nicht finden.«
»Glaubst du, er hat seinen Schlafplatz woanders?«
»Sicher, er wandert. Vielleicht der Bruder.«
Camille machte den Fernseher aus und sah Lawrence an.
»Von wem redest du?«
»Der Bruder von Sibellius. Sie waren bei der Geburt fünf: zwei Weibchen, Livia und Octavia, und drei Rüden, Sibellius, Porcus der Lahme und Crassus der Kahle.«
»Groß?«
»Versprach ziemlich massig zu werden. Hab ihn nie ausgewachsen gesehen. Mercier hat mich daran erinnert.«
»Weiß er, wo er ist?«
»Nein. Mit der Ranzzeit haben sich viele Reviere verlagert. Kann dreißig Kilometer in einer Nacht zurücklegen. Wait, Mercier hat mir ein Foto von ihm gegeben. Aber da war er jung.«
Lawrence stand auf, suchte seinen Rucksack.
»Mist« knurrte er. »Bullshit, ich hab ihn bei der Dicken gelassen.«
»Suzanne«, verbesserte Camille.
»Bei der dicken Suzanne.«
Camille zögerte, sie verspürte Lust auf einen kurzen Schlagabtausch.
»Wenn du runtermußt«, sagte sie schließlich, »begleite ich dich. In den Toiletten tropft's.«
»Der Dreck«, sagte Lawrence. »Stört dich der Dreck nicht?«
Camille zuckte mit den Schultern und griff nach ihrer schweren Werkzeugtasche.
»Nein«, sagte sie.

In Les Écarts bat Camille um einen Eimer und einen Lappen und überließ Lawrence Suzanne und Soliman, der Kräutertee und Schnaps anbot.

»Schnaps«, sagte Lawrence.

Camille beobachtete, wie er es anstellte, sich in größtmöglicher Entfernung von Suzanne am Ende des Tisches niederzulassen.

Während sie die festgefressenen Schraubenmuttern der Toilettenabflußrohre löste, fragte sich Camille, ob es möglich wäre, Lawrence zu bewegen, danke zu sagen, wenigstens danke. Nicht daß er unfreundlich war, er war nur einfach nicht liebenswürdig. Der Umgang mit Grizzlys hatte ihn nicht gerade herzliche Umgangsformen gelehrt. Und das war Camille unangenehm, selbst gegenüber einer so derben Frau wie Suzanne. Aber Camille hatte keinen Sinn für Strafpredigten. Was soll's, dachte sie, während sie die verrostete Rohrverbindung mit der Spitze eines Schraubendrehers löste. Red nicht. Misch dich nicht ein, das ist nicht dein Job.

Aus dem Zimmer im Erdgeschoß drang undeutliches Gemurmel herauf, dann hörte sie mehrere Türen schlagen. Soliman rannte den Gang entlang, die Treppe hoch und blieb vor der Toilettentür außer Atem stehen. Camille, die noch immer kniete, hob den Kopf.

»Morgen«, verkündete Soliman, »morgen ist die Treibjagd.«

In Paris ließ Kommissar Adamsberg gedankenverloren die Fernsehbilder an sich vorüberziehen, ohne sie wirklich zu sehen. Die emphatische Reportage heute abend hatte ihm Unwohlsein bereitet. Sollte dieser blöde, blutdürstige Wolf sich nicht bremsen, würde er, Adamsberg, den paar verantwortungslosen Fleischfressern, die eines schönen Tages in einer romantischen Anwandlung die Alpen überquert hatten, nicht mehr viel Zeit geben. Diesmal hatten die Journalisten stärker an den Bildern gearbeitet. Man erkannte die dünnen braunen Linien, die die Läufe und den Rücken der italienischen Wölfe kennzeichnen. Die Kamera näherte sich den Übeltätern, deren Aussichten sich zusehends verschlechterten. Die Spannung wuchs, und das Tier ebenso. In einem Monat würde es drei Meter erreichen. Ganz normal. Adamsberg hatte schon viele Opfer ihren Angreifer beschreiben hören: riesige Kerle, Gesichtszüge von Bestien, tellergroße Hände. Dann schnappte man den Kerl, und das Opfer war bisweilen enttäuscht darüber, daß der vermeintliche Riese so armselig, so gewöhnlich war. Was ihn betraf, so hatten fünfundzwanzig Jahre bei der Polizei ihn gelehrt, die gewöhnlichen Menschen zu fürchten und den Riesen und Mißgestalteten, die seit ihrer Kindheit gelernt haben, sich abseits zu halten, damit man sie in Ruhe läßt, die Hand zu reichen. Gewöhnliche Leute verfügen nicht über diese Klugheit, sie halten sich nicht abseits.

Adamsberg wartete, vor sich hindämmernd, die Spätausgabe der Nachrichten ab. Nicht um nochmals die zerfetzten Schafe zu sehen oder von den Großtaten des Riesenwolfs zu hören. Sondern um die Gesichter der Leute von Saint-Victor zu sehen, die am Abend auf dem Dorfplatz hin und her liefen. Rechts, gegen eine große Platane gelehnt und nur zu drei Vierteln von hinten zu sehen, stand eine junge Frau, die ihn interessierte. Lang, schmal, graue Jacke, Jeans und Stiefel, dunkle, schulterlange Haare, die Hände in den Taschen. Das war alles. Man sah nicht mal ihr Gesicht. Das reichte nicht aus, um an Camille zu denken, und doch hatte er genau an sie gedacht. Camille war ganz der Typ Frau, die auch bei fünfunddreißig Grad im Schatten ihre Cowboystiefel an den Füßen behielt. Aber sicher ließen Millionen anderer Mädchen mit schwarzen Haaren und grauer Jacke bei Hitze ihre Stiefel an. Und Camille hatte keinen Grund, auf dem Dorfplatz von Saint-Victor rumzustehen. Oder vielleicht hatte sie einen Grund, dort rumzustehen, was wußte er denn, er hatte sie schließlich seit Jahren nicht gesehen, nicht ein Lebenszeichen, gar nichts. Auch er hatte kein Lebenszeichen von sich gegeben, aber ihn konnte man finden, er hatte sich von seinem Kommissariat nicht entfernt, hing über seinen Fällen, Mord auf Mord. Während Camille wie immer abgehauen war, mit der ihr eigenen Art, unvermittelt zu verschwinden und die anderen ratlos zurückzulassen. Sicher, er war es, der sie verlassen hatte, aber man kann doch von Zeit zu Zeit von sich hören lassen, oder nicht? Nein. Camille war stolz und legte niemandem Rechenschaft ab. Er hatte sie ein einziges Mal wiedergesehen, in einem Zug, das war jetzt mindestens fünf Jahre her. Sie hatten sich zwei Stunden geliebt, und dann nichts mehr, sie war verschwunden, leb dein Leben, Kamerad. Sehr gut, er lebte sein Leben, Kamerad, und es war ihm völlig egal. Es hätte ihn nur einfach interessiert, zu wissen, ob sie das war an der Platane in Saint-Victor.

Um 23 Uhr 45 kamen wieder Nachrichten, die Schafe, der Schafzüchter, die Schafe und dann der Dorfplatz. Adamsberg beugte sich zum Fernseher vor. Das konnte sie sein, seine Camille, mit der er nichts zu tun hatte und an die er so häufig dachte. Ebensogut konnte es eines von Millionen Mädchen sein. Mehr sah er nicht. Außer einem großen blonden Mann mit langem Haar, der neben ihr stand, ein junger Typ, der richtige Mann für's Abenteuer, geschmeidig und verführerisch, diese Art Mann, der einer Frau die Hand auf die Schulter legt, als ob die ganze Welt seinem Befehl gehorchte. Und dieser Typ, da war er fast sicher, hatte seine Hand auf der Schulter des Mädchens mit den Stiefeln.

Adamsberg ließ sich in seinen Sessel zurücksinken. Er war kein junger Typ, kein richtiger Mann fürs Abenteuer. Er war nicht groß, er war nicht jung. Er war nicht blond. Er glaubte nicht, daß die ganze Welt seinem Befehl gehorchte. Dieser Typ war eine ganze Menge von dem, was er nicht war. Sein Antipode vielleicht. O. k., und was machte das? Camille liebte wahrscheinlich schon jahrelang blonde Männer, die er nicht kannte. Bei ihm folgten schon jahrelang Frauen jeder Haarfarbe aufeinander, die, wie festzustellen war, im Vergleich zu Camille den realen Vorteil boten, nicht diese verdammten Lederstiefel zu tragen. Diese Frauen trugen Frauenschuhe.

Sehr gut, leb dein Leben, Kamerad. Ihm machte weniger der junge Typ Sorgen als die Vorstellung, Camille könnte in Saint-Victor seßhaft geworden sein. Er stellte sich Camille noch immer in Bewegung vor, wie sie Städte durchquerte, Landstraßen entlanglief, auf dem Rücken einen Rucksack mit Partituren und Rollgabelschlüsseln, niemals gesetzt, nie sitzend und im Grunde also nie erobert. Sie in diesem Dorf zu sehen verwirrte ihn. Damit wurde alles vorstellbar. Zum Beispiel, daß sie dort ein Haus besaß, einen Stuhl, einen Bol für den Milchkaffee, warum nicht einen Bol?, und dann noch ein Waschbecken und schließlich ein Bett und einen Kerl darin, und vielleicht mit dem Kerl eine statische Liebe mit satter Bodenhaftung, so wie ein robuster Bauernhoftisch, sauber, schlicht und mit heißem Wasser gescheuert. Camille unbeweglich, gefesselt an den blonden Kerl, mit ihrem Einverständnis und ohne Gegenwehr. Was nicht einen, sondern zwei Bols ergeben würde. Und wo man schon dabei ist, auch noch Teller, Bestecke, Töpfe, Lampen und, im schlimmsten Fall, einen Teppich. Zwei Bols. Zwei große, saubere, schlichte, mit heißem Wasser gescheuerte Bols für den Milchkaffee.

Adamsberg spürte, daß er im Begriff war, einzuschlafen. Er stand auf, machte den Fernseher und das Licht aus und ging duschen. Zwei Bols mit sauberem, schlichtem, mit heißem Wasser gescheuertem Kaffee. Gut und schön, aber wenn man so weit war, erklärte das alles nicht die Stiefel.

Was hatten die Stiefel in der Geschichte verloren, wenn es nur darum ging, vom Bett zum Tisch und vom Tisch zum Klavier zu gehen? Und vom Klavier zum Bett? Mit dem mit heißem Wasser gescheuerten Kerl?

Adamsberg drehte den Hahn zu und trocknete sich ab. Solange es Stiefel gibt, besteht Hoffnung. Er rubbelte sich die Haare trocken und warf sich einen Blick im Spiegel zu. Es passierte ihm manchmal, daß er an dieses Mädchen dachte. Er mochte das, und es blieb ohne Folgen. Es war wie rausgehen, aufbrechen, um zu sehen und etwas herauszufinden, um seine Gedanken umzuarbeiten, so wie man für die Dauer einer Aufführung ein Bühnenbild aufzieht. Das Schauspiel der »Frau, die geht«. Danach kehrte er zum gewöhnlichen Ablauf seiner Tagträume zurück und ließ Camille auf der Straße. Heute abend war das Schauspiel von der »Frau, die sich in Saint-Victor mit so einem blonden Kerl niederläßt«, weniger amüsant gewesen. Er würde bestimmt nicht mit der Vorstellung einschlafen können, sie zu lieben, was ihm manchmal zwischen zwei Affären passierte. Camille diente ihm als imaginäre Frau, wenn die Wirklichkeit nicht mitkam. Jetzt störte der blonde Kerl das enge Zusammensein.

Adamsberg streckte sich aus und schloß die Augen. Dieses Mädchen in Stiefeln war nicht Camille, die hatte an einer Platane in Saint-Victor nichts verloren. Dieses Mädchen mußte Mélanie heißen. Und logischerweise hatte der richtige Mann fürs Abenteuer nicht das geringste Recht, ihm das Leben schwer zu machen.

7

Schon im Morgengrauen hatten sich auf dem Dorfplatz von Saint-Victor Menschen zu kleinen, dichtgedrängten Gruppen zusammengefunden. Lawrence war am Vorabend in großer Eile in das Mercantourmassiv zurückgekehrt. Beistand leisten, die Meute kontrollieren, alle Zugänge überwachen, sie gegen jeden Versuch eines Eindringens verteidigen. Im Prinzip dürfte die Treibjagd sich nur auf die Umgebung von Saint-Victor erstrecken. Im Prinzip würden sich die Jäger nicht in den Mercantour hineinwagen. Im Prinzip setzte man auf ein Tier, das man seit dem Winter aus den Augen verloren hatte, oder ein neu hinzugekommenes aus den Abruzzen. Im Prinzip würden die Wölfe vom Park verschont bleiben. Noch. Aber man durfte sich nicht über den Ausdruck der Gesichter mit den halb geschlossenen Augen und das schweigende Abwarten täuschen: Es herrschte Krieg. Mit dem angeknickten Gewehr über dem Unterarm oder über der Schulter stolzierten die Männer auf dem Platz um den Brunnen herum. Man wartete auf Anweisungen, welcher Gruppe man sich anschließen solle, da mehrere Gruppen gleichzeitig von Saint-Martin, Puygiron, Thorailles, Beauval und Pierrefort aus losziehen sollten. Nach dem letzten Stand sollten die Männer von Saint-Victor sich denen von Saint-Martin anschließen.

Es herrschte Krieg.

Neuneinhalb Millionen Schafe. Vierzig Wölfe.

Camille saß im Café und beobachtete durch die Scheibe die Kriegsvorbereitungen, die entschlossenen Mienen, die Zeichen männlichen Einverständnisses, die kläffenden Hunde. Der Wacher fehlte beim Appell, genau wie Soliman. Der einzige, würdevolle Schäfer des Dorfes schloß sich also der Jagd nicht an, Befehl von Suzanne Rosselin oder vielleicht eine persönliche Entscheidung. Das erstaunte sie nicht. Der Wacher war ein Mann, der seine Rechnungen alleine beglich. Der Fleischer dagegen ging von einer Gruppe zur nächsten und war unfähig, ruhig stehenzubleiben. Fleisch, immer das Fleisch. Da standen Germain, Tourneur, Frosset, Lefèbvre und andere, die Camille nicht kannte.

Lucie überwachte das Sammeln der Truppen von ihrer Theke aus.

»Der da«, knurrte sie, »geniert sich auch nicht.«

»Wer?« fragte Camille und setzte sich neben sie.

Lucie deutete mit einem Gläsertuch auf eine Gestalt.

»Massart, der Typ vom Schlachthof.«

»Der Dicke in der blauen Jacke?«

»Dahinter. Der, der so aussieht, als hätte er zum Trocknen auf einem Faß gelegen.«

Camille hatte Massart, der wie es hieß, nie aus seinem Haus runter ins Dorf kam, noch nie gesehen. Er arbeitete im Schlachthof von Digne, lebte zurückgezogen in einem alten Kasten oben am Mont Vence und brachte seine Einkäufe aus der Stadt mit. So sah man ihn selten und hatte wenig Kontakt zu ihm. Es hieß, er sei seltsam, Camille hielt ihn einfach für einen Einzelgänger, was in einem Dorf ungefähr auf dasselbe herauskam. Aber er war tatsächlich etwas seltsam, einfach nicht gut gebaut. Massig, auf krummen Beinen, mit kurzem, breitem Oberkörper, hängenden Armen, die Schirmmütze wie eine Flaschenkapsel über den Schädel gezogen, die Stirn von einem langen Pony verdeckt. Hier hatten alle braune Haut, aber Massart hatte milchweiße Haut wie ein Pfarrer, der nie seine Kirche verläßt. Mit gesenktem Gewehr wartete er etwas abseits, linkisch an einen weißen Lieferwagen gelehnt. Er hielt einen großen, gefleckten Hund an der Leine.

»Geht er nie aus?« fragte Camille.

»Nur um zum Schlachthof zu fahren. Die restliche Zeit schließt er sich da oben ein und macht Gott weiß was.«

»Was?«

»Gott weiß was. Er hat keine Frau. Er hat nie eine Frau gehabt.«

Lucie wischte die Scheibe mit ihrem Tuch, wie um Zeit für den nächsten Satz zu gewinnen.

»Er hat es vielleicht nicht geschafft«, sagte sie leiser. »Vielleicht konnte er nicht.«

Camille antwortete nicht.

»Es gibt Leute, die sagen was anderes«, fuhr Lucie fort.

»Zum Beispiel?«

»Was anderes«, wiederholte Lucie achselzuckend. »Jedenfalls hat er keine einzige Petition gegen die Wölfe unterschrieben, seitdem die da oben leben«, fuhr sie nach kurzem Schweigen fort. »Und es gab 'ne ganze Menge Petitionen und Versammlungen. Aber bei ihm könnte man fast glauben, er wäre für die Wölfe. Wenn man so lange Zeit da oben wie ein Wilder lebt, ohne Frau oder sonstwas. Den Kindern ist's verboten, da raufzugehen.«

»Er sieht nicht aus wie ein Wilder«, sagte Camille, die das gebügelte Hemd, die saubere Jacke und das rasierte Kinn musterte.

»Und jetzt«, fuhr Lucie fort, ohne Camille zuzuhören, »steht er da mit seinem Gewehr und seinem Köter. Der geniert sich wirklich nicht, dieser Massart.«

»Redet niemand mit ihm?« fragte Camille.

»Das nützt nichts. Er mag die Leute nicht.«

Auf ein Zeichen des Bürgermeisters hin wurden plötzlich die Zigarettenkippen ausgetreten, die Motoren angelassen, man zwängte sich Leib an Leib in die Autos, hinten nur jeweils zwei und die Hunde. Die Türen schlugen zu, überall fuhren Autos an. Einen Moment lang stank der Platz nach Diesel, dann verflüchtigte sich der Geruch.

»Ob sie ihn wohl schnappen?« seufzte Lucie zweifelnd und verschränkte die Arme auf ihrer Theke.

Camille enthielt sich einer Antwort. Sie schaffte es nicht, auf genauso klare Weise ihr Lager zu wählen wie Lawrence. Aus der Ferne betrachtet, hätte sie die Wölfe, alle Wölfe, verteidigt. Von nahem gesehen, fand sie das weniger einfach. Die Schäfer wagten es nicht mehr, ihre wandernden Herden zu verlassen, die Schafe wollten nicht lammen, die Angriffe wurden immer zahlreicher, überall gab es jetzt Schutzhunde, die Kinder liefen nicht mehr im Gebirge herum. Aber sie verabscheute Kriege, Vernichtung, und diese Treibjagd war der erste Schritt dazu. Ihre Gedanken wandten sich dem Wolf zu, wie um ihn vor der Gefahr zu warnen, lauf, verzieh dich, leb dein Leben, Kamerad. Wenn diese Faulpelze von Wölfen sich doch mit den Gemsen des Parks zufriedengegeben hätten. Aber nein, sie suchten das Allereinfachste, und das war das Drama. Es wäre besser, ins Haus zurückzugehen, die Türen zu schließen und an die Arbeit zu denken. Obwohl sie zum Komponieren heute überhaupt keine Lust hatte.

Klempnerarbeiten also. Das war die Rettung.

Sie hatte mehrere Aufträge vor sich: Eine Heizungspumpe beim Inhaber des Tabakgeschäfts, ein Gasboiler, der bei jedem Zünden zu explodieren drohte – hier war das die nötige Reparatur schlechthin –, und ein Abflußrohr, aus dem es rausquoll, direkt hier im Café.

»Ich werd die Sache mit dem Abflußrohr regeln«, sagte Camille. »Ich hol mein Werkzeug.«

Gegen acht Uhr abends war noch niemand von der Treibjagd zurückgekommen, was vermuten ließ, daß das Tier Schwierigkeiten machte. Camille beendete ihre Arbeit, setzte die Verkleidung des alten Boilers wieder auf und regelte den Druck. Noch über zwei Stunden Warten. Dann würde es Nacht, und die Suche müßte bis zum nächsten Tag unterbrochen werden.

Am Waschhaus oberhalb des Dorfes wartete Camille auf die Rückkehrer. Sie hatte Brot und Käse auf die noch warme Steineinfassung gelegt und aß langsam, um sich in Geduld zu üben. Kurz vor zehn Uhr rollten die Autos auf den Platz, Türen schlugen, die Männer kletterten, schon weniger feurig, mühsam aus den Wagen. An ihren schleppenden Schritten, den farblosen Stimmen, den Klagelauten der erschöpften Hunde merkte Camille, daß die Treibjagd erfolglos geblieben war. Das Tier war listig. Camille sandte ihm im Geiste ein Glückwunschtelegramm. Leb dein Leben, Kamerad.

Dann erst entschloß sie sich, ins Haus zurückzugehen. Bevor sie den Synthesizer einschaltete, rief sie Lawrence an. Kein Eindringen von Jägern in den Park, Sibellius nicht aufgespürt, genausowenig wie Crassus den Kahlen. Am ersten Kriegstag hatten die Kämpfer ihre Grenzen gewahrt.

Aber nichts war entschieden. Die Treibjagd ging im Morgengrauen weiter. Und wieder einen Tag später, am Samstag, würden fünfmal mehr Männer zur Verfügung stehen. Lawrence blieb da oben, vor Ort.

8

Die beiden letzten Tage der Woche – vor dem sonntäglichen Frieden – waren von denselben Aufbrüchen, denselben Spannungen und schließlich derselben Stille geprägt, die sich über das Dorf legte. Am Samstagnachmittag ergriff Camille die Flucht und ging zu Fuß ins Gebirge bis zum Stein des heiligen Markus, der im Ruf stand, Impotenz, Sterilität und Mißerfolge in der Liebe zu heilen, wenn man sich nur in der richtigen Weise auf ihm niederließ. Über diesen letzten, offenbar heiklen Punkt hatte Camille keine ernsthafte Aufklärung erhalten können. Wenn dieser Stein jedenfalls all das regeln konnte, so vermochte er sicherlich wenigstens schlechte Laune, Zweifel, Langeweile und das Fehlen musikalischer Inspiration zu heilen, was schließlich nichts anderes als Sekundärformen von Impotenz waren.

Camille griff nach ihrem eisenbeschlagenen Stock und dem *Katalog für handwerkliches Arbeitsgerät*, ein Objekt, das sie in kostbaren Momenten – beim Frühstück, zur Kaffeezeit, oder wann immer ihre Laune schwankte – über alle Maßen gern durchblätterte. Ansonsten waren Camilles Lektüregewohnheiten ziemlich normal.

Ihre Vorliebe für Materialien und Technik verstimmte Lawrence, der den Katalog ungefragt mit anderen Werbeprospekten in den Mülleimer geworfen hatte. Es reichte ihm, daß Camille klempnerte, da mußte sie nicht auch noch mit der Ausrüstung sämtlicher anderen Handwerkszünfte liebäugeln. Camille hatte den *Katalog* etwas verdreckt wieder herausgeholt, ohne eine große Geschichte daraus zu machen. Die maßlose Hoffnung, die Lawrence in alle Frauen setzte, verleitete ihn paradoxerweise zum Konformismus: Sie rangierten bei ihm auf einer höheren Ebene der Schöpfung, und er sprach ihnen die Fähigkeit zu, die Welt der Instinkte zu beherrschen, und gab ihnen die Aufgabe, die Männer aus der plumpen Materie emporzuheben. Er wollte sie erhaben und nicht gewöhnlich, er erhoffte sie sich eher immateriell und jedenfalls nicht pragmatisch. Eine Idealisierung, die mit dem *Katalog für handwerkliches Arbeitsgerät* völlig unvereinbar war. Camille erkannte Lawrences legitimes Recht zu träumen an, aber hielt sich für ebenso berechtigt, Werkzeug zu mögen wie jedes beliebige Arschloch, wie Suzanne gesagt hätte.

Sie stopfte den Katalog zusammen mit Wasser und Brot in einen Rucksack und verließ das Dorf über eine Reihe von Serpentinen, die steil in westlicher Richtung hinaufstiegen. Sie mußte fast drei Stunden laufen, bis sie den Stein erreichte. Fruchtbarkeit verdient man sich nicht mit zweimal Fingerschnalzen. So einen Stein findet man nie in Nachbars Garten, das wäre Schummelei. Er liegt immer an völlig unmöglichen Orten versteckt. Als sie den Gipfel des Berges erreicht hatte, auf dem sich der abgegriffene Stein befand, stand Camille vor einem frisch aufgestellten Schild, das die Spaziergänger taktvoll vor den neu angeschafften Schutzhunden der Schäfer warnte. Der Text endete mit der folgenden hoffnungsfrohen Bemerkung: *»Schreien Sie nicht, werfen Sie nicht mit Steinen. Nach kurzem Beobachten laufen sie von alleine weg.«* Vor allem aber, vervollständigte Camille, fallen sie über einen her. Instinktiv wurde ihr Griff um den eisenbeschlagenen Stock fester, und sie sah sich um. Mit Wölfen und streunenden Hunden wurde das Gebirge wieder Kampf.

Sie kletterte auf den Stein, von dem aus man das gesamte Tal überblickte. Unten bildeten die Autos der Treibjagdteilnehmer eine weiße Linie. Einzelne Rufe drangen bis zu ihr herauf. Im Grunde fühlte sie sich, so allein da oben, gar nicht mehr ruhig. Im Grunde hatte sie ein bißchen Angst.

Sie holte das Wasser, das Brot und den Katalog heraus. Es war ein sehr ausführlicher Katalog mit Unterkapiteln über *Druckluft, Schweißen, Gerüste, Hebemaschinen* und einer ganzen Reihe ähnlich verheißungsvoller Rubriken. Camille las alles, einschließlich so detaillierter Beschreibungen wie: *Mauerfräse, 1300 Watt, Elektronik mit Thermo-Überlastschutz, für Sanftanlauf und konstante Drehzahl, Universal-Staubabsaug-Adapter und Spindelarretierung.* Diese Kurzbeschreibungen, von denen solche Kataloge wimmelten, bereiteten ihr großes intellektuelles Vergnügen – das Verständnis für den Gegenstand, seinen Aufbau, seine Wirksamkeit – wie zugleich auch eine starke lyrische Befriedigung. Dazu kam der heimliche Traum, alle Probleme des Planeten mit der *Drehbank-Fräsen-Kombination* oder dem *Universalspannfutterschlüssel* lösen zu können. Der Katalog barg die Hoffnung, mit Hilfe von Kraft und Schlauheit allen Ärger der menschlichen Existenz bezwingen zu können. Gewiß eine trügerische Hoffnung, aber immerhin eine Hoffnung. So schöpfte Camille ihre Lebensenergie aus zwei Quellen: Dem Komponieren von Musik und dem *Katalog für handwerkliches Arbeitsgerät*. Vor zehn Jahren hatte sie auch noch auf die Liebe gezählt, aber sie hatte ihre Ansprüche, was diese alte, bis zum Überdruß wiedergekäute Sache mit der Liebe anging, ziemlich zurückgeschraubt. Die Liebe verlieh einem Flügel, um einem die Beine abzusägen – das lohnte also nicht. Lohnte sehr viel weniger als zum Beispiel ein *Zehn-Tonnen-Wagenheber mit Hydromechanik*. Im großen und ganzen war es mit der Liebe doch so: Wenn man jemanden nicht liebte, blieb er, und wenn man jemanden liebte, lief er davon. Ein einfaches System ohne Überraschungen, das unfehlbar gähnende Langeweile oder eine

Katastrophe zeitigte. All das für zwanzig Tage Entzücken, nein, das lohnte wirklich nicht. Die dauerhafte Liebe, die Liebe, die etwas begründet, die Liebe, die stärkt, adelt, heiligt, reinigt und wiedergutmacht, kurz, all das, was man über die Liebe denkt, bevor man versucht, die Sache wirklich mal auszuprobieren, war dummes Zeug. Diesen Punkt hatte Camille nach langen Jahren der Versuche, nach nicht gerade wenigen bitteren Enttäuschungen und einer handfesten Verzweiflung erreicht. Dummes Zeug, ein Schwindel für Naive, ein glücklicher Fund für Narzißten. Anders gesagt, war Camille, was die Liebe anging, ziemlich abgebrüht, und sie empfand weder Bedauern noch Befriedigung darüber. Das Abbrühen hinderte sie nicht daran, Lawrence auf ihre Art aufrichtig zu lieben. Ihn zu schätzen, ihn sogar zu bewundern, sich an ihm zu wärmen. Und in keiner Weise irgend etwas von ihm zu erhoffen. Camille hatte sich von der Liebe nur das unmittelbare Verlangen und die kurzzeitigen Gefühle bewahrt und jegliches Ideal, jegliche Hoffnung, jegliche Größe eingemauert. Sie erwartete fast nichts von fast niemandem. Nur noch auf diese Weise konnte sie lieben, in einem gewinnlerischen und wohlwollenden Geisteszustand, der sich an der Grenze zur Gleichgültigkeit bewegte.

Camille setzte sich weiter in den Schatten, legte die Jacke ab und vertiefte sich gut zwei Stunden lang in das aufmerksame Studium des *Einhand-Winkelschleifers, 800 Watt, mit Steintrennscheibe*, der *Keller-Pumpe mit zweifach isoliertem Turbinengehäuse* und anderen ebenso tröstlichen wie erbaulichen Raffinessen. Aber ihr Blick löste sich immer wieder vom Katalog und schweifte über die Umgebung. Ihr war nicht wohl, und ihre Hand umklammerte den Stock. Plötzlich nahm sie ein Knacken wahr, dann das Rascheln von Gebüsch. Blitzschnell stand sie auf dem Stein, den Stock hochgereckt, ihr Herz raste. In zehn Meter Entfernung tauchte ein Wildschwein auf und flüchtete ins Gestrüpp, als es sie sah. Camille keuchte, machte ihren Rucksack zu und stieg den Pfad wieder in Richtung Saint-Victor hinunter. Das Gebirge tat ihr im Augenblick nicht gut.

Als die Nacht hereinbrach, setzte sie sich im Schneidersitz auf die Einfassung des Waschhauses, legte Brot und Käse auf den Stein, beobachtete die Rückkehr der Jäger, hörte den dumpfen Lärm, der vom erlittenen Mißerfolg kündete. Von dort oben sah sie Lawrence, der auf seinem Motorrad herauffuhr. Anstatt es wie gewöhnlich auf dem Platz aufzubocken, zog er es vor, an den müden Männern vorbei- und den steilen Pfad hinaufzufahren, der zum Haus führte.

Als Camille das Haus erreichte, saß er in Gedanken versunken auf der hohen Türschwelle, den Helm noch in der Hand. Sie setzte sich neben ihn, und Lawrence legte seinen Arm um ihre Schulter.

»Was Neues?«

Lawrence schüttelte den Kopf.

»Ärger?«

Dieselbe Bewegung.

»Sibellius?«

»Gefunden. Mit seinem Bruder Porcus. Revier ganz im Südosten. Bösartig wie Lumpenkerle. Bösartig, aber nicht aus der Ruhe zu bringen. Die Jungs wollen versuchen, sie zu betäuben.«

»Wozu?«

»Kieferabdruck.«

Camille nickte.

»Crassus?« fragte sie.

Lawrence schüttelte erneut den Kopf.

»Keine Fährte«, sagte er.

Camille aß schweigend ihr Stück Käse zu Ende. Manchmal war es ermüdend, dem Kanadier die Worte aus der Nase zu ziehen.

»Niemand findet das Tier«, schloß sie. »Weder die noch ihr.«

»Unauffindbar«, bestätigte Lawrence. »Muß ziemlich randalieren, die Hunde müßten ihn riechen.«

»Also?«

»Ein harter Kerl. Tough guy.«

Camille verzog das Gesicht. Das erstaunte sie. Obwohl, auch bei dem Wolf von Gévaudan hatten sie ganz schön lange gebraucht, um ihn zu erwischen. Falls es der richtige gewesen war, was man nie hatte beweisen können. Deshalb konnte das Tier auch noch zwei Jahrhunderte danach seinen Schatten umherschweifen lassen.

»Trotzdem«, murmelte sie, ihr Kinn auf den Knien, »das wundert mich.«

Lawrence strich ihr durchs Haar.

»Es gibt hier jemanden, den das überhaupt nicht wundert«, sagte er.

Camille wandte Lawrence den Blick zu. Es war jetzt bereits Nacht, sie sah sein Gesicht nur noch undeutlich. Sie wartete. Bei Nacht war Lawrence gezwungen, mehr zu reden, da man seine Zeichen nicht mehr erkennen konnte. In der Dunkelheit fand er sogar zu einer gewissen Flüssigkeit der Rede.

»Jemand, der nicht daran glaubt«, sagte er.

»An die Jagd?«

»An das Tier.«

Erneutes Schweigen.

»Versteh nicht«, sagte Camille, die inzwischen auch manchmal unwillkürlich an den Worten sparte.

»Der glaubt, daß es kein solches Tier gibt«, erklärte Lawrence, der sich überwinden mußte. »Nicht ein einziges Tier. Hat's mir im Vertrauen gesagt.«

»Aha«, erwiderte Camille. »Und was dann? Ein Traum?«

»Nein.«

»Eine Halluzination? Eine kollektive Psychose?«

»Nein. Glaubt, es ist kein Tier.«

»Glaubt er auch nicht an die toten Schafe?

»Doch. Natürlich. Aber nicht an das Tier.«

Camille zuckte entmutigt mit den Schultern.

»An was glaubt er also?«

»An einen Menschen.«

Camille richtete sich kopfschüttelnd auf.

»An einen Menschen? Der Schafe frißt? Und die Bißwunden?«

Lawrence verzog das Gesicht zu einem Lächeln.

»Glaubt an einen Werwolf.«

Erneutes Schweigen. Dann legte Camille ihre Hand auf den Arm des Kanadiers.

»Einen Werwolf?« wiederholte sie und senkte instinktiv die Stimme, als ob das unheilvolle Wort bloß nicht laut ausgesprochen werden dürfe. »Ein Werwolf? Willst du damit sagen, ein Verrückter?«

»Nein, ein Werwolf. Glaubt an einen richtigen Werwolf.«

Camille suchte Lawrences Gesicht in der Dunkelheit, um zu sehen, ob er sich vielleicht über sie lustig machte. Aber die Gesichtszüge des Kanadiers waren undurchdringlich.

»Redest du von so einem Kerl, der sich bei Einbruch der Nacht verwandelt, bei dem Krallen rauskommen, Fangzähne auftauchen und Fell wächst? So einem Kerl, der dann loszieht und alles in der Gegend auffrißt und der am frühen Morgen sein Fell unter die Jacke zwängt und zur Arbeit geht?«

»Genau von so einem«, bestätigte Lawrence in ernstem Ton. »Von einem Werwolf.«

»Und so was soll es hier in der Ecke geben?«

»Ja.«

»Und der soll all die Schafe seit dem Winter gerissen haben?«

»Oder die letzten zwanzig.«

»Und du« – Camille zögerte – »du glaubst daran?«

Lawrence lächelte vage und zuckte mit den Schultern.

»God«, sagte er. »Nein.«

Camille stand auf, lächelte und schüttelte ihre Arme, wie um Schatten zu vertreiben.

»Welcher Verrückte hat dir das erzählt?«

»Suzanne Rosselin.«

Wie vor den Kopf geschlagen, starrte Camille den Kanadier an, der noch immer ruhig, mit seinem Helm in der Hand, auf der Stufe saß.

»Stimmt das, Lawrence?«

»Stimmt. Neulich abend, während du das Rohr repariert hast. Sie sagt, das sei ein verdammtes Arschloch von Werwolf, der hier die ganze Gegend ausblute. Das sei der Grund, weshalb die Zähne nicht normal sind.«

»Suzanne? Redest du wirklich von Suzanne?«

»Ja. Von der Dicken.«

Niedergeschmettert und mit hängenden Armen blieb Camille unbeweglich stehen.

»Sie sagt«, nahm Lawrence den Faden wieder auf, »daß dieses verdammte Arschloch von Werwolf von, von ...« – Lawrence suchte den richtigen Ausdruck – »von der Rückkehr der Wölfe geweckt worden sei und jetzt deren Überfälle nutze, um seine Verbrechen zu verbergen.«

»Suzanne ist doch nicht verrückt«, murmelte Camille.

»Du weißt sehr gut, daß sie eine totale Macke hat.«

Camille antwortete nicht.

»Tief in deinem Inneren weißt du es«, fuhr Lawrence fort. »Und das Schlimmste habe ich dir noch nicht gesagt«, fügte er hinzu.

»Willst du nicht reingehen?« fragte Camille. »Mir ist kalt, mir ist sehr kalt.«

Lawrence hob den Kopf und sprang mit einem Satz auf,

als ob ihm erst jetzt bewußt würde, wie sehr er Camille schockierte. Camille mochte die Dicke. Er schlang seine Arme um sie, rieb ihren Rücken. Er hatte so viele unglaubliche Geschichten gehört, von so vielen alten Frauen, die sich in Grizzlys verwandelt hatten, von Grizzlys, die sich in Schneehühner, und von Schneehühnern, die sich in umherirrende Seelen verwandelt hatten, daß diese verrückten Bestiarien ihn schon seit langem nicht mehr beunruhigten. Der Mensch und das Wilde hatten sich nie gut vertragen. Aber hier in diesem mickerigen Frankreich hatten sie das verdrängt. Und vor allem mochte Camille die Dicke.

»Komm ins Haus«, sagte er, die Lippen in ihrem Haar.

Camille machte das Licht nicht an, weil sie keine Lust hatte, Lawrence alle Worte einzeln aus der Nase zu ziehen. Sie setzte sich in einen alten Korbsessel, zog die Knie an ihr Kinn, verschränkte die Arme. Lawrence öffnete ein Weckglas mit in Schnaps eingelegten Rosinen, schüttete ein Dutzend davon in eine Tasse und streckte sie ihr hin. Sich selbst schenkte er ein kleines Glas Schnaps ein.

»Wir können uns immer noch betrinken«, schlug er vor.

»Mit diesem schäbigen Rest schaffen wir das nie.«

Camille kaute die Rosinen und legte die dicken Kerne in ihre Tasse. Sie hätte sie gern in den Kamin gespuckt, aber Lawrence war dagegen, daß eine Frau in den Kamin spuckte, statt sich über die Brutalität des männlichen Geschlechts und dessen unaufhörliches Spucken zu erheben.

»Tut mir leid wegen Suzanne«, sagte er.

»Vielleicht hat sie doch zu viele afrikanische Sagen und Legenden gelesen«, bemerkte Camille mit müder Stimme.

»Vielleicht.«

»Gibt es in Afrika Werwölfe?«

Lawrence breitete die Arme aus.

»Zwangsläufig gibt es welche. Vielleicht sind es dort Werhyänen oder Werschakale.«

»Erzähl weiter«, sagte Camille.
»Sie weiß, wer es ist.«
»Der Werwolf?«
»Ja.«
»Sag.«
»Massart, der Typ vom Schlachthof.«
»Massart?« Camille schrie fast. »Warum Massart, verdammt?«
Lawrence rieb sich betreten die Wange.
»Sag«, wiederholte Camille.
»Weil Massart keine Behaarung hat.«
Camille hielt mit starrem Arm ihre Tasse hin und Lawrence schüttete einen weiteren Löffel Rosinen hinein.
»Wie, keine Behaarung?«
»Hast du den Kerl mal gesehen?«
»Einmal.«
»Er hat keine Behaarung.«
»Versteh ich nicht«, sagte Camille störrisch. »Er hat Haare wie du und ich. Er hat ein schwarzes Pony, der ihm bis über die Augen hängt.«
»Ich hab gesagt Behaarung. Keine Behaarung, Camille.«
»Du meinst an den Armen, den Beinen, der Brust?«
»Ja, der Typ ist unbehaart wie ein Kind. Ich hab keine Details gesehen. Anscheinend muß er sich nicht mal rasieren.«
Camille kniff die Augen zusammen, um sich das Bild von Massart vor seinem Lieferwagen in Erinnerung zu rufen. Sie sah seine weiße Haut an den Armen und den Wangen wieder vor sich, die neben dem dunklen Teint der anderen Männer so seltsam wirkte. Ja, keine Behaarung, vielleicht.
»Na und?« fragte sie. »Was macht das?«
»Du bist nicht sehr gut in Werwölfen, wie?«
»Nicht sehr.«

»Am Tage würdest du einen nicht erkennen, oder?«

»Nein. Woran sollte ich den armen Alten erkennen?«

»Daran. Ein Werwolf hat keine Behaarung. Weißt du, warum? Weil er sie nach innen trägt.«

»Soll das ein Witz sein?«

»Lies die alten Bücher deines alten bescheuerten Landes. Dann wirst du sehen. Da steht's geschrieben. Und auf dem Land wissen das haufenweise Leute. Auch die Dicke.«

»Suzanne.«

»Suzanne.«

»Die Sache mit der Behaarung wissen alle?«

»Das ist nicht irgendeine Sache. Das ist das Merkmal des Werwolfs. Es gibt kein anderes. Er hat seine Körperhaare innen, weil er ein umgekehrter Mann ist. Nachts kehrt er sich um, und dann erscheint seine haarige Haut.«

»So daß Massart nichts anderes wäre als ein auf links gewendeter Pelzmantel?«

»Wenn du so willst.«

»Und seine Zähne? Sind die auch zum Wenden? Wo räumt er die tagsüber hin?«

Lawrence stellte sein Glas auf den Tisch und wandte sich zu Camille um.

»Es nützt nichts, wenn du dich aufregst, Camille. Bullshit, das sag doch nicht ich, sondern die Dicke.«

»Suzanne.«

»Suzanne.«

»Ja«, erwiderte Camille. »Entschuldige.«

Camille stand auf, packte das Einmachglas mit den Rosinen und leerte es in ihre Tasse. Rosine für Rosine lockerten sich ihre Muskeln allmählich. Die Herrin von Les Écarts brannte im Nebenraum ihrer Küche eine Unmenge Schnaps – sie nannte es Feuerwasser –, die die gesetzliche Höchstmenge, die den Besitzern von Weinbergen gestattet war, weit überschritt. »Ich scheiß auf die gesetzliche

Höchstmenge«, pflegte sie zu sagen. Suzanne waren übrigens alle gesetzlichen Höchst- und Mindestmengen der Welt sowie alle anderen Grenzwerte völlig schnurz, ob es sich dabei nun um Steuern, Gebührenmarken, Quoten, Versicherungen, französische Sicherheitsnormen, Verfallsfristen oder um die Fristen für den Unterhalt nachbarschaftlich genutzten Geländes handelte. Buteil, ihr Verwalter, sorgte dafür, daß der Betrieb wenigstens das Mindestmaß staatsbürgerlicher Pflichten erfüllte, und der Wacher kümmerte sich um die gesundheitspolizeilichen Kontrollen. Camille fragte sich, wie eine Frau, die die allgemeine Ordnung ebenso leicht umwarf, wie sie eine einfache Scheunentür eingetreten hätte, einem so allgemein verbreiteten Gerücht wie dem vom Werwolf anhängen konnte. Sie schraubte den Deckel wieder auf das Glas und lief ein paar Schritte, die Hand über ihrer Tasse. Es sei denn, Suzanne schüfe sich durch ihre Feindseligkeit den allgemeinen Gesetzen gegenüber ihre eigene Ordnung. Ihre Ordnung, ihre Gesetze, ihre Erklärung der Welt. Während alle scharenweise einem Tier hinterherrannten und einen einzigen großen Block im Dienste einer einzigen großen Idee bildeten, schlug Suzanne Rosselin, die Feindin jeglichen einmütigen Denkens, allein ihr Lager auf. Sie trotzte dem Konsens und verfiel auf eine eigene Erklärung, wie immer die sein mochte, Hauptsache, es war nicht die der anderen.

»Sie hat eine Macke«, faßte Lawrence zusammen, als hätte er die Gedanken Camilles verfolgt. »Sie lebt abseits von den anderen.«

»Du auch. Du lebst mit den Bären im Schnee.«

»Aber ich hab keine Macke. Das ist bestimmt ein Wunder, aber ich hab keine Macke. Das ist der Unterschied zwischen der Dicken und mir. Ihr ist alles egal. Ihr ist egal, daß sie nach Wollschweiß stinkt.

»Laß den Wollschweiß mal beiseite, Lawrence.«

»Ich laß gar nichts beiseite. Sie ist gefährlich. Denk an Massart.«

Camille fuhr sich mit der Hand über das Gesicht. Lawrence hatte recht. Daß Suzanne mit ihrer Werwolfgeschichte durchdrehte, mochte ja noch angehen. Man dreht durch, womit man will. Aber einen Menschen zu beschuldigen, das war etwas anderes.

»Warum Massart?«

»Weil er unbehaart ist«, wiederholte Lawrence geduldig.

»Nein«, erwiderte Camille müde. »Abgesehen von der Behaarung, vergiß diese verdammte Behaarung. Warum, glaubst du, vergreift sie sich an ihm? Er ist ihr ein bißchen ähnlich, ein Ausgeschlossener, ein Einzelgänger, den keiner mag. Sie müßte ihn eigentlich verteidigen.«

»Genau deshalb. Er ist zu sehr wie sie. Sie jagen im selben Revier. Sie muß ihn aus dem Weg räumen.«

»Du denkst zu sehr an deine Grizzlys.«

»So funktioniert das. Es sind zwei unbarmherzige Konkurrenten.«

Camille wiegte den Kopf.

»Was hat sie dir über ihn gesagt? Abgesehen von der Behaarung?«

»Nichts. Soliman ist gekommen, und sie hat aufgehört zu reden. Ich habe nicht mehr erfahren.«

»Das ist schon nicht schlecht.«

»Das ist schon viel zu viel.«

»Was können wir tun?«

Lawrence kam näher und legte ihr die Hände auf die Schultern.

»Ich werd dir sagen, was mein Vater mir immer wieder gesagt hat.«

»Gut«, erwiderte Camille.

»Wenn du frei bleiben willst, halt's Maul.«

»O. k. Und weiter?«

»Wir halten das Maul. Wenn die Anschuldigung der Dicken unglücklicherweise je über die Grenzen von Les Écarts hinausdringt, muß man das Schlimmste für Massart befürchten. Weißt du, was man vor noch nicht mal zweihundert Jahren in deinem Land mit denen gemacht hat, die man im Verdacht hatte?«

»Sag es mir. Wo wir schon so weit sind.«

»Man hat ihnen den Wanst von der Kehle bis zu den Eiern aufgeschlitzt, um zu sehen, ob das Fell innen war. Danach war es zu spät, den Irrtum noch zu bereuen.«

Lawrence verstärkte den Druck seiner Hände auf Camilles Schultern.

»Das darf niemals aus ihrer verdammten Schäferei nach außen dringen!« skandierte er.

»Ich glaube nicht, daß die Leute so bescheuert sind, wie du sie dir vorstellst. Man wird sich nicht auf Massart stürzen. Die Leute wissen sehr gut, daß ein Wolf die Schafe reißt.«

»Du hast recht. Zu normalen Zeiten hättest du sogar vollkommen recht. Aber du vergißt das Folgende: Dieser Wolf ist kein Wolf wie die anderen. Ich habe den Abdruck seiner Zähne gesehen. Und du kannst mir glauben, Camille, wenn ich dir sage, daß das ein gewaltiges Tier ist, ein Tier, wie ich noch nie eines gesehen habe.«

»Ich glaube dir«, erwiderte Camille leise.

»Und bald werde ich nicht mehr der einzige sein, der das weiß. Die Kerle hier sind nicht blind, sie wissen sogar 'ne ganze Menge, was immer die Dicke auch sagen mag. Bald werden sie es wissen. Sie werden wissen, daß sie es mit etwas Außergewöhnlichem zu tun haben, mit etwas, das sie noch nie gesehen haben. Begreifst du, Camille? Begreifst du die Gefahr? Etwas, das nicht normal ist. Dann werden sie Angst kriegen. Dann sind sie verloren. Dann werden sie ihre Götzenbilder küssen und die Außenseiter verbrennen. Und wenn die dicke Suzanne ihr Gerücht verbreitet, dann werden sie sich auf Massart stürzen und ihm den Wanst von der Kehle bis zu den Eiern aufschlitzen.«

Camille wiegte angespannt den Kopf hin und her. Niemals hatte Lawrence soviel auf einmal geredet. Er ließ sie nicht los, wie um sie zu beschützen. Camille spürte seine heißen Hände in ihrem Rücken.

»Deshalb muß man dieses Tier unbedingt finden, tot oder lebendig. Tot, wenn sie es finden, lebendig, wenn ich es finde. Bis dahin halten wir das Maul.«

»Und Suzanne?«

»Wir gehen morgen zu ihr, um ihr zu befehlen, das Maul zu halten.«

»Sie mag keine Befehle.«

»Aber sie mag mich.«

»Vielleicht hat sie noch mit jemand anderem außer dir darüber geredet.«

»Glaube ich nicht. Wirklich nicht.«

»Warum?«

»Weil sie der Ansicht ist, daß alle in Saint-Victor verdammte Arschlöcher sind. Außer mir, weil ich Ausländer bin. Sie hat auch deshalb mit mir geredet, weil ich die Wölfe kenne.«

»Warum hast du mir das nicht schon Mittwoch abend erzählt, als wir von Les Écarts zurückkamen?«

»Ich dachte, daß sie das Tier bei der Treibjagd aufscheuchen und alles in Vergessenheit geraten würde. Ich wollte den Ruf der Dicken bei dir nicht unnötig beschädigen.«

Camille wiegte wieder den Kopf.

»Deine Suzanne ist bescheuert«, murmelte Lawrence.

»Ich mag sie trotzdem.«

»Ich weiß.«

9

Am nächsten Morgen startete Lawrence um halb acht das Motorrad. Camille, die noch ganz verschlafen war, setzte sich hinter ihn, und sie fuhren langsam die zwei Kilometer, die sie von Les Écarts trennten. Camille hielt sich mit einer Hand an Lawrences Bauch fest, mit der anderen umklammerte sie das leere Rosinenglas. Suzanne Rosselin lieferte keine Rosinen, wenn man ihr nicht ihr Glas zurückbrachte, so war das Gesetz.

Lawrence fuhr nach links und bog in den steinigen Weg ein, der zu dem Gebäude führte.

»Die Bullen!« rief Camille und packte Lawrence an der Schulter.

Lawrence deutete an, daß er verstanden habe, stellte den Motor aus und stieg ab. Sie nahmen beide den Helm ab und blickten zu dem blauen Kombi hinüber, der wie ein paar Tage zuvor vor dem Schafstall stand, und zu denselben Gendarmen, dem Kleinen und dem Mittelgroßen, die zwischen Wagen und Gebäude hin und her gingen.

»God«, sagte Lawrence.

»Scheiße«, sagte Camille. »Wieder ein Angriff.«

»Bullshit. Das wird die Dicke nicht gerade beruhigen.«

»Suzanne.«

»Suzanne.«

»Es wäre besser gewesen, das wäre woanders passiert.«

»Das entscheidet der Wolf«, erwiderte Lawrence. »Nicht der Zufall.«

»Er entscheidet?«

»Sicher. Tastet sich erst vor und findet dann. Leichter Zugang, freistehender Schafstall, angeleinte Hunde. Dann kommt er wieder. Und wieder. Wenn er Gewohnheiten entwickelt, hilft das, ihn zu erwischen.«

Lawrence legte die Helme und die Handschuhe auf das Motorrad.

»Gehen wir«, sagte er. »Die Wunden überprüfen. Wenn es dieselben sind.«

Lawrence schüttelte seine langen blonden Haare wie ein erwachendes Tier, was er bei Schwierigkeiten häufig machte. Camille steckte ihre Fäuste in die Hosentaschen. Der Weg roch nach Thymian und Basilikum, und nach Blut, dachte Camille. Lawrence fand, es rieche vor allem und noch immer nach Wollschweiß und vergorener Pisse.

Sie drückten dem mittelgroßen Gendarmen, der verstört und überfordert wirkte, die Hand.

»Können wir die Wunden ansehen?« fragte Lawrence.

Der Gendarm zuckte mit den Schultern.

»Es darf nichts angefaßt werden«, sagte er mechanisch. »Es darf nichts angefaßt werden.«

Gleichzeitig gab er ihnen mit einer müden Hand ein Zeichen, daß sie hineingehen könnten.

»Vorsicht, es ist häßlich«, sagte er. »Es ist häßlich.«

»Natürlich ist es häßlich«, erwiderte Lawrence.

»Sind Sie wegen der Rosinen gekommen?« fragte er und sah auf das leere Einmachglas, das Camille in der Hand hielt.

»Auch«, erwiderte Camille.

»Das ist heute nicht der Tag. Das ist nicht der Tag.«

Camille fragte sich, warum der Gendarm alles zweimal sagte. Es mußte viel Zeit beanspruchen, alles doppelt zu sagen, in Null Komma nichts war der halbe Tag weg. Lawrence dagegen, der nur ein Drittel aller Sätze über die Lippen brachte, sparte enorm viel Zeit. Wenn er sie nicht verlor, das war Ansichtssache, darüber konnte man diskutieren. Camilles Mutter sagte immer, verlorene Zeit sei gewonnene Zeit.

Sie wandte den Blick zum Schafstall, aber an diesem Morgen standen weder Soliman noch der Wacher vor der Tür. Lawrence war schon vorausgegangen. Als sie den Schafstall betrat, drehte er sich zu ihr herum, in der Dunkelheit weiß wie ein Leintuch, und breitete beide Arme aus, um sie am Weitergehen zu hindern.

»Geh nicht weiter, Camille«, keuchte er. »Es ist kein Schaf. Jesus Christ.«

Aber Camille hatte bereits gesehen. Suzanne lag ausgestreckt und mit ausgebreiteten Armen auf dem kotigen Stroh, das Nachthemd bis zu den Knien hochgerutscht, in einer großen Blutlache, die von einer entsetzlichen Wunde an ihrer Kehle stammte. Camille schloß die Augen und lief hinaus. Sie rannte dem mittelgroßen Gendarmen in die Arme, der sie festhielt.

»Was ist passiert?« brüllte sie.

»Der Wolf«, sagte der Gendarm. »Der Wolf.«

Er hielt sie am Arm und führte sie bis zum Kombi, wo er sie auf den Vordersitz setzte.

»Ich bin auch traurig«, sagte der Gendarm. »Aber das darf man nicht sagen. Das ist gegen die Vorschrift.«

»Suzanne scheißt auf eure Vorschrift!« rief Camille.

»Ich weiß, meine Kleine, ich weiß.«

Er zog eine Flasche aus dem Handschuhfach des Wagens und hielt sie ihr ungeschickt hin.

»Ich will keinen Schnaps«, sagte Camille schluchzend. »Ich will Rosinen. Ich bin wegen der Rosinen gekommen.«

»Na, führen Sie sich nicht auf wie ein Kind, führen Sie sich nicht auf wie ein Kind.«

»Suzanne«, schluchzte Camille. »Meine dicke Suzanne.«

»Sie hat das Tier wohl gehört«, sagte der Gendarm. »Sie ist wohl hinaufgegangen, um nach dem Lärm im Stall zu sehen. Neben ihr liegt das Gewehr. Sie hat es wohl in die Enge getrieben, und das Tier hat sie angesprungen. Angesprungen. Suzanne war zu unerschrocken.«

»Und der Wacher?« schimpfte Camille. »Was hat der gemacht?«

»Führen Sie sich nicht auf wie ein Kind«, wiederholte der Gendarm. »Der Wacher war weg. Ihm fehlte ein Tier, ein Junges von diesem Jahr. Er hat es die halbe Nacht lang gesucht, und als er zu weit weg war, um zurückzukommen, hat er auf einer Weide geschlafen. Er ist um sieben zurückgekommen und hat uns angerufen. Passen Sie auf, meine Kleine.«

»Warum aufpassen?« fragte Camille und hob das Gesicht.

»Man darf den Wacher in seinem Schmerz nicht beschimpfen. Man darf nicht sagen ›Und der Wacher? Und der Wacher? Was hat der gemacht?‹ oder ähnliche Dummheiten. Sie sind nicht aus der Gegend, also sagen Sie nichts, sagen Sie nichts, ohne vorher gründlich nachzudenken. Suzanne war seine Madonna, nicht weniger. Also, keine Dummheiten. Bloß keine Dummheiten.«

Beeindruckt nickte Camille und wischte ihre Tränen mit dem Ärmel ab. Der mittelgroße Gendarm hielt ihr ein Papiertaschentuch hin.

»Wo ist er?« fragte sie.

»In einer Ecke des Schafstalls. Er wacht.«

»Und Soliman?«

Der Gendarm schüttelte mit einer Geste der Ohnmacht den Kopf.

»Er hat sich in der Toilette eingeschlossen. In der Toilette. Er sagt, er würde da krepieren. Man wird uns eine Kollegin von der Psychologie schicken. Das ist nützlich in solchen Fällen.«

»Hat er eine Waffe?«

»Nein, keine Waffe.«

»Ich habe letzten Mittwoch das tropfende Rohr repariert«, sagte Camille niedergeschlagen.

»Ja. Das tropfende Rohr. Wissen Sie, wie Suzanne den kleinen Soliman Melchior adoptiert hat?«

»Ja. Man hat mir die Geschichte schon mal erzählt.«

Der Gendarm schüttelte mit verständnisvollem Blick den Kopf.

»Der Kleine wollte niemanden anderes als Suzanne. Er hat seinen kleinen Kopf da hingelegt und aufgehört zu plärren. So heißt es. Ich war nicht da. Ich bin nicht von hier. Wir Gendarmen haben nie das Recht, ›von hier‹ zu sein, damit wir mit der Gegend nicht verwachsen.«

»Ich weiß«, sagte Camille.

»Aber wir verwachsen trotzdem. Suzanne hat niemand ...«

Der Gendarm hielt inne, als er Lawrence zurückkommen sah, düster und mit gesenktem Kopf.

»Haben Sie auch nichts angefaßt?« fragte er.

»Ihr Kollege hat mich nicht aus den Augen gelassen.«

»Und?«

»Vielleicht dasselbe Tier. Unmöglich, sicher zu sein.«

»Der große Wolf?« fragte der Gendarm und kniff in Verteidigungshaltung die Augen zusammen.

Lawrence verzog das Gesicht. Er hob die Hand und spreizte Daumen und kleinen Finger.

»Groß. Mindestens soviel zwischen Reißzahn und Eckzahn. Man kann es nicht richtig sehen. Ein Biß an der Schulter und ein Biß an der Kehle. Hat offenbar nicht die Zeit gehabt, zu reißen.«

Zwei Wagen kamen rumpelnd den Fahrweg hinauf.

»Da kommt das Labor«, sagte der Gendarm. »Und dahinter der Arzt.«

»Komm«, sagte Lawrence, legte eine Hand auf Camilles Schultern und schüttelte sie sanft. »Wir bleiben nicht da.«

»Ich würde gern mit Soliman reden«, sagte Camille. »Er ist in der Toilette eingesperrt.«

»Wenn jemand in den Toiletten eingesperrt ist, kann man nichts machen.«

»Ich geh trotzdem hin. Er ist ganz allein.«

»Ich warte beim Motorrad auf dich.«

Camille betrat das dunkle, stille Haus, stieg in den ersten Stock hinauf und blieb vor der verschlossenen Tür stehen.

»Sol«, rief sie und klopfte an das Türblatt.

»Haut ab, ihr Arschlöcher!« brüllte der junge Mann.

Camille nickte. Soliman würde die Fackel weitertragen.

»Sol, ich versuch nicht, dich da rauszuholen.«

»Hau ab!«

»Ich hab auch Kummer.«

»Dein Kummer zählt nichts! Er zählt nicht, hörst du? Du hast nicht mal das Recht, hier zu sein! Du warst nicht ihre Tochter! Hau ab! Verdammt noch mal, hau ab!«

»Natürlich zählt der nicht. Ich hab Suzanne einfach nur ein bißchen gemocht.«

»Aha! Siehst du!« brüllte Soliman.

»Ich hab ihr ihre Rohre repariert, und im Gegenzug hab ich ihr Gemüse und ihren Schnaps genommen. Und es ist mir völlig egal, wenn du hier nicht aus dem Klo rauskommst. Wir werden dir Schinken unter der Tür durchschieben!«

»Genau!« schrie der junge Mann.

»So ist die Lage, Sol. Du kommst nicht mehr aus dem Klo raus. Der Wacher kommt nicht mehr aus dem Stall raus, und Buteil kommt nicht mehr aus seiner Hütte raus. Niemand kommt mehr irgendwo raus. Die Schafe werden alle verrecken.«

»Diese verdammten Viecher sind mir so was von scheißegal! Die sind doch alle bescheuert!«

»Aber der Wacher ist alt. Er kommt nicht nur nicht mehr raus, er bewegt sich nicht mehr und redet nicht mehr. Er ist starr wie sein Stock. Laß ihn nicht fallen, sonst müssen wir ihn ins Altenheim bringen.«

»Mir doch egal!«

»Der Wacher ist so, weil er draußen war, als der Wolf angegriffen hat. Er hat ihr nicht helfen können.«

»Und ich hab geschlafen! Ich hab geschlafen!«

Camille hörte, wie Soliman in Schluchzen ausbrach.

»Suzanne hat immer gewollt, daß du viel schläfst. Du hast ihr gehorcht. Das ist nicht deine Schuld.«

»Warum hat sie mich nicht wachgerüttelt?«

»Weil sie nicht wollte, daß dir etwas zustößt. Du warst ihr Prinz.«

Camille drückte ihre Hand gegen die Tür.

»Das hat sie immer gesagt«, fügte sie hinzu.

Camille stieg zum Schafstall hinauf, und der mittelgroße Gendarm hielt sie im Vorbeigehen an.

»Was macht er?« fragte er.

»Er weint«, sagte sie müde. »Es ist schwierig, mit jemand zu reden, der sich im Klo eingesperrt hat.«

»Ja«, bestätigte der Gendarm, als ob er schon mit Dutzenden von Menschen gesprochen hätte, die sich im Klo eingesperrt hatten. »Die Psychologie kommt gar nicht«, sagte er, während er auf seine Uhr sah. »Was die bloß machen.«

»Was sagt der Arzt?«

»Dasselbe wie der Trapper. Daß ihr die Kehle durchgetrennt wurde. Durchgetrennt. Zwischen drei und vier Uhr morgens. Man kann den Abdruck der Zähne noch nicht gut sehen. Das muß noch gesäubert werden. Aber er sagt, daß das weich ist, nicht so, wie wenn der Abdruck in Lehm geschlagen wäre, nicht wahr?«

Camille nickte.

»Ist der Wacher noch immer da drin?«

»Ja. Wir haben Angst, daß er zur Mumie wird.«

»Sie können ja immer noch den Leuten von der Psychologie sagen, daß sie ihn sich ansehen sollen.«

Der Gendarm schüttelte aufrichtig den Kopf.

»Nicht nötig«, versicherte er. »Der Wacher ist hart wie ein Sack Nüsse. Die Psychologie würde bei ihm nicht mehr ausrichten, als wenn man gegen einen Baum pißt.«

»Na dann«, sagte Camille. »Würde es Ihnen etwas ausmachen, mir Ihren Namen zu sagen?«

»Lemirail. Justin Lemirail.«

»Danke«, sagte Camille und setzte mit hängenden Armen ihren Weg fort.

Sie traf Lawrence beim Motorrad und setzte schweigend ihren Helm auf.

»Ich weiß nicht mehr, wo ich das Einmachglas hingestellt habe«, murmelte sie.

»Ich glaube, das ist nicht schlimm«, erwiderte Lawrence.

Camille nickte, schwang sich auf das Motorrad und legte dem Kanadier ihre Arme um den Bauch.

10

Lawrence hielt vor dem Haus an und wartete regungslos, daß Camille abstieg.

»Kommst du nicht mit?« fragte sie. »Wir machen uns einen Kaffee, oder?«

Lawrence behielt die Hände am Lenker und schüttelte den Kopf.

»Fährst du gleich wieder ins Gebirge? Willst du diesen widerlichen Wolf suchen?«

Lawrence zögerte, nahm den Helm ab und schüttelte sein Haar.

»Fahr zu Massart«, sagte er.

»Massart? Um die Zeit?«

»Es ist schon neun«, wandte Lawrence ein, der auf die Uhr sah.

»Kapier ich nicht«, sagte Camille. »Was willst du von dem?«

Lawrence verzog das Gesicht.

»Ich versteh nicht, wieso der Wolf angegriffen hat«, sagte er.

»Na ja, jedenfalls hat er's gemacht.«

»Ein Wolf hat Angst vor dem Menschen«, fuhr Lawrence fort. »Er bietet ihm nicht die Stirn.«

»Gut. Er hat ihm aber die Stirn geboten.«

»Suzanne war dick, stattlich und ein Großmaul. Entschlossen und bewaffnet. Sie hätte ihn in die Enge treiben müssen.«

»Na, dann hat sie das eben getan, Lawrence. Sie hat ihn

in die Enge getrieben. Jeder weiß, daß ein in die Enge getriebener Wolf angreift.«

»Genau das läßt mir keine Ruhe. Die Dicke kannte sich doch gut aus. Wäre nie das Risiko eingegangen, einen Wolf in die Enge zu treiben. Wär von hinten gekommen, hätte das Gewehr durch eine der gesprungenen Scheiben geschoben und hätte geschossen. Das hätte die Dicke gemacht. Aber in den Schafstall hineinzugehen und das Tier in die Enge zu treiben, God, das kann ich mir nicht vorstellen.«

Camille runzelte die Stirn.

»Sprich dich aus«, sagte sie.

»Keine Lust. Bin mir nicht sicher.«

»Sprich dich trotzdem aus.«

»Bullshit. Suzanne hat Massart beschuldigt, und Suzanne ist tot. Ist vielleicht zu Massart gegangen und hat ihm ihre Geschichte von dem Werwolf aufgetischt. Hatte doch vor nichts Angst.«

»Und dann, Lawrence? Wo Massart doch *kein* Werwolf ist? Was hätte er wohl getan? Er hätte darüber gelacht, oder?«

»Nicht unbedingt gelacht.«

»Massart hat sowieso schon einen schlechten Ruf, und die Kinder gehen ihm aus dem Weg. Was hat er mit den Enthüllungen von Suzanne zu schaffen? Schon jetzt wird erzählt, er sei unbehaart, impotent, schwul, plemplem und was weiß ich nicht alles. Was soll ihm da noch der Werwolf? Der steckt doch noch ganz anderes weg.«

»God. Du verstehst nicht.«

»Na gut, dann drück dich klarer aus. Jetzt ist nicht der Augenblick, deine Sätze zu verschlucken.«

»Massart hat nichts mit dem Gerede zu schaffen. All right. Aber nimm an, die Dicke hätte recht gehabt? Daß Massart die Schafe umgebracht hat?«

»Dreh nicht durch, Lawrence. Du hast gesagt, daß du nicht daran glaubst.«

»Nicht an den Werwolf. Nein.«

»Du vergißt die Wunden, verdammt. Das waren doch wohl nicht Massarts Zähne, oder doch?«

»Nein.«

»Also. Siehst du.«

»Aber Massart hat einen Hund. Einen sehr großen Hund.«

Camille erschrak. Sie hatte den Hund auf dem Dorfplatz gesehen, ein riesiges geflecktes Tier, dessen massiger Kopf einem Mann bis zum Gürtel reichte.

»Eine deutsche Dogge«, sagte Lawrence. »Der größte aller Hunde. Der einzige, der die Größe eines männlichen Wolfs erreichen oder sie noch übersteigen kann.«

Camille stellte ihren Stiefel auf der Fußraste des Motorrads ab und seufzte.

»Warum nicht einfach ein Wolf, Lawrence?« fragte sie sanft. »Ein ganz einfacher alter Wolf? Warum nicht Crassus der Kahle? Gestern hast du ihn noch gesucht.«

»Weil die Dicke ihm in den Hintern geschossen hätte. Durchs Fenster. Ich geh zu Massart.«

»Warum nicht zu Lemirail?«

»Wer ist Lemirail?«

»Der eine von den Gendarmen.«

»God. Zu früh. Massart und ich werden nur ein bißchen reden.«

Lawrence startete das Motorrad und verschwand hinter der nächsten Kurve des Hangs.

Er kam erst zur Mittagessenszeit zurück. Camille war etwas matt, sie hatte, ohne Hunger zu haben, Brot und Tomaten auf den Tisch gestellt und aß, während sie geistesabwesend die Zeitung vom Vortag durchblätterte. Selbst der *Katalog für handwerkliches Arbeitsgerät* hätte heute nichts für sie tun können. Lawrence kam wortlos herein, legte seinen Helm und die Handschuhe auf einen Stuhl, warf einen Blick auf den Tisch, stellte noch Schinken, Käse und Äpfel dazu und setzte sich. Camille versuchte nicht, wie sie es sonst immer tat, das Gespräch zu beginnen, so daß Lawrence schweigend aß, von Zeit zu Zeit sein Haar schüttelte und sie vage erstaunt ansah. Camille fragte sich, was wohl aus ihnen werden würde, wenn sie nicht die Initiative ergriff und anfing zu reden. Vielleicht würden sie vierzig Jahre an diesem Tisch sitzen bleiben und schweigend Tomaten essen, bis einer von ihnen stürbe. Vielleicht. Diese Aussicht schien Lawrence nicht zu stören. Camille gab nach zwanzig Minuten nach.

»Hast du ihn gesehen?«

»Ist verschwunden.«

»Warum ›verschwunden‹? Der Mann hat das Recht, einen kleinen Ausflug zu machen.«

»Ja.«

»War der Hund da?«

»Nein.«

»Siehst du. Er macht einen Ausflug. Außerdem ist Sonntag.«

Lawrence hob das Kinn.

»Es heißt, er geht jeden Sonntag zur Sieben-Uhr-Messe in ein anderes Dorf«, sagte Camille.

»Wär schon zurück. Ich bin zwei Stunden lang die gesamte Umgebung seiner Baracke abgelaufen. Hab ihn nicht gesehen.«

»Das Gebirge ist groß.«

»Bin noch mal nach Les Écarts. Soliman ist aus der Toilette rausgekommen.«

»Die Psychologin?«

Lawrence nickte.

»Es geht ihm nicht gut«, sagte er. »Der Arzt hat ihm Beruhigungsmittel gegeben. Er schläft.«

»Und der Wacher?«

»Scheint so, als hätte er sich vom Fleck gerührt.«

»Gut.«

»Einen Meter.«

Camille seufzte, riß sich ein Stück Brot ab und kaute zerstreut darauf herum.

»Wie findest du den Wacher?« fragte sie.

»Nervt mich.«

»Aha. Ich finde ihn eher beeindruckend.«

»Beeindruckende Typen sind immer nervig.«

»Das ist möglich«, gab Camille zu.

»Werd heut abend zur Essenszeit noch mal zu Massart fahren. Kann ihn nicht verfehlen.«

Aber Lawrence fand Massart auch am Abend nicht in seiner Hütte. Er wartete mehr als anderthalb Stunden auf ihn, an seine Tür gelehnt, und beobachtete, wie die Nacht über das Gebirge hereinbrach. Lawrence konnte warten wie kein anderer. Es war schon vorgekommen, daß er sich mehr als zwanzig Stunden auf dem Pfad eines Bären versteckt hatte. Als es vollständig dunkel war, schlug er wieder den Weg zum Dorf ein.

»Mach mir Sorgen«, sagte er zu Camille.

»Reg dich nicht wegen diesem Typen auf. Niemand kennt seine Gewohnheiten. Es ist heiß. Vielleicht verbringt er seine freien Tage im Gebirge.«

Lawrence verzog das Gesicht.

»Morgen arbeitet er. Müßte zurück sein.«

»Reg dich nicht wegen diesem Typen auf.«

»Drei Möglichkeiten«, sagte Lawrence und streckte drei Finger hoch. »Massart ist so unschuldig wie das Schaf. Er ist ins Gebirge gegangen und hat sich verirrt. Er schläft dort, an einen Baumstumpf gelehnt. Oder er ist mit dem

Fuß in eine Falle geraten. Oder er ist in eine kleine Schlucht gefallen. Sogar die Wölfe fallen in Schluchten. Oder aber …«

Lawrence verfiel in ein langes Schweigen. Camille rüttelte ihn leicht am Knie, so wie man an einer Lampe rüttelt, um den elektrischen Kontakt wiederherzustellen. Es funktionierte.

»Oder aber Massart ist immer noch unschuldig. Aber Suzanne hat ihn aufgesucht, um mit ihm zu reden. Heute morgen erfährt er von ihrem Tod. Er bekommt Angst. Wenn das ganze Dorf über ihn herfällt? Wenn die Dicke mit anderen geredet hat? Er hat Angst, daß man ihm den Wanst von der Kehle bis zu den Eiern aufschlitzt. Und er flieht mit seinem Hund.«

»Das glaube ich nicht«, erwiderte Camille.

»Oder aber Massart ist ein Mörder. Er hat mit seiner Dogge die Schafe getötet. Dann hat er Suzanne getötet. Aber Suzanne hat womöglich mit anderen geredet – zum Beispiel mit mir. Also haut er ab. Er macht sich davon. Er ist verrückt, er ist blutdürstig, und er mordet mit den Fangzähnen seines Ungeheuers.«

»Das glaube ich genausowenig. Das Ganze nur, weil dieser arme Kerl nicht behaart ist. Das Ganze nur, weil er häßlich und allein ist. Es reicht ja schon, daß er sich da oben nicht gerade amüsieren wird, allein und ohne ein Haar.«

»Nein«, unterbrach Lawrence sie. »Das Ganze, weil die Dicke Grips hatte und weil die Dicke einen Wolf nicht in die Enge getrieben hätte. Das Ganze auch deshalb, weil Massart verschwunden ist. Ich fahr morgen in aller Frühe noch mal hin. Bevor er nach Digne aufbricht.«

»Ich bitte dich. Laß den Typen in Frieden.«

Lawrence nahm Camilles Hand in seine.

»Du bist immer für alle«, sagte er lächelnd.

»Ja.«

»Die Welt ist nicht so.«

»Doch. Nein. Ist mir egal. Laß Massart. Er hat nichts getan.«

»Du weißt überhaupt nichts, Camille.«

»Glaubst du nicht, es wäre besser, Crassus zu suchen?«

»Ganz genau. Vielleicht hat *er* Crassus.«

»Was willst du damit sagen? Daß er ihn umgebracht hat?«

»Nein. Gezähmt.«

»Warum sagst du das?«

»Seit fast zwei Jahren hat niemand mehr Crassus gesehen. Muß irgendwo sein. Er war noch ein Welpe, als sie ihn aus den Augen verloren haben. Zähmbar. Zähmbar von einem, der keine Angst vor deutschen Doggen hat.«

»Und wo soll er ihn versteckt haben?«

»In der Holzbaracke, wo er den Hund hat. Niemand kommt in Massarts Nähe und noch weniger in die Nähe der Hundehütte. Keinerlei Gefahr, entdeckt zu werden.«

»Und wie soll er ihn ernährt haben? So ein Wolf frißt eine ganze Menge. Das fällt auf.«

»Sein Hund frißt schon für zehn. Vergiß nicht: Massart erledigt seine Einkäufe in Digne. Fast anonym. Er kann auch jagen. Und er arbeitet im Schlachthof. Kann Crassus aufgezogen haben, ohne irgendein Risiko einzugehen.«

»Und wozu ein Wolf?«

»Wozu eine Dogge? Als Machtmittel, als Rachewerkzeug. Und um sich von allen anderen zu unterscheiden. Hab einen Verrückten gekannt, der ein Grizzlyweibchen aufgezogen hat. Dieser Typ hielt sich für den Herrn der Welt. Ein eigener Grizzly verleiht Energie. Das berauscht.«

»Ein Wolf auch?«

»Auch. Vor allem, wenn er Crassus ähnelt. Vielleicht tötet er mit ihm.«

Camille sann über die drei Theorien von Lawrence nach.

Die von Crassus, der auf Befehl Massarts nachts angriff, jagte ihr einen Schauer über den Rücken.

»Nein«, sagte sie. »Massart steckt in einer Falle. Es gibt Leute, die stellen überall im Gebirge welche auf.«

»Möglich, daß du recht hast«, sagte Lawrence plötzlich und schüttelte sein Haar. »Die Dicke hat mich neulich abend vielleicht verrückt gemacht. Es ist anzunehmen, daß sie außer sich war und den Wolf in die Enge getrieben hat. Und daß der Wolf sie angefallen hat. Und Massart ist im Gebirge. Aber da bleibt eine Frage: Wo ist Crassus der Kahle?«

11

An diesem Sonntag, dem 21. Juni, goß es in Paris wie aus Kübeln. Das ging bereits seit dem Morgen so. Jean-Baptiste Adamsberg stand vor dem Fenster seines Schlafzimmers im fünften Stock eines baufälligen Wohnhauses im Marais, dessen Fassade sich gefährlich zur Straße neigte, und beobachtete, wie das Wasser die Rinnsteine hinunterstürzte und Abfälle mit sich riß. Manche widersetzten sich hartnäckig, während andere sich ohne Gegenwehr mitspülen ließen. Das Leben ist ungerecht, selbst in der unbekannten Welt der Abfälle. Manche halten stand, manche nicht.

Er hielt jetzt fünf Wochen stand. Nicht das Wasser wollte ihn mitreißen, sondern drei Frauen hatten es auf ihn abgesehen. Vor allem eine, eine lange, dürre Rothaarige von kaum fünfundzwanzig Jahren, die fixte, aber nicht immer, und die von zwei Sklavinnen eskortiert wurde, zwei hypnotisierten zwanzigjährigen Mädchen, die ihr wie zwei jämmerliche magere, entschlossene Schatten gehorchten. Nur die Rothaarige war wirklich gefährlich. Vor zehn Tagen hatte sie auf offener Straße auf ihn geschossen, zwei Zentimeter über die linke Schulter. Eines Tages würde sie ihm eine hübsche kleine Kugel in den Wanst jagen. Das war die fixe Idee dieses Mädchens. Sie hatte ihm das mehrfach mit einer dumpfen, wütenden Stimme am Telefon angekündigt. Eine hübsche kleine Kugel in den Wanst, genau wie die, die er vor sechs Wochen in den Bauch ihres Chefs gejagt hatte, des Kerls, der Dick D. genannt wurde, aber schlicht Jérôme Lantin hieß.

Unter diesem gebieterischeren Namen hatte Dick D. eine kümmerliche und unterwürfige Truppe unter seinen Befehl gestellt, ein paar Typen und Mädels, die sich kaum auf den Beinen halten konnten und ihm vorgeblich als Leibwächter dienten. Dick war ein ziemlich gefährlicher Rohling, ein Dealer mit radikalen Methoden, der imstande war, einen Mann mit bloßen Händen zu bezwingen, ein fetter und kompakter Bursche, intelligent genug, um sein Geschäft zu führen, aber nicht intelligent genug, um wahrzunehmen, daß auch die anderen existierten. Er zwängte seine Handgelenke in Stachelarmbänder und seine Schenkel in Lederhosen. Vermutlich stand »D.« für Diktator, Der Göttliche oder Dämon. Durch irgendeinen ziemlich häßlichen Ratschluß des Schicksals hatte sich ihm das rothaarige Mädchen voll und ganz unterworfen. Er war ihr Zwischenhändler, ihr Typ, ihr Gott, ihr Peiniger und ihr Beschützer. Ihn hatte Kommissar Adamsberg um zwei Uhr morgens in einem Keller fertiggemacht.

Zwischen der Bande von Dick D. und der von Oberkampf war es bereits zu einem blutigen Kampf gekommen, als die Polizisten mit den Waffen im Anschlag die Türen eingeschlagen hatten. Die Kerle waren keine Spaßvögel und bis an die Zähne bewaffnet. Dick hatte auf einen Bullen gezielt, Adamsberg die Waffe auf Dicks Beine gerichtet. Daraufhin hatte ein Idiot einen gußeisernen Bartisch auf den Kommissar geschleudert, der Adamsberg drei Meter nach hinten und die Kugel seiner automatischen Waffe vier Meter nach vorne in den Wanst von Dick D. befördert hatte.

Am Ende hatte es einen Toten und vier Verwundete gegeben, darunter zwei auf seiten der Bullen.

Seitdem hatte Kommissar Adamsberg einen Menschen auf dem Gewissen und eine Frau am Hals. Zum ersten Mal in seiner fünfundzwanzigjährigen Firmenzugehörigkeit hatte er einen Menschen abgeknallt. Sicher, er hatte auf fremde Arme, Beine, Füße geschossen, um die eigenen zu behalten, aber nie auf den ganzen Kerl. Natürlich war es ein Unfall. Natürlich war der gußeiserne Tisch schuld, den der andere Trottel geschleudert hatte. Natürlich hätte Dick der Dumme, der Debile, der Dumpfe sie wie Ratten abgeknallt, und er war ein Dreckskerl. Natürlich war es ein Unfall, aber ein verhängnisvoller.

Und jetzt war das Mädchen hinter ihm her. Die ganze magere Bande hatte sich nach Dicks Tod zerstreut, außer dieser Rachsüchtigen und ihren beiden Kletten, die sie hinter sich herzog. Die Rachsüchtige verfügte über eine bedeutende Artillerie, die sie aus den Überresten der Truppe geborgen hatte, aber man hatte ihren Bau noch nicht ausfindig machen können. Und jedes Mal, wenn man sie an einem Versteck auf Adamsbergs Weg festgenommen hatte, war sie ihre Waffe losgeworden, bevor sie in flagranti erwischt wurde. Sie drückte sich immer an eine Mülltonne, die Hände im Rücken. Wenn die Bullen bei ihr ankamen, war die Knarre bereits woanders. Eine groteske Situation, aber es gab keinerlei Möglichkeit, sie anzuklagen. Übrigens bremste Adamsberg seine Kollegen. Es nütze nichts, sie zu verhaften. Sie würde wieder rauskommen und irgendwann später schießen. Sollte sie also draußen bleiben und schießen, verdammt. Man würde ja sehen, wer von ihnen beiden den Sieg davontrüge. Und im Grunde wusch ihn diese rachsüchtige Frau, die ihm nach dem Leben trachtete, von seinem Fehler rein. Nicht daß er beschlossen hätte, sich um die Ecke bringen zu lassen. Aber diese lange, sich Tag für Tag hinziehende Treibjagd reinigte ihn.

Adamsberg beobachtete sie, wie sie aufrecht an der Tür des Gebäudes gegenüber lehnte und tropfte. Manchmal versteckte sie sich, manchmal schminkte oder verkleidete sie sich richtig, wie im Märchen. Wenn sie sich so mit unverhülltem Gesicht zeigte, wußte er nicht, ob sie bewaffnet war oder nicht. Sie überwachte ihn häufig auf diese Weise, ohne sich zu verbergen – um ihn nervlich zu zermürben, dachte er.

Aber Adamsberg hatte keine Nerven. Er wußte nicht, was es bedeutete, sich zu verkrampfen, unruhig zu sein, angespannt, genausowenig übrigens, wie es ihm gelang, sich zu entspannen. Seine natürliche Unbekümmertheit hielt ihn in einem immer gleichen, langsamen Rhythmus am Rande der Gleichgültigkeit. So war es schwierig zu wissen, ob der Kommissar sich für dieses oder jenes interessierte oder ob es ihm vollständig egal war. Man mußte fragen. Und es war eher aus Trägheit denn aus Mut, daß Adamsberg kaum Angst kannte.

Diese Beständigkeit hatte beruhigende, fast geheimnisvolle Auswirkungen auf andere und wirkte bei Verhören unbestreitbar Wunder. Zugleich hatte sie etwas Irritierendes, Ungerechtes und Verletzendes. All jene, die wie Inspektor Danglard mit voller Wucht die großen wie auch die erbärmlichen Erschütterungen der menschlichen Existenz abbekamen, so wie man beim Fahrradfahren bei jedem Schlagloch Druckstellen am Hintern abbekommt, gaben die Hoffnung auf, Adamsberg je zu einer Reaktion bringen zu können. Reagieren ist doch eigentlich nicht so schwer.

Das rothaarige Mädchen, das den Namen Sabrina Monge trug, wußte von diesen ungewöhnlichen Fähigkeiten des Kommissars zum Absorbieren nichts. Sie wußte auch nicht, daß die Bullen seit den ersten Tagen ihrer Verfolgung einen Gang durch verschiedene Keller angelegt hatten, der Adamsberg zu einem Ausgang zwei Straßen weiter führte. Und schließlich wußte sie auch nicht, daß er einen sehr präzisen Plan hatte, was sie betraf, und daß er ziemlich hart daran arbeitete.

Adamsberg warf ihr einen letzten Blick zu, bevor er hinausging. Sabrina tat ihm manchmal leid, aber Sabrina war eine ebenso gefährliche wie ephemere Mörderin, dachte er.

Er ging ruhigen Schrittes zu einer Bar, die er zwei Jahre zuvor sechshundert Meter von seiner Wohnung entfernt entdeckt hatte und die für ihn etwas Vollkommenes besaß. Es war ein irischer Pub aus Ziegelsteinen, mit dem Namen *Les Eaux Noires de Dublin*, die *Schwarzen Wasser von Dublin*, in dem ein beträchtlicher Lärm herrschte. Kommissar Adamsberg mochte die Einsamkeit, in der er seine Gedanken ins Offene hinaustreiben ließ, aber er mochte auch die Menschen, die Bewegungen der Menschen, und er nährte sich wie eine Mücke von ihrer Anwesenheit. Das einzig Störende an den Menschen bestand darin, daß sie pausenlos redeten, so daß ihre Gespräche beständig seinen Geist beim Umherstreifen störten. Das legte einen Rückzug nahe, aber sich zurückziehen bedeutete, sich wieder in jene Einsamkeit zu begeben, der er für ein paar Stunden hatte ausweichen wollen.

Die *Schwarzen Wasser von Dublin* hatten ihm eine ausgezeichnete Lösung für sein Dilemma geboten, da die Bar nur von trinkenden und schreienden Iren besucht wurde, die eine für Adamsberg hermetische Sprache sprachen. Der Kommissar dachte manchmal, er gehöre zu den letzten Menschen des Planeten, die kein Wort Englisch verstanden. Diese altertümliche Bildungslücke ermöglichte es ihm, sich glücklich in die *Schwarzen Wasser* zu stürzen und den belebenden Strom zu genießen, ohne daß dieser ihn in irgendeiner Form durcheinanderbrachte. An diesen kostbaren Zufluchtsort kam Adamsberg, um lange Stunden vor sich hin zu kritzeln, während er, ohne einen Finger zu krümmen, darauf wartete, daß die Ideen an der Oberfläche seines Geistes auftauchten.

So suchte Adamsberg Ideen: er wartete ganz einfach auf sie. Wenn eine von ihnen vor seinen Augen auftauchte wie ein toter Fisch, der an die Wasseroberfläche steigt, dann sammelte er sie ein und untersuchte sie, um zu sehen, ob es sich um etwas Brauchbares handelte, das für ihn von Interesse war. Adamsberg dachte nie nach, er begnügte sich damit, zu träumen und dann die Ernte zu sichten, so wie jene Fischer mit ihren Fangnetzen, die mit schwerer Hand auf dem Grund ihres Netzes inmitten von Steinen, Algen, Muschelschalen und Sand nach der Garnele suchen. Es gab nicht wenig Steine und Algen in Adamsbergs Gedanken, und es kam nicht selten vor, daß er sich darin nicht zurechtfand. Er mußte viel wegwerfen, viel aussortieren. Ihm war bewußt, daß sein Geist ihm eine wirre Zusammenballung verschiedenster Gedanken vorsetzte und daß das nicht unbedingt bei allen anderen Menschen genauso funktionierte. Er hatte bemerkt, daß zwischen seinem Denken und dem seines Stellvertreters Danglard derselbe Unterschied bestand wie zwischen dem Grund eines Fangnetzes voller Plunder und der ordentlichen Auslage eines Fischhändlers. Was konnte er dafür? Schließlich und endlich zog er ja etwas daraus hervor, wenn man die Güte hatte zu warten. Auf diese Weise verwandte Adamsberg sein Hirn wie ein weites, nährendes Meer, in das man sein Vertrauen gesetzt hat, das man aber schon vor langer Zeit zu bändigen aufgegeben hat.

Als er die Tür zu den *Schwarzen Wassern von Dublin* aufstieß, dachte er, es müsse etwa acht sein. Der Kommissar trug keine Uhr und fand sich mit seiner inneren Uhr ab, die auf zehn Minuten – manchmal weniger, niemals mehr – genau ging. In der Bar hing jener schwere, säuerliche Geruch von Guinness oder erbrochenem Guinness, den er lieben gelernt hatte und den der große Ventilator an der Decke nie hatte vertreiben können. Die lackierten Holztische klebten am Arm, klebrig von verschüttetem und rasch aufgewischtem Bier. Adamsberg legte sein Spiralheft auf einen der Tische, um seinen Platz zu markieren, und hängte seine Jacke ohne große Sorgfalt über die Rückenlehne eines Stuhls. Es war der beste Tisch, er stand unter einem riesigen Wirtshausschild, auf das unbeholfen drei von Flammen verzehrte silberne Burgen gemalt waren, die, wie man ihm erklärt hatte, das Wappen der gälischen Stadt Dublin darstellten.

Er bestellte bei Enid, einer kräftigen blonden Kellnerin, die wie kein anderer dem Guinness standhielt, und bat um die Gunst, einen Blick auf die Acht-Uhr-Nachrichten werfen zu dürfen. Man wußte hier, daß er Bulle war, und gestattete ihm, wenn es notwendig war, den Apparat zu nutzen, der sich unter der Bar befand. Adamsberg bückte sich und schaltete den Fernseher ein.

»Gibt's Ärger?« fragte ihn Enid mit ihrem sehr soliden irischen Akzent.

»Es geht um einen Wolf, der Schafe frißt, aber sehr weit weg von hier.«

»Und was hat das mit Ihnen zu tun?«

»Ich weiß es nicht.«

»Ich weiß es nicht« war eine der gebräuchlichsten Antworten Adamsbergs. Er verwendete sie nicht aus Trägheit oder Zerstreutheit, sondern weil er die richtige Antwort wirklich nicht wußte und das sagte. Dieses passive Unwissen faszinierte und irritierte seinen Stellvertreter Danglard, der nicht gelten ließ, daß man in Unkenntnis der Sache klug handeln könne. Ja, mehr noch, dieses Schwanken war die natürlichste und produktivste Eigenschaft von Adamsberg.

Enid war, die Arme vollbeladen mit Tellern, wieder gegangen, um zu servieren, und Adamsberg konzentrierte sich auf die beginnenden Nachrichten. Er hatte den Fernseher so laut wie möglich gestellt, denn im Lärm der *Schwarzen Wasser* gab es keine andere Möglichkeit, die Stimme des Moderators zu hören. Seit Donnerstag hatte er jeden Abend die Nachrichten verfolgt, aber der Wolf des Mercantour war nicht mehr erwähnt worden. Es war vorbei. Dieses plötzliche Ende überraschte ihn. Er war überzeugt davon, daß es sich nur um eine kurze Ruhepause handelte, daß die Geschichte weitergehen würde, und zwar nicht sehr lustig und wie von einer schicksalhaften Notwendigkeit angetrieben. Warum, wußte er nicht. Und warum ihn das interessierte, genausowenig. Das hatte er Enid gesagt.

Er war also nicht allzu überrascht, als er den inzwischen vertrauten Dorfplatz von Saint-Victor-du-Mont auftauchen sah. Er setzte sich dicht an den Bildschirm, um besser zu hören. Fünf Minuten später richtete er sich etwas erschüttert auf. War es das, was er erwartet hatte? Den Tod einer Frau, der in ihrem Schafstall die Kehle zerfetzt worden war? Hatte er damit nicht tief in seinem Inneren die ganze Woche gerechnet? In jenen Augenblicken, in denen die Wirklichkeit auf absurde Weise mit seinen düstersten Erwartungen verschmolz, hatte Adamsberg beinahe Angst vor sich selbst. Sein tiefes Inneres hatte ihm nie richtig Vertrauen eingeflößt. Er mißtraute ihm so wie dem verkohlten Inneren eines Hexenkessels.

Langsam ging er zurück an seinen Tisch. Enid hatte ihm das Essen gebracht, und er zerteilte die Kartoffel, ohne sie zu sehen, eine gute alte Kartoffel mit Käse, wie er sie in den *Schwarzen Wassern von Dublin* immer bestellte. Er fragte sich, warum ihn der Tod dieser Frau nicht überrascht hatte. Verdammt, Wölfe griffen keine Menschen an, sie machten sich dünne. Vielleicht noch ein Kind, aber keinen Erwachsenen. Da hätte sie ihn schon in die Enge treiben müssen. Und wer ist so bescheuert, einen Wolf in die

Enge zu treiben? Und doch mußte genau das geschehen sein. Derselbe besonnene Tierarzt aus den ersten Berichten war auf den Bildschirm zurückgekehrt. Platz für die Wissenschaft. Er hatte wieder von den Reißzähnen geredet, und hier, und da, das erste Loch, das zweite Loch. Dieser Typ war todlangweilig. Aber er schien sein Metier zu beherrschen und hatte im Brustton der Überzeugung erklärt, daß es das Maul eines Wolfs war, des großen Wolfs vom Mercantour, das der Frau die Kehle zerfetzt hatte. Ja, er hätte überrascht sein müssen.

Mit gerunzelter Stirn schob Adamsberg seinen leeren Teller zurück und schüttete Zucker in seinen Kaffee. Vielleicht war ihm das alles von Anfang an seltsam vorgekommen. Zu fabelhaft oder zu poetisch, um wahr zu sein. Wenn im Leben unvermutet Poesie auftaucht, ist man erstaunt, ist man hingerissen, aber kurz darauf wird einem bewußt, daß man sich hat leimen lassen, daß es nur ein Trick, nur ein Betrug war. Vielleicht hatte er es für ein Märchen gehalten, daß ein riesiger Wolf aus der Dunkelheit auftauchte, um sich auf ein Dorf zu stürzen. Aber, verdammt, es waren doch Wolfszähne. Ein wahnsinniger Hund vielleicht? Nein, der Tierarzt war in seiner Antwort auf diese Frage ziemlich deutlich gewesen. Natürlich war es sehr schwer, aufgrund einfacher Bißspuren den Unterschied zu erkennen, aber trotz allem, kein Hund. Domestizierung, Bastardisierung, Kleinerwerden, Verkürzung der Schnauze, die Überschneidung der vorderen Schneidezähne, Adamsberg hatte nicht alles behalten, aber soviel war klar: Ein Hund konnte es angesichts des großen Abstands, der zwischen den Zahnabdrücken herrschte, nicht sein. Außer eventuell ein sehr großer Hund, nämlich eine deutsche Dogge. Gab es eine deutsche Dogge, die ins Gebirge entlaufen war? Nein, es gab keine. Also war es ein Wolf, ein großer Wolf.

Dieses Mal hatte man einen Abdruck am Boden gefunden, den einer linken Vorderpfote, die sich rechts von der Leiche in den Schafmist gedrückt hatte. Eine fast zehn Zentimeter breite Spur, die Pfote eines Wolfs. Mit dem linken Fuß in Scheiße zu treten bringt angeblich Glück. Adamsberg fragte sich, ob das auch für Wölfe galt.

Man mußte schon ziemlich leichtsinnig sein, um so ein Tier in Bedrängnis zu bringen. Das kam davon, wenn man so drauflosstürzte. Immer alles zu schnell machen wollen, immer die Dinge überstürzen. Das führte zu nichts Gutem. Sünde der Ungeduld. Oder es war kein Wolf wie die anderen. Abgesehen von seiner gewaltigen Größe, war er auch noch geisteskrank. Adamsberg öffnete sein Zeichenheft, zog einen am Ende angenagten Stift aus der Tasche, den er mit vagem Interesse betrachtete. Der Stift mußte Danglard gehören. Er war ein Typ, der alle Stifte dieser Erde annagte. Adamsberg drehte ihn zwischen seinen Fingern und untersuchte gedankenverloren die tiefen Kerben, die die Zähne des Mannes in das Holz gehauen hatten.

12

Im Morgengrauen hörte Camille, wie das Motorrad angelassen wurde. Sie hatte nicht einmal bemerkt, daß Lawrence aufgestanden war. Der Kanadier war ein leiser Mensch, und er achtete auf Camilles Schlaf. Ihm war Schlaf mehr oder weniger egal, für Camille dagegen gehörte er zu den zentralen Werten des menschlichen Seins. Sie hörte, wie das Motorengeräusch sich entfernte, warf einen Blick auf den Wecker und suchte nach dem Grund für all die Eile.

Ach ja, Massart. Lawrence versuchte ihn zu erwischen, bevor er zum Schlachthof in Digne aufbrach. Sie drehte sich um und schlief augenblicklich wieder ein.

Um neun kam Lawrence zurück und rüttelte sie an der Schulter.

»Massart hat nicht zu Hause geschlafen. Sein Wagen steht immer noch da. Ist nicht zur Arbeit.«

Camille setzte sich auf und fuhr sich durchs Haar.

»Wir sagen den Bullen Bescheid«, fuhr er fort.

»Was wollen wir ihnen sagen?«

»Daß Massart verschwunden ist. Daß sie in den Bergen nach ihnen suchen sollen.«

»Du erzählst nichts von Suzanne?«

Lawrence schüttelte den Kopf.

»Erst durchsuchen wir seine Hütte«, sagte er.

»Seine Hütte durchsuchen? Bist du verrückt?«

»Wir müssen ihn wiederfinden.«

»Wozu soll es gut sein, seine Hütte zu durchsuchen?«

»Sagt uns vielleicht, wo er hin ist.«

»Was glaubst du da zu finden? Sein Werwolf-Fell, zusammengefaltet in einem Schrank?«

Lawrence zuckte mit den Achseln.

»God, Camille. Hör auf zu reden. Komm.«

Eine Dreiviertelstunde später betraten sie das kleine, halb aus Steinen, halb aus Brettern errichtete Haus von Massart. Die Tür war nur ins Schloß gedrückt.

»Das ist mir lieber«, sagte Camille.

Die Hütte verfügte nur über zwei Zimmer, ein kleines, ziemlich dunkles und spärlich möbliertes Wohnzimmer, ein Schlafzimmer sowie einen kleinen Waschraum. Eine mächtige Gefriertruhe in der Ecke des Wohnzimmers war das einzig sichtbare Zeichen von Modernität.

»Schmuddelig«, murmelte Lawrence, während er den Raum inspizierte. »Die Franzosen sind schmuddelig. Wir müssen die Gefriertruhe öffnen.«

»Mach's selber«, sagte Camille knapp.

Lawrence räumte alles ab, was auf der Truhe lag – Helm, Taschenlampe, Zeitung, Straßenkarte, Zwiebeln –, legte die Sachen auf den Tisch und hob den Deckel.

»Und?« fragte Camille, die an der Wand gegenüber lehnte.

»Fleisch, Fleisch und nochmals Fleisch«, kommentierte Lawrence.

Mit einer Hand durchwühlte er den Inhalt bis zum Boden.

»Hasen, Wildkaninchen, Rind und eine viertel Gemse. Massart wildert. Für sich, für seinen Hund oder für beide.«

»Auch Schaf?«

»Nein.«

Lawrence ließ den Deckel zurückfallen. Beruhigt setzte sich Camille an den Tisch und faltete die Straßenkarte auseinander.

»Vielleicht notiert er sich seine Wege im Gebirge«, sagte sie.

Wortlos ging Lawrence ins Schlafzimmer, hob die Decke hoch, die Matratze, öffnete die Schubladen des Nachttischs, der Kommode und untersuchte den kleinen Holzschrank. Schmuddelig.

Er kam ins Wohnzimmer zurück und wischte sich die Hände an seiner Hose ab.

»Es ist keine Karte der Gegend«, sagte Camille. »Es ist eine Frankreichkarte.«

»Irgendwas markiert?«

»Weiß nicht. In dem Zimmer sieht man ja nichts.«

Lawrence zuckte mit den Achseln, öffnete die Tischschublade und schüttete den Inhalt auf das Wachstuch.

»Stopft seine Schubladen voll mit altem Plunder«, sagte er. »Bullshit.«

Camille ging zu der noch immer weit offenstehenden Tür und hielt die Karte ins Tageslicht.

»Er hat eine ganze Strecke rot markiert«, sagte sie. »Von Saint-Victor bis nach ...«

Lawrence untersuchte rasch die herumliegenden Gegenstände, verfrachtete alles wieder in die Schublade und blies über den Staub, der auf dem Tisch zurückgeblieben war. Camille entfaltete die andere Hälfte der Karte.

»... Calais«, schloß sie. »Dann geht's über den Ärmelkanal und endet in England.«

»Eine Reise«, bemerkte Lawrence. »Keinerlei Bedeutung.«

»Nur auf kleinen Straßen. Dafür braucht er Tage.«

»Mag die kleinen Straßen.«

»Und mag keine Leute. Was will er in England?«

»Vergiß es«, erwiderte Lawrence. »Wahrscheinlich keinerlei Zusammenhang. Ist vielleicht schon alt.«

Camille faltete die Kartenhälfte zusammen und richtete ihre Aufmerksamkeit wieder auf die Gegend des Mercantour.

»Schau mal«, sagte sie.

Lawrence hob das Kinn.

»Schau mal«, wiederholte sie. »Hier sind drei Kreuze eingezeichnet.«

Lawrence beugte sich über die Karte.

»Seh nichts.«

»Hier«, sagte Camille und legte ihren Finger darauf. »Man kann sie kaum erkennen.«

Lawrence nahm die Karte, ging hinaus und untersuchte mit gerunzelter Stirn die roten Markierungen im hellen Tageslicht.

»Die drei Schäfereien«, sagte er. »Saint-Victor, Ventebrune, Pierrefort.«

»Das ist nicht sicher. Der Maßstab ist zu klein.«

»Doch«, erwiderte Lawrence und schüttelte sein Haar. »Schäfereien.«

»Na und? Das beweist nur, daß Massart sich für die Angriffe interessiert, so wie du, wie alle anderen. Er will sehen, wie der Wolf sich bewegt. Ihr im Mercantour habt eure Karte auch markiert.«

»In diesem Fall hätte er auch die anderen Überfälle markiert, die vom letzten Jahr und die vom Jahr davor.«

»Und wenn er sich nur für den großen Wolf interessiert?«

Lawrence faltete rasch die Karte zusammen, schob sie in seine Jackentasche und schloß die Tür.

»Wir gehen«, sagte er.

»Und die Karte? Räumst du sie nicht weg?«

»Die nehmen wir mit. Mal näher ansehen.«

»Und die Bullen? Wenn sie das erfahren?«

»Was sollen die Bullen damit, die scheißen doch drauf.«

»Du redest wie Suzanne.«

»Ich hab's dir gesagt. Sie hat mir das in den Kopf gesetzt.«

»Sie hat dir zuviel in den Kopf gesetzt. Leg die Karte zurück.«

»*Du* willst doch Massart schützen, Camille. Es ist besser für ihn, wenn wir seine Karte verschwinden lassen.«

Zu Hause öffnete Camille die Fensterläden, und Lawrence breitete die Frankreichkarte auf dem Holztisch aus.

»Die Karte stinkt«, sagte er.

»Sie stinkt nicht«, erwiderte Camille.

»Sie stinkt nach Fett. Weiß nicht, was ihr Franzosen alle in der Nase habt, daß euch das nie stört.«

»Wir haben zweitausend Jahre Geschichte voll mit Fettgerüchen hinter uns. Ihr Kanadier seid zu jung, um das zu verstehen.«

»Daran muß es liegen«, entgegnete Lawrence. »Das muß der Grund sein, warum die alten Nationen so stinken. Da«, fügte er hinzu und hielt ihr eine Lupe hin, »untersuch das mal genauer. Ich fahr runter zu den Bullen.«

Camille beugte sich über die Karte, konzentrierte sich auf die Straßen und fuhr langsam mit der Lupe das gesamte Mercantour-Massiv ab.

Lawrence kam erst eine Stunde später zurück.

»Sie haben dich ja lange dabehalten«, bemerkte Camille.

»Mmmh. Haben sich gefragt, warum ich mir Sorgen um Massart mache. Woher ich weiß, daß er verschwunden ist. Niemand macht sich in diesem Ort Sorgen um ihn. Konnte ihnen nicht vom Werwolf erzählen.«

»Was hast du gesagt?«

»Daß Massart sich für Sonntag mit mir verabredet hätte, um mir einen großen Pfotenabdruck zu zeigen, den er am Mont Vence entdeckt hat.«

»Nicht schlecht.«

»Daß am Morgen niemand da war und am Abend genausowenig. Daß ich besorgt war und daß ich heute morgen noch mal vorbeigeschaut habe.«

»Das klingt glaubwürdig.«

»Waren am Ende auch beunruhigt und haben beim Schlachthof von Digne angerufen, niemand hat ihn gesehen. Haben gerade die Brigade von Puygiron losgeschickt mit dem Befehl, im Umkreis der Hütte auszuschwärmen. Wenn sie ihn nach zwei Stunden nicht gefunden haben, schicken sie die Brigade von Entrevaux zur Verstärkung. Ich würd gern essen, Camille, ich sterbe vor Hunger. Falt die Karte zusammen. Hast du noch was gefunden?«

»Vier weitere, ganz dünn markierte Kreuze. Alle zwischen der Nationalstraße 202 und dem Mercantour.«

Lawrence hob fragend das Kinn.

»Die Kreuze sind bei Andelle und Anélias östlich von Saint-Victor, bei Guillos, zehn Kilometer nördlich, und bei La Castille, fast an der Grenze des Naturparks.«

»Paßt nicht«, bemerkte Lawrence. »Da gab's nie einen Angriff auf eine Schäferei. Bist du dir mit den Orten sicher?«

»Ungefähr.«

»Paßt nicht. Muß was anderes bedeuten.«

Lawrence dachte nach.

»Vielleicht da, wo er seine Fallen aufstellt«, vermutete er.

»Warum sollte er sie auf der Karte markieren?«

»Schreibt seinen Fang auf. Vermerkt die guten Stellen.«

Camille nickte und faltete die Karte zusammen.

»Wir essen im Café auf dem Dorfplatz«, sagte sie. »Wir haben nichts mehr da.«

Lawrence verzog das Gesicht und sah im Kühlschrank nach.

»Siehst du«, bemerkte Camille.

Lawrence war ein Mann der Einsamkeit, er begab sich nicht gern an öffentliche Orte, schon gar nicht mochte er es, zu Mittag in ein Café zu gehen, das Klappern der Bestecke und die Kaugeräusche zu hören und vor aller Augen zu essen. Camille dagegen mochte den Lärm, und sooft sie konnte, schleppte sie Lawrence in das Café am Dorfplatz, in das sie fast jeden Tag ging, wenn der Kanadier im Mercantour verschwand.

Sie ging zu ihm und küßte ihn auf die Lippen.

»Komm«, sagte sie.

Lawrence drückte sie an sich. Camille würde davonlaufen, wenn er sie vom Rest der Welt isolierte. Aber es kostete ihn große Überwindung.

Als das Essen fast beendet war, betrat Larquet, der Bruder des Straßenwärters, das Café, außer Atem und hochrot im Gesicht. Die Unterhaltung erstarb. Larquet setzte nie einen Fuß in das Café, er nahm sein Eßgeschirr mit und aß auf der Straße.

»Was ist los mit dir, Alter?« fragte der Wirt. »Hast du die Jungfrau gesehen?«

»Nicht die Jungfrau, du Idiot. Die Frau vom Tierarzt hab ich gesehen, als sie von Saint-André hochkam.«

»Es war garantiert ganz anders«, bemerkte der Wirt.

Die Frau des Tierarztes war Krankenschwester und piekste die Hintern der gesamten Umgebung von Saint-Victor. Sie war sehr beliebt, weil sie so sanft piekste, daß man es gar nicht merkte. Andere sagten, das liege daran, daß sie mit allen Männern schlief, denen sie Spritzen gab, wenn sie halbwegs annehmbar waren. Andere, Barmherzigere, sagten, das sei nicht ihre Schuld, Hintern zu pieksen sei ja nun keine so lustige Arbeit, man solle sich doch mal für eine Minute in ihre Lage versetzen.

»Und?« fragte der Wirt. »Hat sie dich im Graben vergewaltigt?«

»Du bist wirklich ein armer Irrer«, sagte Larquet und rümpfte verächtlich die Nase. »Soll ich dir mal was sagen, Albert?«

»Sag nur.«

»Sie weigert sich, dir den Hintern zu pieksen, und das kannst du nicht ertragen. Deshalb ziehst du alles in den Dreck, was anderes kannst du nicht.«

»Bist du fertig mit deiner Predigt?« fragte der Wirt mit zornfunkelnden Augen.

Albert hatte sehr kleine blaue Augen, die in seinem breiten, ziegelroten Gesicht verschwanden. Er war nicht besonders einnehmend.

»Ja, ich bin fertig, aber nur, weil ich Respekt vor deiner Frau habe.«

»Das reicht jetzt«, sagte Lucie, die ihre Hand auf den Arm ihres Mannes legte. »Was ist los, Larquet?«

»Die Frau vom Tierarzt kam gerade aus Guillos. Drei weitere Schafe sind gerissen worden.«

»In Guillos? Bist du sicher? Das ist ganz schön weit weg.«

»Ja doch, ich erfind doch nichts. In Guillos. Das bedeutet, die Bestie schlägt überall zu. Morgen kann sie in Terres-Rouges sein, und übermorgen in Voudailles. Wenn sie will, wie sie will.«

»Wem gehörten die Schafe?«

»Grémont. Er ist völlig durcheinander.«

»Aber es sind doch nur Schafe«, brüllte eine Stimme. »Und deswegen flennt ihr?«

Alle drehten sich um und sahen in das aufgelöste Gesicht von Buteil, dem Verwalter von Les Écarts. Verdammt, Suzanne.

»Wegen Suzanne, die noch nicht mal begraben ist, hat keiner auch nur eine Träne vergossen! Und ihr flennt wegen ein paar Blökern! Ihr Wichser!«

»Wir flennen nicht, Buteil«, sagte Larquet und streckte den Arm aus. »Vielleicht sind wir alle Wichser, vor allem Albert, aber niemand vergißt Suzanne. Aber auch die ist von der verdammten Bestie umgebracht worden, und wir müssen sie finden, verdammt.«

»Jawohl«, sagte jemand.

»Jawohl. Und wenn die in Guillos sie vorher finden, stehen wir da wie Waschlappen.«

»Wir kriegen sie zuerst. Die Kerle von Guillos sind Schlappschwänze, seit sie nur noch Lavendel ziehen.«

»Träumt doch nicht, Leute«, sagte der Postbeamte, ein ziemlich neurasthenischer Typ. »Wir sind auch nicht besser als die in Guillos oder anderswo. Wir haben einfach keinen Riecher mehr, wir finden die Fährten nicht mehr. Diese Bestie schnappen wir erst an dem Tag, an dem sie hier aufkreuzt, um sich ein Gläschen am Tresen zu genehmigen. Und selbst dann müssen wir noch abwarten, bis sie völlig abgefüllt ist, bevor wir sie kriegen, und das auch nur zu zehnt. Bis dahin wird sie die ganze Gegend aufgefressen haben.«

»Du machst wohl Witze!«

»Ein Wolf, der sich ein Gläschen genehmigt! Das ist doch wohl völlig bescheuert.«

»Wir sollten einen Heli anfordern«, schlug eine Stimme vor.

»Einen Heli? Um das Gebirge abzusuchen? Bist du beknackt oder was?«

»Sieht übrigens so aus, als wär Massart verlorengegangen«, warf ein anderer ein. »Die Gendarmen suchen ihn am Mont Vence.«

»Na, das nenn ich einen Verlust«, sagte Albert.

»Armes Arschloch«, sagte Larquet.

»Das reicht jetzt«, sagte Lucie.

»Und wie willst du wissen, daß Massart nicht von der Bestie geschnappt worden ist? Wo er doch versessen darauf ist, immer nachts rauszugehen?«

»Ja, ja, wir werden Massart noch zerstückelt wiederfinden. Das sag ich euch.«

Lawrence packte Camille am Handgelenk.

»Laß uns gehen«, sagte er. »Die machen mich wahnsinnig.«

Als sie auf dem Dorfplatz standen, holte Lawrence tief Luft, als ob er gerade einer giftigen Wolke entkommen wäre.

»Ein Haufen Irrer«, brummte er.

»Das ist kein Haufen«, sagte Camille. »Es sind Männer, die Angst haben, die Kummer haben oder die schon betrunken sind. Einverstanden, Albert ist ein Irrer.«

Sie gingen die glühendheißen Wege zum Haus hinauf.

»Was sagst du dazu?« fragte Camille.

»Wozu? Daß sie betrunken waren?«

»Nein. Das Dorf, wo der Überfall stattfand. Guillos. Das ist der Ort, der auf der Karte markiert ist.«

Lawrence blieb stehen und starrte Camille an.

»Wie hätte Massart das wissen können?« murmelte sie. »Wie hätte er das *vorher* wissen können?«

In der Ferne war Hundegebell zu hören. Lawrence spannte sich an.

»Die Gendarmen können ihn ruhig suchen«, sagte er höhnisch grinsend, »sie werden ihn nicht finden. War letzte Nacht in Guillos, morgen in La Castille. Er ist es, der sie tötet. Er, Camille – zusammen mit Crassus.«

Camille machte eine Bewegung, wie um etwas zu sagen, und gab es auf. Sie wußte nicht mehr, was sie zu Massarts Verteidigung vorbringen sollte.

»Mit Crassus«, wiederholte Lawrence. »Auf der Flucht. Wird Schafen, Frauen, Kindern die Kehle zerfetzen.«

»Aber warum, um Himmels willen?« murmelte sie.

»Weil er unbehaart ist.«

Camille warf ihm einen ungläubigen Blick zu.

»Und das hat ihn verrückt gemacht«, fuhr Lawrence fort. »Gehen wir zu den Bullen.«

»Halt mal«, sagte Camille und hielt ihn am Arm zurück.

»Was? Willst du, daß er noch mehr Menschen angreift?«

»Laß uns bis morgen warten. Vielleicht finden sie ihn ja. Bitte.«

Lawrence nickte und ging schweigend weiter.

»Augustus hat seit Freitag nichts gefressen«, sagte er. »Ich fahr ins Massiv hoch. Bin morgen mittag zurück.«

Am nächsten Tag zur Mittagszeit hatte man Massart noch nicht gefunden. Die Dreizehn-Uhr-Nachrichten meldeten, daß zwei Schafe in La Castille getötet worden waren. Der Wolf bewegte sich in Richtung Norden.

In Paris registrierte Adamsberg die Information. Er hatte sich eine Generalstabskarte des Mercantour besorgt, die er in die unterste Schublade seines Schreibtischs gestopft hatte, eine Schublade, die verworrenen Fragen und ungewissen Manövern vorbehalten war. Er unterstrich den Ortsnamen La Castille rot. Gestern hatte er Guillos unterstrichen. Die Wange in die Hand gestützt, betrachtete er lange versonnen die Karte.

Sein Stellvertreter Danglard beobachtete ihn argwöhnisch. Er verstand nicht, daß Adamsberg sich derart für diese Wolfsgeschichte interessierte, wo sie doch ein komplexes Tötungsdelikt in der Rue Gay-Lussac zu bearbeiten hatten – ein Fall von Notwehr, der etwas zu eindeutig war – und eine total verrückte Killerin geschworen hatte, ihm eine hübsche kleine Kugel in den Wanst zu jagen. Aber so war es immer gewesen: Danglard hatte die eigenartige Logik, von der Adamsberg sich leiten ließ, nie begreifen können. In seinen Augen handelte es sich dabei übrigens keineswegs um Logik, sondern eher um fortwährende Anarchie, die sich aus Träumen und Instinkten zusammensetzte und auf unerklärlichem Wege zu nicht zu leugnenden Erfolgen führte. Der Versuch jedoch, Adamsbergs Gedankengängen zu folgen, überstieg seine nervlichen Kräfte. Denn diese Gedanken waren nicht nur verschwommener Natur, irgendwo zwischen gasförmigem, flüssigem und festem Zustand, sie ballten sich auch noch unaufhörlich mit anderen Gedanken zusammen, ohne daß dieser Vorgang durch irgendein Band der Ratio zusammengehalten würde. Und während Danglard mit scharfem Verstand methodisch Lösungen sichtete, ordnete und systematisch aufgliederte, vermengte Adamsberg die Untersuchungsebenen, drehte die Etappen der einzelnen Schritte um, sprengte jegliche Kohärenz, spielte mit dem Wind. Und am Ende entlockte seine ungeheure Langsamkeit dem Chaos eine Wahrheit. Danglard vermutete daher, daß der Kommissar – so wie man es Unglücklichen oder großen Geistern nachsagt – eine »eigene Logik« besaß. Hin und her gerissen zwischen Bewunderung und Verärgerung, versuchte er seit Jahren, sich damit abzufinden.

Denn Danglard war ein zerrissener Mann. Wohingegen Adamsberg in einem Stück gegossen war – wenn auch sicherlich etwas eilig – und aus einem einzigen und sich ständig wandelnden Material bestand, das dem Realen nur vorübergehend Zugriff bot. Merkwürdigerweise konnte man gut mit ihm auskommen. Abgesehen von denen natürlich, die ihn zu fassen kriegen wollten. Davon gab es einige. Es gibt immer Leute, die einen zu fassen kriegen wollen.

Mit den Fingern maß der Kommissar die Entfernung zwischen Guillos und La Castille und übertrug sie dann von La Castille aus auf die Umgebung, um den Ort zu finden, wo der blutgierige Wolf, der auf der Suche nach neuen Jagdgründen umherirrte, als nächstes zuschlagen würde. Danglard sah ihm dabei ein paar Minuten zu. Inmitten seiner luftigen und bisweilen visionären Gedankenwelt war Adamsberg doch zu einer irritierend strengen Vorgehensweise in der Lage.

Danglard startete einen Versuch:

»Stimmt irgendwas mit diesen Wölfen nicht?«

»Mit *diesem* Wolf«, verbesserte Adamsberg. »Er ist ganz allein, aber er zählt für zehn. Ein Menschenfresser, der sich nicht einfangen läßt.«

»Geht uns das was an? Auch nur entfernt?«

»Nein, Danglard. Wieso sollte uns das etwas angehen?«

Danglard erhob sich und sah prüfend über Adamsbergs Schulter auf die Karte.

»Und doch«, fügte Adamsberg halblaut hinzu, »sollte sich irgendwann mal jemand darum kümmern.«

»Das Mädchen«, unterbrach ihn Danglard, »Sabrina Monge, hat den Ausgang durch die Keller gefunden. Wir sind geliefert.«

»Ich weiß.«

»Wir müssen sie stoppen, bevor sie Sie abknallt.«

»Man kann sie nicht festnehmen. Sie muß mir eine Kugel verpassen und mich verfehlen, damit wir sie schnappen können. Danach können wir arbeiten. Neuigkeiten von dem Kleinen?«

»Eine Spur in Polen. Das kann noch lange dauern. Sie treibt uns in die Enge.«

»Nein. Ich werd verschwinden, Danglard. Das wird uns Zeit geben, den Jungen zu finden, ohne daß sie mir eine hübsche kleine Kugel in den Wanst schießt.«

»Wohin verschwinden?«

»Das werden wir bald wissen. Sagen Sie mir, wo der Auftraggeber von dem Mord in der Rue Gay-Lussac haust, wenn es wirklich so ist, wie wir glauben?«

»In Avignon.«

»Also fahre ich dort hin. Ich fahre nach Avignon. Niemand darf davon erfahren, außer Ihnen. Die von oben haben grünes Licht gegeben. Ich muß ungestört operieren können, ohne Sabrina auf den Fersen zu haben.«

»Verstanden«, antwortete Danglard.

»Vorsicht, Danglard. Wenn sie entdeckt, daß ich verschwunden bin, wird sie ihre Fallen aufstellen. Und sie ist ein begabtes Mädchen. Kein Wort zu irgendwem, selbst wenn meine eigene Mutter Sie anruft und jammert. Meine Mutter jammert übrigens nie, genausowenig wie irgendeine meiner fünf Schwestern. Nur Sie bekommen meine Nummer, Danglard.«

»Soll ich während Ihrer Abwesenheit mit der Karte weitermachen?« fragte Danglard und zeigte mit der Hand zum Schreibtisch.

»Aber nein, mein Lieber. Der Wolf ist mir völlig schnurz.«

13

Bei der Gendarmerie in Puygiron verlangte Lawrence nach dem obersten Vorgesetzten der Brigade. Der diensthabende Beamte am Empfang reagierte unwillig.

»Was ist Ihr Vorgesetzter für einer?« fragte Lawrence.

»Ein Typ, der Sie schnellstens zum Teufel schickt, wenn Sie Ärger machen.«

»Nein, ich frage nach seinem Dienstgrad. Sein Titel? Wie heißt so einer?«

»So einer heißt Gendarmeriehauptmann.«

»Na, genau den will ich: den Gendarmeriehauptmann.«

»Und aus welchem Grund wollen Sie ihn sprechen?«

»Weil ich ihm eine höllische Geschichte zu erzählen habe. So höllisch, daß Sie mich, wenn ich sie Ihnen erzählt habe, zu Ihrem Offizier schicken werden, und wenn der Offizier sie gehört hat, wird er mich zum Chef schicken. Der Chef wird finden, daß das seine Kompetenzen überschreitet, und wird mich zum Gendarmeriehauptmann schicken. Aber ich hab zu tun. Ich werd das nicht viermal erzählen, ich geh direkt zum Hauptmann.«

Der diensthabende Beamte runzelte verwirrt die Stirn.

»Was ist an der Geschichte so höllisch?«

»Hör zu, Gendarm«, sagte Lawrence, »weißt du, was ein Werwolf ist?«

Der Gendarm lächelte.

»Hm, ja«, erwiderte er.

»Dann lach nicht, denn es ist eine Geschichte von einem Werwolf.«

»Ich glaube, das überschreitet meine Kompetenzen«, sagte der Beamte nach einigem Zögern.

»Das habe ich befürchtet«, bemerkte Lawrence.

»Ich weiß nicht einmal, ob das in das Ressort des Hauptmanns fällt.«

»Hör mal zu, Gendarm«, wiederholte Lawrence geduldig, »wir werden später sehen, was in das Ressort des Hauptmanns fällt und was nicht. Aber bis dahin versuchen wir's mal. Einverstanden?«

Der Beamte verschwand und kam fünf Minuten später zurück.

»Der Hauptmann erwartet Sie«, sagte er und zeigte auf eine Tür.

»Los, geh allein«, flüsterte Camille Lawrence plötzlich zu. »Ich denunziere niemanden. Ich warte im Eingang auf dich.«

»God. Du läßt mich die Rolle des Dreckskerls spielen, nicht wahr? Du willst vor allem nichts damit zu tun haben, hab ich recht?«

Camille zuckte mit den Schultern.

»Geht nicht ums Denunzieren, bullshit«, fuhr Lawrence fort. »Geht darum, einen Verrückten zu stoppen.«

»Ich weiß.«

»Also komm.«

»Ich kann nicht. Verlang's nicht von mir.«

»Das ist, als ob du Suzanne im Stich lassen würdest.«

»Keine Erpressung, Lawrence. Geh allein. Ich warte auf dich.«

»Verurteilst du, was ich mache?«

»Nein.«

»Dann bist du feige.«

»Ich bin feige.«

»Hast du das schon immer gewußt?«

»Verdammt, ja natürlich.«

Lawrence lächelte und folgte dem diensthabenden Beamten. Vor der Bürotür hielt dieser ihn am Ärmel zurück.

»Ganz im Ernst«, flüsterte der junge Gendarm, »ein echter Werwolf? Ein Typ, der, wenn man ihn aufschneidet ...«

»Das weiß man noch nicht«, sagte Lawrence. »Das ist so eine Sache, die man erst in letzter Minute überprüft. Verstehst du?«

»Hundert Prozent.«

»Um so besser.«

Der Gendarmeriehauptmann, ein recht eleganter Mann mit schmalem, schlaffem Gesicht, erwartete ihn, spöttisch lächelnd in seinen Plastikstuhl zurückgelehnt, die Hände über dem Bauch verschränkt. Neben ihm, hinter einem Tischchen mit einer Schreibmaschine, erkannte Lawrence Justin Lemirail, den mittelgroßen Gendarmen, und nickte ihm zu.

»Ein, wie soll ich sagen, Werwolf, wie?« fragte der Hauptmann in lockerem Ton.

»Weiß nicht, was daran so lustig sein sollte«, erwiderte Lawrence grob.

»Also«, fuhr der Hauptmann in jenem verbindlichen Tonfall fort, den man annimmt, wenn man Irren nicht widersprechen will. »Wo soll dieser Werwolf sein?«

»In Saint-Victor-du-Mont. Letzte Woche fünf getötete Schafe in der Schäferei von Suzanne Rosselin. Ihr Kollege war da.«

Der Hauptmann streckte dem Kanadier in einer affektierten, eher mondänen als militärischen Geste die Hand hin.

»Name, Vorname, Personalausweis«, forderte er, noch immer lächelnd.

»Lawrence Donald Johnstone. Kanadische Staatsangehörigkeit.«

Lawrence zog einen ganzen Packen Papiere aus seiner

Jacke und legte sie auf den Schreibtisch. Paß, Visa, Aufenthaltsgenehmigung.

»Sind Sie der Wissenschaftler, der über den Mercantour arbeitet?«

Lawrence nickte.

»Ich sehe hier, wie soll ich sagen, Anträge auf Visaverlängerung. Probleme?«

»Kein Problem. Ich trödle eben. Ich setze mich fest.«

»Und warum?«

»Die Wölfe, die Insekten, eine Frau.«

»Warum auch nicht«, bemerkte der Hauptmann.

»Eben«, antwortete Lawrence.

Der Hauptmann gab Lemirail zu verstehen, daß er anfangen könne zu tippen.

»Wissen Sie, wer Suzanne Rosselin ist?« fragte Lawrence.

»Natürlich, Monsieur Johnstone. Es handelt sich um diese arme Frau, die sich am – wie soll ich sagen – Sonntag die Kehle hat durchbeißen lassen.«

»Wissen Sie, wer Auguste Massart ist?«

»Diese Person suchen wir seit gestern.«

»Vergangenen Mittwoch hat Suzanne Rosselin Massart beschuldigt, er sei ein Werwolf.«

»Vor Zeugen?«

»Vor mir.«

»Allein?«

»Allein.«

»Das ist schade. Können Sie mir auch nur einen guten Grund nennen, warum besagte Rosselin Sie als einzigen ins Vertrauen gezogen haben soll?«

»Zwei gute. Für Suzanne waren die Einwohner von Saint-Victor allesamt ungebildete Arschlöcher.«

»Das kann ich bestätigen«, unterbrach Lemirail.

»Bin Ausländer und kenne die Wölfe«, vervollständigte Lawrence.

»Und worauf gründete sich diese – wie soll ich sagen – Anschuldigung?«

»Auf die Tatsache, daß Massart unbehaart ist.«

Der Gendarmeriehauptmann runzelte die Stirn.

»In der Nacht von Samstag auf Sonntag«, fuhr Lawrence fort, »ist Suzanne getötet worden. Am darauffolgenden Tag ist Massart verschwunden.«

Der Hauptmann lächelte.

»Oder hat sich im Gebirge verirrt«, sagte er.

»Selbst wenn Massart sich verirrt hat, in eine Falle gegangen ist oder sonst was getan hat«, wandte Lawrence ein, »hätte die Dogge sich doch nicht verlaufen.«

»Die Dogge wacht sicher an seiner Seite.«

»Man würde sie hören. Sie würde jaulen.«

»Wollen Sie damit sagen, daß ein Werwolf namens Massart besagte Rosselin getötet und dann die, wie soll ich sagen, Flucht ergriffen hat?«

»Ich will damit sagen, daß er Suzanne umgebracht hat, ja.«

»Wollen Sie suggerieren, daß man dieses Individuum ergreifen und ihn dann von der Kehle bis …«

»Scheiße«, sagte Lawrence. »Bullshit. Das hier ist eine ernste Angelegenheit.«

»Sehr gut. Bringen Sie Ihre Anschuldigung vor, und begründen Sie sie.«

»God. Ich glaube, daß Suzanne nicht von einem Wolf getötet wurde, weil sie niemals einen Wolf in die Enge getrieben hätte. Ich glaube, daß Massart sich nicht im Gebirge verlaufen hat, sondern daß er auf der Flucht ist. Ich glaube, daß Massart kein Werwolf ist, sondern ein unbehaarter Geisteskranker, der die Schafe mit Hilfe seines Hundes oder Crassus' des Kahlen umbringt.«

»Wer ist Crassus der Kahle?«

»Ein sehr großer Wolf, den wir seit zwei Jahren aus den

Augen verloren haben. Ich glaube, daß Massart ihn sehr jung gefangen und gezähmt hat. Ich glaube, daß Massarts mörderischer Irrsinn mit der Ankunft der Wölfe im Mercantour ausgebrochen ist. Ich glaube, daß er den Wolf gezähmt und ihn zum Angreifen abgerichtet hat. Ich glaube, daß jetzt, wo er eine Frau getötet hat, die Schleusen geöffnet sind. Ich glaube, daß er weitere Menschen umbringen wird, vor allem Frauen. Ich glaube, daß der Wolf Crassus außergewöhnlich groß und gefährlich ist. Ich glaube, daß man die Suche am Mont Vence abbrechen und Massart nördlich von La Castille suchen muß, wo er sich die vergangene Nacht aufgehalten hat.«

Lawrence holte tief Luft. Das waren ganz schön viele Sätze gewesen. Lemirail tippte schnell.

»Und *ich* glaube«, sagte der Hauptmann noch immer in verbindlichem Ton, »daß die Dinge einfacher sind. Wir haben hier schon genug mit den Wölfen zu tun, um uns nicht auch noch Geschichten von Wolfsdompteuren auszudenken. Hier mag man keine Wölfe, Monsieur Johnstone. Hier bringt man keine Schafe um.«

»Massart bringt sie um, und zwar im Schlachthaus.«

»Sie verwechseln Umbringen und Schlachten. Sie glauben nicht an einen Unfalltod von Suzanne Rosselin, ich aber schon. Besagte Rosselin gehörte zu jenen Individuen, die einen Wolf provozieren, ohne sich um die, wie soll ich sagen, Konsequenzen zu kümmern. Sie war auch jemand, der jeder Legende Glauben schenkte. Sie glauben nicht, daß Massart sich im Gebirge verirrt haben könnte, und ich sage Ihnen, daß Sie das Land nicht kennen. In fünfzehn Jahren sind drei erfahrene Personen hier in der Gegend ums Leben gekommen, und zwar durch Stürze. Eine von ihnen ist nie gefunden worden. Wir haben Massarts Wohnung durchsucht: Es fehlen seine Wanderschuhe, sein Stock, sein Rucksack, sein Gewehr, seine Patronentasche und seine, wie soll ich sagen, Jagdweste. Er hat keine Sachen zum Wechseln mitgenommen und auch kein Reisenecessaire. Das bedeutet, Monsieur Johnstone, daß fragliche Person nicht geflohen ist, wie Sie uns einreden wollen, sondern daß er sich am Sonntag auf einen, wie soll ich sagen, Ausflug begeben hat. Vielleicht sogar auf die Jagd.«

»Ein Mann auf der Flucht nimmt nicht immer seine Zahnbürste mit«, unterbrach ihn Lawrence. »Das ist keine Vergnügungsreise. War Geld im Haus?«

»Nein.«

»Warum hätte er sein Geld auf die Jagd mitnehmen sollen?«

»Nichts sagt uns, daß er Bargeld im Hause hatte. Nichts sagt uns, daß er welches mitgenommen hat.«

»Und die Dogge?«

»Die Dogge ist ihrem Herrn gefolgt und mit ihm in eine Schlucht gestürzt. Oder die Dogge ist gestürzt, und der Herr hat versucht, sie zu retten.«

»Bullshit, nehmen wir das mal an«, erwiderte Lawrence. »Und Crassus? Wie soll ein so junger Wolf aus dem Mercantour verschwunden sein? Niemand hat ihn mehr irgendwo gesehen.«

»Crassus ist sicher eines natürlichen Todes gestorben, und sein Skelett verbleicht irgendwo in den Wäldern des Naturparks.«

»God«, sagte Lawrence. »Nehmen wir's an.«

»Sie haben sich ein bißchen in die Sache hineingesteigert, Monsieur Johnstone. Ich weiß nicht, wie die Sachen in Ihrem, wie soll ich sagen, Land ablaufen, aber hier, lassen Sie sich das gesagt sein, gibt es nur vier Quellen krimineller Gewalt: Ehebruch, Erbschaftstreitigkeiten, Alkoholmißbrauch und Nachbarschaftsprozesse. Aber Wolfsbändiger, Frauenmörder – nein, Monsieur Johnstone. Was sind Sie in Ihrem Land genau von Beruf?«

»Grizzlys«, erwiderte Lawrence undeutlich. »Ich erforsche die Grizzlys.«

»Wollen Sie damit sagen, daß Sie mit diesen, wie soll ich sagen, Bären leben?«

»God. Yes.«

»Teamarbeit, im großen und ganzen?«

»Nein. Die meiste Zeit bin ich allein.«

Das Gesicht des Hauptmanns nahm einen Ausdruck an, der soviel bedeutete wie: ›Jetzt verstehe ich, warum Sie derartig abdrehen konnten.‹ Wütend zog Lawrence Massarts Straßenkarte aus seiner Jacke und faltete sie auf dem Schreibtisch auseinander.

»Hier, Hauptmann«, begann er und betonte jedes Wort, »ist eine Karte, die ich gestern morgen aus Massarts Haus mitgenommen habe.«

»Sie sind während der Abwesenheit von Auguste Massart vorsätzlich in dessen Wohnsitz eingedrungen?«

»Die Tür war nicht verschlossen. Ich habe mir Sorgen gemacht. Hätte tot in seinem Bett liegen können. Hilfeleistung zur Rettung einer gefährdeten Person. Ich habe einen Zeugen.«

»Haben Sie diese Karte vorsätzlich entwendet?«

»Nein. Ich habe sie mir angesehen und aus Versehen eingesteckt. Zu Hause sind mir dann die Markierungen aufgefallen.«

Der Hauptmann griff nach der Karte und studierte sie aufmerksam. Nach ein paar Minuten schob er sie kommentarlos zurück.

»Fünf Kreuze markieren die Orte, an denen die letzten Schafmassaker stattgefunden haben«, erklärte Lawrence und zeigte mit dem Finger darauf. »Die Kreuze, die Guillos und La Castille markieren, sind vor den Angriffen von gestern und der vergangenen Nacht eingezeichnet worden.«

»Und dann eine ganze Streckenplanung bis nach England«, bemerkte der Hauptmann.

»Vielleicht die Route, der er folgt, um das Land zu verlassen. Die Strecke vermeidet alle großen Verkehrsachsen. Er hat sich das gut überlegt.«

»Und wie!« bemerkte der Hauptmann, verächtlich grinsend, und stützte sich auf die Lehne seines Stuhls.

»Das heißt?«

»Das heißt, Monsieur Johnstone, daß Massart eine Art Bruder in, wie soll ich sagen, England hat, der den größten Schlachthof von Manchester leitet. Familienschicksal. Massart hatte seit langem vor, zu ihm zu fahren.«

»Woher wissen Sie das?«

»Weil ich Gendarmeriehauptmann bin, Monsieur Johnstone, und weil das hier allgemein bekannt ist.«

»Warum sollte er sich in diesem Falle auf Nebenstraßen bewegen?«

Das Lächeln des Hauptmann wurde noch breiter.

»Monsieur Johnstone, es ist verrückt, was man Ihnen alles erklären muß. Bei Ihnen zögert man nicht, fünfhundert Kilometer Autobahn zurückzulegen, um ein Bier trinken zu gehen. Hier bewegt man sich nicht notwendigerweise wie ein Pfeil. Zwanzig Jahre lang ist Massart in ganz Frankreich umhergefahren, er war fahrender Stuhlflechter auf den Märkten, einen Tag hier, den nächsten Tag dort. Er kennt einen Haufen Dörfer und einen Haufen Leute. Die Nebenstraßen sind sozusagen seine erste Familie.«

»Warum hat er sie verlassen?«

»Er wollte in die Gegend hier zurück. Er hat die Stelle im Schlachthof gefunden und ist vor sechs Jahren zurückgekommen. Übrigens kann man nicht sagen, daß das Dorf ihn freudig begrüßt hätte. Der Haß auf Massart hier ist hartnäckig. Das muß von einer alten und ziemlich häßlichen Geschichte mit seinem, wie soll ich sagen,

Vater oder Großvater herrühren, ich kann es nicht beschwören.«

Lawrence schüttelte den Kopf, um seine Ungeduld auszudrücken.

»Und die Kreuze?« fragte er.

»Dieses ganze Rechteck«, erwiderte der Hauptmann erneut lächelnd und tippte mit dem Finger auf die Karte, »zwischen dem Massiv, der Nationalstraße, den Schluchten von Daluis und dem Tal der Tinée ist Massarts Sammelbezirk für den Schlachthof von Digne. In Saint-Victor, Pierrefort, Guillos, Ventebrune, La Castille sind die größten Schäfereien angesiedelt, die den Schlachthof beliefern. Soviel zu Ihren ›Markierungen‹.«

Lawrence faltete wortlos seine Karte zusammen.

»Unbildung, Monsieur Johnstone, führt zu den verrücktesten Gedanken.«

Lawrence steckte die Karte ein und packte seine Papiere zusammen.

»Also keinerlei Chance, daß es auch nur die geringste Untersuchung gibt?« fragte er.

Der Hauptmann schüttelte den Kopf.

»Keinerlei Chance«, bestätigte er. »Wir werden nach der üblichen Prozedur vorgehen und Massart suchen, solange noch Hoffnung besteht, ihn lebend zu finden. Aber ich befürchte, daß das, wie soll ich sagen, Gebirge ihn bereits verschlungen hat.«

Er streckte Lawrence die Hand hin, ohne sich zu erheben. Der Kanadier schüttelte sie wortlos und wandte sich zur Tür.

»Einen Augenblick noch«, rief der Hauptmann.

»Ja?«

»Was bedeutet ›bullshit‹ eigentlich genau?«

»Es bedeutet ›Stierscheiße‹, ›Bisonscheiße‹ und ›Scheren Sie sich zum Teufel‹.«

»Danke für die Auskunft.«

»Keine Ursache.«

Lawrence öffnete die Tür und ging hinaus.

»Nicht sehr höflich, dieser Typ«, bemerkte der Hauptmann.

»Die sind da alle so«, erklärte Lemirail. »Alle so. Nicht böse, aber ungehobelt. Sie haben keinerlei Raffinesse. Keinerlei Raffinesse.«

»Ignoranten halt«, schloß der Gendarmeriehauptmann.

14

Camille hatte kein Licht angemacht. Lawrence aß eine Kleinigkeit im Halbdunkel, bevor er in den Mercantour zurückkehrte. Mercier wartete auf ihn, Augustus, Elektra, alle warteten auf ihn. Er wollte Wildkaninchen für den alten Gesellen jagen und die anderen im Morgengrauen sehen. Danach würde er zur Beerdigung der Dicken wieder herunterkommen, hatte er gesagt. Er aß schweigend, zornig und mit düsterer Miene.

»Dieser verdammte Gendarmeriehauptmann ist völlig von Stolz zerfressen«, murmelte er. »Er kann es nicht ertragen, daß jemand mehr weiß als er. Er hält es nicht für möglich, daß ihm ein ungebildeter Kanadier – denn die Kanadier sind ungebildet und reiben sich mit Bärenfett ein – irgendwas über jemanden von hier sagen könnte. Und er stinkt nach Schweiß.«

»Vielleicht beruhigt sich die Sache ja«, versuchte Camille einzuwenden.

»Die Sache wird sich überhaupt nicht beruhigen. Erst wenn Massart seinen Wolf mangels Möglichkeit, sich selbst auf sie zu stürzen, auf ein gutes Dutzend Frauen losgelassen hat, werden die Bullen ihren Arsch hochkriegen.«

»Ich glaube, er wird bei den Schafen bleiben«, sagte Camille. »Er hat Suzanne getötet, um sich zu schützen. Vielleicht verzieht er sich nach Manchester und hört auf. Das Dorf hat ihn verrückt gemacht.«

Lawrence betrachtete sie und streichelte ihr Haar.

»Es ist beunruhigend«, sagte er, »nirgends siehst du das

Böse. Ich fürchte, du bist ziemlich weit von der Wirklichkeit entfernt.«

»Möglich«, sagte Camille leicht gekränkt und zuckte die Achseln.

»Hast du's eigentlich nicht verstanden? Hast du es wirklich nicht verstanden?«

»Ich hab so viel verstanden wie du.«

»Aber nicht im geringsten, Camille. Nichts hast du verstanden. Du hast nicht verstanden, daß Massart Schafe umgebracht hat. Keine Hammel, keine Lämmer, keine jähzornigen und angeberischen alten Böcke. *Schafe, weibliche Schafe,* Camille. Aber das ist dir völlig entgangen.«

»Möglich«, wiederholte Camille, der gerade klar wurde, daß ihr das wirklich völlig entgangen war.

»Weil du kein Mann bist, das ist der Grund. Du spürst das Weibliche an diesen Schafen nicht. Du spürst die sexuelle Aggression nicht, die in diesem Töten liegt. Du glaubst, Massart wird aufhören. Meine kleine Camille. Aber Massart kann nicht aufhören. Begreifst du nicht, daß dieser verdammte Schafsmörder in erster Linie ein Vergewaltiger ist?«

Camille wiegte den Kopf. Sie begann zu begreifen.

»Glaubst du, daß er jetzt, wo er vom Schaf zur Frau übergegangen ist, brav nach Manchester fährt und sich beruhigt? God. Er wird sich überhaupt nicht beruhigen. Nicht eine Sekunde lang. Er ist entfesselt. Er ist vielleicht unbehaart und hat kein Messer, aber sein Wolf macht das wett, und zwar hundertfach. Er wird das Tier auf die Frauen hetzen und wird *seinem* Wolf dabei zusehen, wie er sie an seiner Stelle vergewaltigt.«

Lawrence erhob sich, schüttelte heftig sein Haar, wie um diese ganze Gewalt abzuschütteln, lächelte und schlang seine Arme um Camille.

»So ist das«, sagte er leise, »das ist das Tierleben.«

Nachdem Lawrence verschwunden war, blieb Camille eine Viertelstunde mit der lastenden Stille und mit schwer erträglichen Bildern im Kopf allein.

Also Musik. Sie schaltete den Synthesizer ein, setzte sich die Kopfhörer auf. Es waren noch zwei Themen zu komponieren, bevor die achte Folge des romantischen Zwölfteilers fertig war.

Um diese Musik auf Bestellung komponieren zu können, mußte sie sich in die Gefühlswelt der Serienhelden versenken, und deren Auseinandersetzungen brachten sie so zum Schwitzen, daß das Komponieren harte Arbeit war. Der gesamte Inhalt des Zwölfteilers beruhte auf dem frontalen Zusammenprall zweier Dilemmata: Auf der einen Seite das eines reifen Mannes, zwar pensionierter Offizier, aber Baron, der in Folge eines nicht weiter erklärten Dramas den Schwur getan hatte, nie wieder zu heiraten; auf der anderen das einer noch jungen Frau, einer Griechischlehrerin, die in Folge einer ebensowenig erklärten Tragödie den Schwur getan hatte, nie wieder zu lieben. Der Baron widmete sich ganz seinen beiden Kindern, die er in den Mauern seines Schlosses im Anjou unterrichten ließ – es war unbekannt, warum die Kleinen nicht zur Schule gingen. Daher die Begegnung mit der Lehrerin. Gut. Da tauchte unerwartet, dumpf, später gebieterisch ein überwältigendes fleischliches Verlangen zwischen dem Baron und der Griechischlehrerin auf, das die moralischen Schwüre, die die beiden Helden an ihre unerklärten Vergangenheiten banden, einer harten Probe aussetzte.

Soweit war Camille, und sie mußte sich häufig ziemlich abquälen. Der Baron und die Hellenistin, die ihre Tage damit verbrachten, auf und ab zu gehen, der eine vor dem Kaminfeuer, die andere vor der schwarzen Tafel, wobei sie ihre Fäuste vor unterdrücktem Verlangen ballten, hatten sie schließlich angewidert. Sie haßte sie. Der beste Trick, den sie gefunden hatte, um eine gute, gefühlvolle Musik komponieren zu können und die beiden zu vergessen, bestand darin, Baron und Lehrerin durch einen Wühlmaus-Papa und eine Wühlmaus-Mama zu ersetzen, so wie in ihren Kinderbüchern, damals, als sie noch an die Liebe glaubte. Sie schloß die Augen, rief sich das Bild des in seinem Garten-Overall steckenden stolzen, starken Wühlmaus-Papas mit den beiden kleinen Wühlmäusen vor Augen, die Griechisch lernten und dabei hüpften und mit zärtlichen Blicken die Wühlmaus-Mama in ihrer roten Bluse verfolgten. So lief es besser. Suspense, Spannung, unerklärliches Verschwinden der Wühlmäuse, Rührung des Sich-Wiederfindens. Bis jetzt hatten die Produzenten sich mit dem Soundtrack, den sie ablieferte, sehr zufrieden gezeigt. Das passe exakt zum Thema, hatten sie gesagt.

Seit Suzannes Tod war die Beschäftigung mit dieser Wühlmaus-Familie, die sich das Leben unermüdlich mit Belanglosigkeiten erschwerte, zu einer harten Prüfung geworden.

Camille unterbrach ihre Arbeit häufig und ließ die Finger auf der Klaviatur ruhen. Was Lawrence ihrer Ansicht nach an Massart so schockierte – über die schrecklichen Angriffe hinaus –, war, daß er sich eines Wolfs bediente: Massart zog die Wölfe in den Dreck, er diffamierte sie, er würdigte sie herab. Er hatte ihnen in acht Tagen mehr Schaden zugefügt als die Eingaben der Schafzüchter in sechs Jahren. Und das verzieh Lawrence Massart nicht.

Aber was immer auch geschehen mochte, jetzt herrschte ohnmächtiger Stillstand. Massart war unterwegs, die Gendarmen suchten seine Überreste auf dem Mont Vence, Lawrence war wieder in den Mercantour gezogen, und sie, Camille, kehrte wieder zu ihrem Kampf mit dem Quartett der empfindsamen Wühlmäuse zurück.

Es war erst ein Uhr morgens, aber sie setzte ihren Kopfhörer ab, schloß die Partitur, legte sich auf das Doppelbett und öffnete den *Katalog für handwerkliches Arbeitsgerät* auf der Seite des *Universalschleifers 125 mm 850 Watt, Doppelgriff und Stopautomatik bei Bürstenabnutzung.* Das hätte der Griechischlehrerin eine Menge Sorgen ersparen können, wenn sie sich nur die Mühe gemacht hätte, sich dafür zu interessieren.

Es klopfte leise an die Tür – zwei Schläge. Camille schreckte hoch und setzte sich auf. Sie wartete regungslos. Erneut zwei Schläge und ein Scharren hinter der hölzernen Türfüllung. Keine Stimme, kein Ruf. Erneut kurze Stille, dann zwei Schläge. Camille sah, wie die Türklinke sich senkte und dann wieder hob. Mit klopfendem Herzen sprang sie aus dem Bett. Sie hatte den Schlüssel zwar im Schloß herumgedreht, aber wer immer es wollte, könnte mit der Schulter das Fenster eindrücken und hereinklettern. Massart? Massart konnte sie dabei beobachtet haben, wie sie seine Hütte betraten. Oder wie sie bei der Gendarmerie waren. Wer sagte, daß Massart nicht gewartet hatte, bis der Kanadier aufgebrochen war, um herzukommen und sich im Schutz der Nacht mit ihr auseinanderzusetzen, von Mann zu Frau? Mit dem Wolf?

Sie zwang sich, tief durchzuatmen, und schlich geräuschlos zu ihrer Werkzeugtasche. Die gute alte Tasche, voll mit Hämmern, Kombizangen und dem metallenen Ölkännchen mit Sprüher. Sie nahm das Ölkännchen in die linke Hand, einen Schlägel in die Rechte und bewegte sich langsam zum Telefon. Sie stellte sich vor, wie der unbehaarte Mann hinter der Tür stand und leise einen Zugang suchte.

»Camille?« rief plötzlich Solimans Stimme. »Bist du's?«

Camille ließ die Arme sinken und öffnete. In der Dunkelheit erkannte sie die Silhouette des jungen Mannes und sein erstauntes Gesicht.

»Hast du was repariert?« fragte er. »Um die Zeit?«
»Warum hast du nicht gesagt, daß du es bist?«
»Ich wußte nicht, ob du schläfst. Warum hast du nicht geantwortet?«
Sol sah auf das Ölkännchen und den Schlägel.
»Ich hab dir Angst eingejagt, oder?«
»Möglich«, erwiderte Camille. »Komm jetzt rein.«
»Ich bin nicht allein«, sagte Sol zögernd. »Der Wacher ist bei mir.«
Camille sah über Solimans Schulter und entdeckte vier Schritte hinter ihm die aufrechte Silhouette des antiken Hirten. Wenn der Wacher im Dorf war, wenn er die Schäferei verlassen hatte, mußte etwas Außergewöhnliches geschehen sein.
»Was ist passiert, verdammt?« flüsterte sie.
»Noch nichts. Wir wollten dich sprechen.«
Camille trat zur Seite, um Sol und den Wacher vorbeizulassen, der sie mit einer kurzen Kopfbewegung grüßte. Mit noch immer zitternden Händen legte sie Ölkännchen und Schlägel wieder hin und bedeutete den Besuchern, sich zu setzen. Der auf ihr ruhende Blick des Alten war ihr unangenehm. Sie holte drei Gläser, die sie randvoll mit Schnaps ohne Rosinen füllte. Seit Suzannes Tod gab es keine Rosinen mehr.
»Vor wem hattest du Angst?« fragte Soliman.
Camille zuckte mit den Achseln.
»Nichts. Ich hatte Schiß, das ist alles.«
»Du hast doch sonst nicht so leicht Schiß.«
»Das kommt vor.«
»Wovor hattest du Angst?« fragte Soliman bohrend.
»Vor den Wölfen. Ich hatte Angst vor den Wölfen. Bist du zufrieden?«
»Vor Wölfen, die zweimal an die Tür klopfen?«
»Es ist gut, Sol. Was geht dich das eigentlich an?«

»Du hattest Angst vor Massart.«

»Massart? Der Typ vom Mont Vence?«

»Genau der.«

»Warum sollte ich vor diesem Typen Angst haben? Offenbar ist er im Gebirge verunglückt, und die Bullen suchen ihn.«

»Du hattest Angst vor Massart, und Schluß.«

Soliman kippte das Glas hinunter, und Camille kniff die Augen zusammen.

»Woher weißt du das?« fragte sie.

»Heute abend wird auf dem Dorfplatz nur von ihm geredet«, antwortete Sol mit angespannter Stimme. »Du sollst mit dem Trapper nach Puygiron gefahren sein, um den Bullen zu erzählen, daß Massart ein Werwolf ist, daß er die Schafe umgebracht hat, daß er meine Mutter umgebracht hat und daß er jetzt auf der Flucht ist.«

Camille schwieg. Sie und Lawrence hatten die Leute der Gegend noch überflügelt und einen von ihnen beschuldigt. Das war natürlich durchgesickert. Dafür würden sie bezahlen. Sie trank einen Schluck Schnaps und sah Soliman an.

»Das sollte nicht durchsickern.«

»Es ist durchgesickert. Eine undichte Stelle, die du nicht reparieren kannst.«

»Also gut, Soliman«, sagte sie und stand auf. »Das ist die Wahrheit. Massart ist ein Mörder. Er hat Suzanne in die Falle gelockt. Ist mir völlig egal, ob dir das paßt oder nicht. Das ist die Wahrheit.«

»Jawohl«, sagte plötzlich der Wacher. »Das ist die Wahrheit.«

Er hatte eine dumpfe, brummende Stimme.

»Das ist die Wahrheit«, wiederholte Soliman und beugte sich zu Camille, die sich unsicher wieder setzte. »Der Trapper hat es klar gesehen«, fuhr er rasch fort. »Er kennt die

Tiere und kennt die Menschen. Der Wolf hätte meine Mutter nicht angegriffen, meine Mutter hätte den Wolf nicht in die Enge getrieben, und Massarts Dogge wäre aus dem Gebirge zurückgekommen. Massart ist mit seinem Hund abgehauen, weil Massart meine Mutter getötet hat, weil sie wußte, was er ist.«

»Ein Werwolf«, sagte der Wacher und schlug mit der flachen Hand auf den Tisch.

»Und es heißt«, fuhr Soliman erregt fort, »daß die Bullen keine Ermittlungen aufnehmen, daß sie kein Wort von dem geglaubt haben, was der Trapper ihnen gesagt hat. Stimmt das, Camille?«

Camille nickte.

»Ist das sicher? Sie werden nicht das Geringste tun?«

»Nichts«, bestätigte Camille. »Sie suchen ihn tot oder verletzt am Mont Vence, und wenn sie ihn in ein paar Tagen nicht gefunden haben, geben sie die Suche auf.«

»Weißt du, was er jetzt tun wird, Camille?«

»Ich vermute, daß er auf seiner Strecke noch ein paar Schafe töten und nach England abhauen wird.«

»Und ich vermute, daß er sehr viel mehr als nur Schafe umbringen wird.«

»Aha. Du auch?«

»Wer denn noch?«

»Lawrence.«

»Lawrence hat recht.«

»Weil Massart ein Werwolf ist«, verfügte der Wacher und schlug erneut mit der Hand auf den Tisch.

Soliman leerte sein Glas.

»Camille, sehe ich aus wie jemand, der den Mörder meiner Mutter bis nach England fliehen läßt?« fragte er.

Camille sah Soliman an, seine braunen, glänzenden Augen, seine leicht bebenden Lippen.

»Nicht ganz«, mußte sie gestehen.

»Weißt du, was mit Toten geschieht, die ermordet wurden und die niemand gerächt hat?«

»Nein, Sol, wie soll ich das wissen?«

»Sie vergammeln im stinkenden toten Fluß bei den Krokodilen, ohne daß sich ihr Geist je aus dem Schlamm befreien könnte.«

Der Wacher legte dem jungen Mann die Hand auf die Schulter.

»Dessen sind wir nicht sicher«, bemerkte er leise.

»O. k.«, erwiderte Soliman. »Ich bin nicht einmal sicher, daß es in einem toten Fluß ist.«

»Erfinde keine afrikanische Geschichte, Sol«, sagte der Wacher im selben Ton. »Für die junge Frau macht das alles noch komplizierter.«

Solimans Blick wandte sich wieder Camille zu.

»Weißt du, was der Wacher und ich also machen werden?« fuhr er fort.

Camille zog die Augenbrauen hoch und wartete auf die Fortsetzung. Das fiebrige Verhalten von Soliman beunruhigte sie. Gewöhnlich war Sol ein ziemlich friedfertiger Junge. Sie hatte ihn am vergangenen Sonntag in der Toilette eingesperrt zurückgelassen, und sie sah ihn an diesem Abend wieder, zwar befreit, aber fast außer sich. Suzannes Tod hatte den Jungen völlig durcheinandergebracht und den Alten erschüttert.

»Wir machen uns auf seine Spur«, verkündete Soliman. »Da die Bullen sich nicht darum kümmern, machen wir uns auf seine Spur.«

»Wir heften uns an seine Fersen«, bestätigte der Wacher.

»Und harpunieren ihn.«

»Und dann?« fragte Camille mißtrauisch. »Übergebt ihr ihn den Bullen?«

»Die können mich mal«, erwiderte Soliman, der würdige Erbe der stolzen Sprache Suzannes. »Wenn wir ihn den Bullen übergeben, übergeben die ihn wieder der freien Natur, und dann fängt das Ganze von neuem an. Der Wacher und ich werden nicht unser Leben damit verbringen, diesem Blutsauger hinterherzurennen. Alles, was wir wollen, ist, meine Mutter zu rächen. Also werden wir ihn harpunieren, und wenn wir ihn harpuniert haben, radieren wir ihn aus.«

»Ausradieren?« fragte Camille.

»Umlegen, halt.«

»Und danach ist er tot, und zwar richtig tot«, präzisierte der Wacher. »Wir schlitzen ihm den Wanst von der Kehle bis zu den Eiern auf, um zu sehen, ob die Haare innen sind. Er kann schon glücklich sein, daß wir das nicht machen, wenn er noch lebt.«

»Das ist der Fortschritt«, murmelte Camille.

Sie begegnete dem Blick des Wachers, schönen Augen, die den Farbton von Whisky hatten.

»Fallt ihr also auf diese Geschichte mit den Haaren herein?« fragte sie. »Fallt ihr wirklich auf diese Geschichte herein?«

»Auf diese Geschichte mit den Haaren?« wiederholte der Wacher mit seiner dumpfen Stimme.

Er verzog das Gesicht und verstummte.

»Massart ist ein Werwolf«, brummte er dann. »Ihr Trapper hat das auch gesagt.«

»Lawrence hat das nie gesagt. Lawrence hat gesagt, daß alle, die an den Werwolf glauben, alte, zurückgebliebene Wichser sind. Lawrence hat gesagt, daß alle, die davon reden, einen Typen bis zu den Eiern aufzuschneiden, damit rechnen müssen, ihn mit einem Bärentöter auf ihrem Weg anzutreffen. Schließlich hat Lawrence noch gesagt, daß Massart mit einer Dogge tötet oder mit einem großen Wolf, mit Crassus dem Kahlen, den sie seit zwei Jahren aus den Augen verloren haben. Es sind die Zähne dieses Wolfs, nicht die von Massart.«

Der Wacher kniff die Lippen zusammen und richtete sich kerzengerade auf, ohne ein Wort dazu zu sagen.

»Auf jeden Fall«, erklärte Soliman, »ist er der Mörder meiner Mutter. Also machen der Wacher und ich uns auf seine Spur.«

»Wir heften uns an seine Fersen.«

»Und wenn wir ihn packen, bringen wir ihn um.«

»Nein«, erwiderte Camille.

»Und warum nicht?« fragte Soliman und richtete sich auf.

»Weil ihr danach nicht mehr wert seid als er. Aber das kann uns so oder so egal sein, weil ihr dann für den Rest eures stumpfsinnigen Lebens im Knast sitzt. Suzanne ist dann zwar vielleicht raus aus dem stinkenden toten Fluß, gut möglich, und Massart wird seinen Teil abbekommen haben, Wanst auf oder nicht, Haare drinnen oder nicht, aber ihr, ihr müßt euer gesamtes restliches Mörderleben im Knast verbüßen und könnt jede Nacht Schafe zählen.«

»Wir werden nicht geschnappt«, sagte Soliman und reckte stolz sein Kinn.

»Doch. Ihr werdet geschnappt. Aber das ist nicht meine Sache«, sagte Camille plötzlich und sah einen nach dem anderen an. »Ich weiß nicht, warum ihr gekommen seid, um mir das zu erzählen, denn ich wollte nichts davon wissen, und ich diskutiere nicht mit Rächern, Mördern und Wanstaufschlitzern.«

Sie ging zur Tür und öffnete. »Salut!« sagte sie.

»Aber du hast nicht verstanden«, sagte Soliman erneut zögernd. »Wir haben uns mißverstanden.«

»Mir scheißegal.«

»Wir leiden.«

»Ich weiß.«

»Er kann noch mehr umbringen.«

»Das ist Sache der Bullen.«

»Die Bullen rühren sich nicht.«

»Ich weiß. Das hatten wir alles schon.«

»Also werden der Wacher und ich ...«

»Euch an seine Fersen heften. Ich hab's kapiert, Sol. Ich hab die gesamte Operation wirklich kapiert.«

»Nicht alles, Camille.«

»Fehlt noch eine Kleinigkeit?«

»Du fehlst noch. Wir haben dir nicht erklärt, daß du zu der Operation dazugehörst. Du kommst mit.«

»Na ja ...«, fügte der Wacher höflich hinzu, »wenn Sie so freundlich wären.«

»Ist das ein Witz?« fragte Camille.

»Erklär's ihr«, befahl der Wacher.

»Camille«, sagte Soliman, »kannst du nicht mal diese verdammte Tür loslassen und dich hersetzen? Hier zu uns, unter Freunden?«

»Wir sind nicht unter Freunden. Wir sind unter Mördern und einer Klempnerin.«

»Aber willst du dich nicht hersetzen? Unter Mördern und einer Klempnerin?«

»So gesehen ...«, bemerkte Camille.

Sie schlug die Tür zu und setzte sich den beiden Männern gegenüber auf einen Hocker, die Ellbogen auf dem Tisch.

»So«, sagte Soliman. »Ich und der Wacher heften uns an seine Fersen.«

»Gut«, erwiderte Camille.

»Aber dazu müssen wir irgendwie vorwärtskommen. Wir können ja nicht zu Fuß gehen, oder?«

»Geht, wie ihr wollt. Zu Fuß, auf Skiern, auf dem Rücken von Schafen, was schert mich das?«

»Massart«, fuhr Soliman fort, »hat sicher ein Auto genommen.«

»Seines jedenfalls nicht«, sagte Camille. »Der Lieferwagen ist da oben geblieben.«

»Der Blutsauger ist nicht blöd. Er hat ein anderes Auto genommen.«

»Sehr gut. Er hat ein anderes genommen.«

»Also folgen wir ihm im Auto, verstehst du?«

»Ich verstehe. Du heftest dich an seine Fersen.«

»Aber wir haben kein Auto.«

»Nein«, sagte der Wacher. »Haben wir nicht.«

»Na, dann nimm dir eins. Das von Massart zum Beispiel.«

»Aber wir haben keinen Führerschein.«

»Nein«, sagte der Wacher. »Haben wir nicht.«

»Worauf willst du raus, Sol? Ich habe auch kein Auto. Und Lawrence hat nur ein Motorrad.«

»Aber wir haben einen Laster«, sagte Soliman.

»Redest du vom Viehtransporter?«

»Hm, ja. Du würdest ihn vielleicht nicht so nennen, aber es ist ein Laster.«

»Na wunderbar, Sol«, sagte Camille seufzend. »Nimm den Viehtransporter, hefte dich an seine Fersen und geh mit Gott, aber geh.«

»Aber ich hab's dir doch gesagt, Camille. Wir haben keinen Führerschein.«

»Nein«, sagte der Wacher.

»Während du einen hast. Und du bist schon Laster gefahren.«

Camille sah einen nach dem anderen ungläubig an.

»Du hast ja ganz schön gebraucht, bis du mich verstanden hast«, bemerkte Soliman.

»Ich habe keine Lust, dich zu verstehen.«

»Dann erklär ich's dir von Grund auf.«

»Laß den Grund in Frieden. Ich will nicht noch mehr davon hören.«

»Hör doch, hör doch wenigstens das noch: Du fährst den Laster und brauchst dich um nichts anderes zu kümmern, verstehst du? Nur den Laster fahren. Ich und der Wacher kümmern uns um alles andere. Fahren, Camille, wir verlangen nichts anderes von dir als fahren. Für alles andere bist du taub und blind.«

»Und abgestumpft.«

»Auch.«

»Wenn ich die Grundidee richtig verstanden habe«, rekapitulierte Camille, »würde ich den Laster fahren, du und der Wacher würdet neben mir sitzen, um mir Mut zu machen, wir würden Massart erwischen, ich würde ihn aus Versehen überfahren, der Wacher würde ihm den Bauch von der Kehle bis zu den Eiern aufschlitzen, um ein ruhiges Gewissen zu haben, wir würden die Reste in der nächsten Gendarmerie abladen, und dann würden alle hierher zurückkommen, um sich mit einer guten Schüssel Suppe mit Speck zu stärken?«

Soliman begann sich aufzuregen.

»Nicht genau so, Camille ...«

»Aber sagen wir, ungefähr so«, ergänzte der Wacher.

»Findet halt irgend jemanden, der den Viehtransporter fährt«, sagte Camille. »Wer fährt ihn normalerweise?«

»Buteil. Aber Buteil bleibt in Les Écarts, um sich um das Vieh zu kümmern. Und Buteil hat eine Frau und zwei Kinder.«

»Während ich nichts habe.«

»Wenn du so willst.«

»Such dir einen anderen für dein verdammtes Idioten-Road-Movie.«

»Dein was?« fragte der Wacher.

»Dein Road-Movie«, erklärte Soliman. »Das ist Englisch. Es bedeutet eine Art Straßenreise.«

»Gut«, sagte der Wacher leicht verlegen. »Ich versteh halt gern, worum es geht.«

»Niemand im Dorf wird uns helfen wollen, Camille«,

fuhr Soliman fort. »Suzanne ist allen scheißegal. Aber du hast sie gemocht. Der Gendarm Lemirail auch, aber wir können doch Lemirail nicht darum bitten, oder?«

»Können wir nicht«, sagte der Wacher.

»Bring hier keine Gefühle ins Spiel, Sol«, erwiderte Camille.

»Was soll ich denn sonst ins Spiel bringen? Ich bin ehrlich, Camille: Ich bringe die Gefühle ins Spiel und deinen Führerschein. Wenn du uns nicht hilfst, bleibt Suzannes Seele auf ewig in diesem verfluchten stinkenden toten Fluß eingesperrt.«

»Nerv mich nicht mit diesem toten Fluß, Sol. Schenk noch mal Schnaps ein und laß mich nachdenken.«

Camille stand auf, stellte sich vor den Kamin und wandte den beiden Männern den Rücken zu. Suzannes Seele im toten Fluß, Massart unterwegs mit seinem unbehaarten Irrsinn, die Bullen untätig. Massart zurückbringen, ihm die Fangzähne ziehen. Ja, warum nicht? Den Laster fahren, ungefähr vierzig Kubikmeter auf Serpentinenstraßen. Vielleicht.

»Was ist das für ein Laster?« fragte sie und drehte sich zu Soliman um.

»Ein 508 D«, antwortete Soliman, »weniger als dreieinhalb Tonnen. Du brauchst keinen LKW-Führerschein.«

Camille richtete ihren Blick wieder auf den Kamin, es herrschte erneut Schweigen. Also den Laster fahren. Soliman und den Wacher wieder zur Ruhe bringen, Lawrence und seine Wölfe besänftigen. Dem Mörder mit dem Laster auf die Pelle rücken. Lächerlich. Null Chance, richtiger Schwachsinn. Was dann? Hierbleiben, auf Neuigkeiten warten, essen, trinken, sich um die verschwiegenen Dramen der Wühlmäuse kümmern, auf Lawrence warten. Warten, warten. Genervt sein. Angst haben. Abends die Tür verriegeln vor Angst, Massart könnte auftauchen. Warten.

Camille kam wieder an den Tisch, nahm ihr Glas, benetzte ihre Lippen.

»Der Laster interessiert mich«, sagte sie. »Suzanne interessiert mich, Massart interessiert mich, aber nicht seine sterblichen Überreste. Ich bringe ihn unversehrt zurück oder gar nicht. Es ist eure Entscheidung. Wenn ich den Laster nehme, kommt Massart unversehrt zurück, vorausgesetzt, wir haben auch nur die geringste Chance, ihn zu finden. Ansonsten bringt ihr ihn als haarigen Brei zurück, wenn euch das beruhigt, aber ohne mich.«

»Willst du damit sagen, daß wir ihn brav den Bullen ausliefern?« fragte Soliman bekümmert.

»Das wäre rechtmäßig. Einen Typen zweizuteilen überschreitet die Grenze erlaubter Gewalt unter Nachbarn.«

»Wir scheißen auf die gesetzliche Grenze«, sagte der junge Mann.

»Das habe ich kapiert. Es geht nicht um das Gesetz. Es geht um Massarts Leben.«

»Das kommt aufs selbe raus.«

»Zum Teil.«

»Wir scheißen auf Massarts Leben.«

»Ich nicht.«

»Du verlangst zuviel.«

»Das ist eine Frage des Geschmacks. Massart unversehrt mit mir oder Massart als Brei ohne mich. Brei ist nicht mein Ding.«

»Das hatten wir verstanden«, erwiderte Soliman.

»Natürlich«, sagte Camille. »Ich laß euch nachdenken.«

Camille ging zu ihrem Synthesizer und setzte ihre Kopfhörer auf. Der Form halber klimperte sie mit überhitztem Geist und tausend Meilen von den Wühlmäusen in ihren Blusen entfernt auf der Klaviatur. Massart hinterherrennen? Ganz allein wie drei Irre? Was waren sie anderes als drei Irre?

Soliman gab ihr ein Handzeichen, Camille nahm ihren Kopfhörer ab und kam zum Tisch zurück. Der Wacher ergriff das Wort.

»Junge Frau«, sagte er, »haben Sie schon einmal eine Spinne zerquetscht?«

Camille ballte die Faust und legte sie zwischen Soliman und dem Wacher auf den Tisch.

»Ich habe ganze Waggons voll Spinnen zerquetscht«, sagte sie, »ich habe Hunderte von Wespennestern abgemurkst und ganze Ameisenhaufen vernichtet, indem ich sie mit fünf Kilo Schnellzement in den Fluß geworfen habe. Und ich diskutiere nicht mit zwei Verrückten wie euch über die Todesstrafe. Meine Antwort heißt nein, wird immer nein heißen, und noch tausend Jahre nach eurem Tod.«

»Du sagst: zwei Verrückte?« fragte Soliman.

»Das sagt sie«, sagte der Wacher. »Laß sie es nicht noch mal sagen.«

»Sag das noch mal, Camille.«

»Zwei Arschlöcher, zwei Verrückte.«

Sol wollte aufspringen, aber der Wacher legte ihm die Hand auf den Arm.

»Respekt, Sol. Die junge Frau hat nicht ganz unrecht. Merk dir, sie hat nicht ganz unrecht. Abgemacht«, sagte er, wandte sich wieder Camille zu und streckte ihr die Hand hin.

»Kein Brei?« fragte Camille mißtrauisch, ohne die Hand auszustrecken.

»Kein Brei«, erwiderte der Wacher mit seiner dumpfen Stimme und legte seine Hand wieder hin.

»Kein Brei«, wiederholte Soliman widerwillig.

Camille nickte.

»Wann brechen wir auf?« fragte sie.

»Morgen begraben wir meine Mutter. Wir fahren am

Nachmittag. Buteil hat bis dahin den Laster vorbereitet. Komm morgen vormittag.«

Die beiden Männer standen auf, Soliman geschmeidig, der Wacher steif.

»Noch was«, sagte Camille. »Eine Kleinigkeit des Pakts wäre noch zu regeln. Es ist nicht gesagt, daß wir diesen Mann überhaupt finden. Wenn wir nach zehn Tagen, nach dreißig Tagen nichts erreicht haben, was machen wir dann? Wir werden ihm doch nicht das ganze Leben lang auf den Fersen bleiben, oder?«

»Das ganze Leben, junge Frau«, erwiderte der Wacher.

»Ach so«, sagte Camille.

15

Camille fand die ganze Nacht keinen rechten Schlaf, ihr Geist war ständig in Alarmbereitschaft, und ihr war vage bewußt, daß es da irgendeine Kleinigkeit gab, mit der etwas nicht stimmte. Als sie die Augen öffnete, wußte sie, daß es deutlich mehr als nur eine Kleinigkeit war, mit der etwas nicht stimmte. Sie hatte am Vorabend eingewilligt, sich mit Suzannes Viehtransporter auf die Spur eines Mörders zu setzen. An diesem Morgen wurden ihr die wesentlichen Nachteile dieses Unternehmens bewußt: die Dummheit des Vorhabens, die Gefährlichkeit der Durchführung, die Unannehmlichkeit, mit zwei fast unbekannten Männern, die nicht sonderlich ausgeglichen wirkten, auf engstem Raum leben zu müssen.

Aber seltsamerweise kam sie nicht eine Sekunde auf die Idee, ihre Verpflichtung vom Vortag schlicht rückgängig zu machen. Im Gegenteil, mit der Ernsthaftigkeit und der Wachsamkeit derer, die einen schwierigen Coup planen, machte sie sich an die Vorbereitungen. Der fragliche Coup besaß einen einzigen, aber entscheidenden Vorteil: Man blieb in Bewegung. Die Verfolgung Massarts, so naiv sie auch sein mochte, war dem tatenlosen Warten auf ihn, so vernünftig es sein mochte, vorzuziehen. Diese Verlockung, sich bewegen zu können – geplant und durchdacht, denn Camille konnte sich nicht ohne Ziel bewegen –, hatte bei ihrer Entscheidung am Vorabend den Ausschlag gegeben. Ihr bewegungsloses Verharren in Saint-Victor begann ihren Geist einzuschnüren und erste Früchte zu tragen, fade schmeckende Früchte. Und schließlich gab es da noch diese Geschichte mit dem toten Fluß, in dem Suzannes Seele steckte. Camille glaubte ebensowenig daran wie Soliman selbst, aber seit dem Mord an Suzanne und Massarts Flucht verspürte sie eine Unruhe – wie einen unangenehm kalten Luftzug zwischen zwei offenstehenden Türen. Und es schien ihr, daß die Verfolgung des Mannes und des Wolfs eine Möglichkeit bot, diesen Luftzug zu stoppen.

Camille packte ihren Rucksack fertig, stopfte ihre Noten zusammengerollt in die rechte Seitentasche, den *Katalog für handwerkliches Arbeitsgerät* in die linke Seitentasche und setzte ihn auf. Sie schnappte sich ihre Werkzeugtasche, sah sich noch einmal prüfend um und schloß die Tür.

Auf Les Écarts herrschte jenes verlangsamte Leben, wie es Begräbnissen vorangeht. Buteil und Soliman machten sich mit schleppenden Bewegungen am Laster zu schaffen. Camille ging zu ihnen und stellte ihren Rucksack ab. Von nahem betrachtet, sah der Laster tatsächlich mehr nach einem Viehtransporter aus als nach irgend etwas anderem. Buteil war gerade dabei, Boden und Seitengitter mit Hilfe des Wasserschlauchs zu reinigen, und beförderte dicke schwarze Rinnsale voller Stroh und Schafsmist auf den Boden. Soliman faltete die einzelnen Teile der Wagenplane auseinander, die das Gestänge des Lasters bedecken sollte. Denn der Laster – Camille wurde erst jetzt bewußt, was das bedeutete – würde ihnen auch zum Schlafen dienen.

»Keine Angst!« schrie Buteil ihr zu, um das pfeifende Geräusch des Wasserstrahls zu übertönen. »Der Laster ist wie die Schöne und das Biest, der verwandelt sich. In weniger als zwei Stunden mach ich ein Dreisternehotel draus!«

»Buteil hat den Viehtransporter oft genommen, um mit der Familie wegzufahren«, erklärte Soliman Camille. »Vertrau ihm, du kriegst allen Komfort und ein Schlafzimmer für dich allein.«

»Wenn du es sagst«, bemerkte Camille zögernd.

»Das einzige ist der Geruch«, räumte Soliman ein. »Man kriegt ihn nicht ganz weg. Der hat sich im Holz festgesetzt.«

»Ja.«

»Sogar im Metall.«

»Ja.«

Plötzlich versiegte der Wasserstrahl. Soliman sah auf die Uhr. Halb elf.

»Müssen uns umziehen«, sagte er mit zittriger Stimme. »Es ist gleich Zeit.«

Die beiden Männer begegneten Lawrence, der langsam den Feldweg heraufkam. Der dunkel gekleidete Kanadier bockte sein Motorrad auf und umarmte Camille.

»Ich habe dich zu Hause nicht mehr angetroffen«, sagte er. »Gibt's was Dringendes in Les Écarts?«

»Ich begleite Soliman und den Wacher nach der Beerdigung. Sie wollen Massart hinterherfahren und haben keinen Führerschein.«

»Was hat das damit zu tun?« fragte Lawrence, trat einen Schritt zurück und sah Camille an.

»Ich kann den Laster fahren.«

Lawrence schüttelte den Kopf.

»Machst du das extra?« fragte er mühsam beherrscht. »Einen Lastwagen fahren? Hättest du das nicht verhindern können?«

Camille zuckte mit den Achseln.

»Das ist einfach so gekommen«, sagte sie. »Bei unseren Deutschlandtourneen wollte der technische Leiter des Orchesters nicht Tag und Nacht fahren. Er hat's mir so nach und nach beigebracht.«

»God, LKW-Fahrer«, sagte Lawrence, der wegen Camille, nur wegen Camille, gezwungen war, gewaltige Einschnitte an seinen Idealen vorzunehmen.

»Das ist doch nichts Ehrenrühriges«, sagte Camille.

»Es ist aber auch nichts besonders Feines.«

»Auch nicht.«

»Was ist das für eine Chauffeurgeschichte mit Soliman und dem Wacher? Wo setzt du sie ab?«

»Das ist die Frage, Lawrence. Ich setze sie nicht ab, ich fahre sie ans Ende der Welt, bis sie Massart schnappen.«

»Willst du damit sagen, daß diese beiden Typen wirklich beschlossen haben, Massart zu suchen?« fragte Lawrence, der langsam unruhig wurde.

»Genau das.«

»Und du nimmst sie mit? Fährst fort?«

»Ja. Nicht lange«, erwiderte Camille zögernd.

Lawrence legte seine Hände auf ihre Schultern.

»Fährst fort?« wiederholte er.

Camille hob den Blick. Ein flüchtiger Schmerz durchzog das Gesicht des Kanadiers. Er schüttelte sein Haar.

»Aber nicht sofort«, sagte er und ließ seine Hände schwer auf ihren Schultern ruhen. »Bleib bei mir. Bleib noch heute nacht.«

»Sol will nach dem Begräbnis losfahren.«

»Eine Nacht.«

»Ich komme doch zurück. Ich ruf dich an.«

»Hat keinen Sinn«, murmelte Lawrence.

»Die Bullen rühren sich nicht, und der Mann wird weiter töten. Das hast du selbst gesagt.«

»God. Hab dir aber nicht gesagt, fortzugehen.«

»Sie können nicht Auto fahren.«

»Ich möchte, daß du hierbleibst«, wiederholte Lawrence hartnäckig.

Camille schüttelte sanft den Kopf.

»Sie warten auf mich«, sagte sie leise.

»Jesus Christ«, erwiderte Lawrence und entfernte sich. »Ein Kind, ein Greis und eine Frau auf der Spur eines Typen wie Massart. Was stellt ihr drei euch eigentlich vor?«

»Ich stelle mir überhaupt nichts vor, ich fahre.«

»Du stellst dir was vor. Massart einfangen?«

»Möglich.«

»Du machst Witze. Das ist kein Kinderspiel. Da braucht man Hinweise, Ermittlungen ...«

»Wenn er weitere Schafe umbringt, werden wir seiner Spur folgen.«

»Verfolgen bedeutet nicht fangen.«

»Wir können uns erkundigen, herausfinden, mit welchem Auto er fährt. Wenn wir das wissen, haben wir eine Chance, ihn ausfindig zu machen. Eine Sache von ein paar Tagen vielleicht.«

»Ist das alles, was sie von ihm wollen?« fragte Lawrence mißtrauisch.

»Soliman wollte ihn umbringen und der Wacher ihn von der Kehle bis zu den Eiern aufschneiden, aber nachdem er tot ist, aus humanitären Gründen. Ich habe gesagt, daß ich ihren verdammten Laster nicht fahren werde, wenn wir Massart nicht unversehrt zurückbringen.«

»Gefährlich«, sagte Lawrence, den die Aussicht auf die kommende Entbehrung etwas wütend machte. »Grotesk und gefährlich.«

»Ich weiß.«

»Weshalb machst du es dann?«

Camille zögerte.

»Ich bin da so reingeschlittert«, erklärte sie schlicht.

Und tatsächlich fiel ihr im Augenblick keine bessere Erklärung ein.

»Bullshit«, brummte Lawrence und kam zu ihr zurück. »Du brauchst nur wieder rauszuschlittern.«

Camille zuckte mit den Achseln.

»Es gibt eben Situationen, in die du aus vielen schlechten Gründen reinschlitterst und aus denen du selbst mit einer Menge guter Gründe nicht wieder rausschlittern kannst.«

Lawrence ließ entmutigt den Arm sinken.

»Gut«, sagte er mit Schwermut in der Stimme. »Mit welchem Laster fahrt ihr?«

»Mit dem da«, erwiderte Camille und deutete mit einer Kinnbewegung auf den Viehtransporter.

»Das da«, sagte Lawrence entschieden, »ist ein Viehtransporter. Ein Viehtransporter, der nach Scheiße und Wollschweiß riecht. Das ist kein Laster.«

»Anscheinend schon. Buteil sagt, wenn der einmal geschrubbt, gewischt, mit der Plane überdeckt und eingerichtet ist, ist er wie ein fahrbares Grandhotel.«

»Das wird schmuddelig sein, Camille. Hast du da mal darüber nachgedacht?«

»Ja.«

»Und neben diesen beiden Typen schlafen? Hast du auch darüber nachgedacht?«

»Ja. Ich bin da reingeschlittert, das ist alles.«

»Hast du daran gedacht, daß Massart euch aufspüren kann?«

»Noch nicht.«

»Na gut, er kann es. Und diese verdammte Plane wird euch nachts nicht schützen.«

»Wir werden ihn kommen hören.«

»Und dann, Camille? Was macht ihr drei dann, das Kind, der Greis und die Frau?«

»Ich weiß nicht. Dann werden wir weitersehen, vermute ich.«

Lawrence breitete resigniert die Arme aus.

16

Nach der Beerdigung von Suzanne Rosselin gab es auf Les Écarts einen Empfang. Es gab vieles zu bereden, denn das Begräbnis war verwirrend schlicht gewesen und hatte damit ganz den Verfügungen entsprochen, die Suzanne vier Jahre zuvor ihrem Notar gegenüber abgegeben hatte, wonach sie »auf Blumen und Goldgriffe scheiße und lieber wolle, daß der Kleine das damit gesparte Geld nutze, um einmal das Land seiner Vorfahren zu sehen, und daß außerdem ihr altes Schaf Mauricette, wenn es gestorben sei, neben ihr begraben werden solle, denn Mauricette sei eine zwar nicht sehr helle, aber doch liebenswerte und treue Freundin gewesen, und der Pfarrer solle sie daher bitteschön bei der Zeremonie mit ein paar Worten bedenken. Der Notar hatte eingewandt, daß derartig heidnische Forderungen wohl kaum erfüllt werden würden, und Suzanne hatte gesagt, sie scheiße auf die religiösen Formen und würde dann eben selbst zu diesem Idioten von Pfarrer gehen, um den Fall Mauricette zu regeln.

Der Pfarrer hatte sich offensichtlich an Suzannes Weisungen erinnert und in seiner Ansprache etwas umständlich dargestellt, wie sehr Suzanne an ihrem Vieh gehangen hatte.

Gegen vier Uhr verließ das letzte Auto Les Écarts. Mit dröhnendem Kopf ging Camille hinaus zu Buteil, der am Lastwagen arbeitete. Je öfter sie darüber nachdachte, desto mehr beunruhigte sie das Herrichten des Viehtransporters.

Buteil erwartete sie. Er saß auf dem Trittbrett am hinteren Teil des Wagens und zog traurig an einer Zigarette.

»Es ist alles bereit«, sagte er, als er die junge Frau kommen sah.

Camille betrachtete das Fahrzeug, das jetzt an den Seiten und dem Dach mit einer Plane bespannt war. Die graue Karosserie war teilweise vom Schmutz befreit.

Buteil klopfte mit der Handfläche auf die Seitenwände des Lastwagens und ließ das Blech scheppern wie ein Autohändler, der seinen Wagen vorführt.

»Er ist zwanzig Jahre alt, ein gutes Alter«, sagte er. »Ein 508, ziemlich stabil, aber mit ein paar Macken. Er hat noch die alten Trommelbremsen, wenn es bergab geht, muß man aufpassen. Er fährt nicht immer geradeaus, in den Kurven muß man kräftig dagegenhalten, außerdem hat das Lenkrad viel Spiel. Die Pedale sind ausgeleiert. Das ist das einzige, was bei dem Lastwagen nachgegeben hat.«

Buteil wandte sich Camille zu und musterte sie fachmännisch von Kopf bis Fuß, ihren langen Körper, ihre feingliedrigen Arme und schmalen Hände.

»Für eine Frau vielleicht ganz hübsch«, sagte er und schnalzte mit der Zunge, »aber weniger gut für einen Lastwagenfahrer. Ich weiß nicht, ob Sie ihn gut auf der Straße halten können.«

»Ich hab solche Laster schon gefahren«, sagte Camille.

»Hier, das geht ganz schwer. Man muß fest ziehen.«

»Wird gemacht.«

»Kommen Sie hoch, ich zeige Ihnen, wie es innen aussicht. Ich habe ihn immer so umgebaut, wenn ich mit den Kindern unterwegs war.«

Buteil öffnete die laut quietschende Hecktür und kletterte in den Wagen. Im Innern herrschte drückende Hitze, und ein beißender Geruch von Wollschweiß stieg Camille in die Nase.

»Während der Fahrt stinkt es weniger«, erklärte Buteil. »Der Wagen stand den ganzen Nachmittag in der Hitze.«

Camille schüttelte den Kopf, und der Verwalter, der plötzlich seine gute Laune wiedergefunden hatte, präsentierte ihr mit einladender Geste sein Werk. Der Viehtransporter war mehr als sechs Meter lang, und Buteil hatte der Länge nach vier Feldbetten aufgestellt, zwei vorne, zwei hinten, getrennt durch eine von der Decke herabhängende Plane.

»Das macht zwei separate Zimmer mit Fenster«, stellte er mit Befriedigung fest. »Vor den Sichtfenstern kann man die Plane hochziehen. Es ist egal, ob man von draußen nach drinnen oder von drinnen nach draußen sehen will, man zieht sie hoch wie einen Vorhang. Wenn man seine Ruhe haben will, läßt man sie runter.«

Buteil zog die Planen hoch, um seine Ausführungen anschaulich zu machen. Das Licht drang durch die Sichtfenster in den gesamten Innenraum des Lasters. »Hier«, fuhr er fort und schob ein schweres, graues Tuch im hinteren Teil beiseite, »das Badezimmer.«

Camille begutachtete die selbstgebastelte Duschkabine, über der ein zum Wasserspeicher umfunktionierter alter Boiler hing, der ungefähr hundertfünfzig Liter Wasser fassen konnte.

»Und die Pumpe?« fragte sie.

»Da«, antwortete Buteil. »Man muß sie jeden zweiten Tag auffüllen. Und hier«, fuhr er fort, »die Toilette. Es funktioniert wie in den alten Zügen. Man läßt alles hinter sich zurück. Auf der anderen Seite«, er drehte sich herum, »der Gasherd, die Gasflaschen sind voll. In der großen Kiste sind Küchenutensilien, Wäsche, Taschenlampen und was man sonst noch so alles braucht. Hier die Klappstühle. Unter jedem Bett eine Schublade für saubere Wäsche und persönliche Dinge. Alles vorgesehen. Alles durchdacht. Alles funktioniert.«

»O. k.«, sagte Camille.

Sie setzte sich auf eines der Betten hinten links. Ihr Blick schweifte über die dreizehn Quadratmeter des überhitzten Viehtransporters. Buteil hatte weiße Leintücher und Kissen auf die Matratzen gelegt, die in krassem Gegensatz zu dem schwarzen Boden, den rostigen Beschlägen und den verblichenen Planen standen. Allmählich begann sie sich an den Gestank zu gewöhnen. Sie nahm die weiche Matratze, auf der sie saß, in Besitz und dann nach und nach den ganzen Raum. Buteil beobachtete sie, stolz und nervös zugleich.

»Alles funktioniert«, wiederholte er.

»Perfekt, Buteil«, sagte Camille.

»Und keine Angst wegen dem Geruch. Er vergeht, sobald man fährt.«

»Und wenn man nicht fährt? Wenn man schläft?«

»Na ja, wenn man schläft, riecht man nichts, weil man eben schläft.«

»Ich mach mir keine Sorgen.«

»Wollen Sie ihn mal ausprobieren?«

Camille willigte ein und folgte Buteil zur Fahrerkabine. Sie stieg die zwei Trittstufen hinauf und setzte sich auf den Fahrersitz, stellte ihn ein und legte die Unterarme auf das große, glühendheiße Lenkrad. Buteil gab ihr die Schlüssel und trat einen Schritt zurück. Camille zündete, trat die Kupplung und fuhr langsam den Feldweg vor der Schäferei entlang, wendete, fuhr zurück, wendete, fuhr wieder nach vorne. Sie hielt und stellte den Motor ab.

»Es geht«, sagte sie und stieg aus.

Als ob ihn das Hin- und Herrangieren überzeugt hätte, übergab ihr Buteil die Papiere. In dem Moment kam Soliman mit langsamen Schritten auf sie zu. Er sah angespannt aus und starrte mit geröteten Augen vor sich hin.

»Wir fahren los, sobald du fertig bist«, sagte er.

»Essen wir nicht mal mehr hier?«

»Wir essen im Lastwagen. Je länger wir warten, desto weiter entfernt sich der Blutsauger.«

»Ich bin fertig«, sagte Camille. »Hol deine Sachen und bring den Wacher mit.«

Zehn Minuten später sah Camille, während sie neben Buteil am hinteren Teil des Lastwagens eine Zigarette rauchte, wie Soliman mit einem Rucksack und einem Wörterbuch unter dem Arm heraufkam.

»Du nimmst das vordere linke Bett«, bestimmte Buteil.

»Gut«, sagte Soliman.

»Sol ist ein ordentlicher Mensch«, sagte Buteil. »Er wird ganz schön Zeit brauchen, bis er seine Schublade eingeräumt hat.«

»Buteil«, rief Soliman aus dem Innern des Wagens, »hier drin stinkt's ja tierisch!«

»Was soll ich machen?« entgegnete der Verwalter gereizt. »Wir bauen schließlich keine Zucchini an, sondern halten Schafe.«

»Reg dich nicht auf. Ich sag ja bloß, daß es stinkt.«

»Das vergeht, wenn wir fahren«, beruhigte ihn Camille.

»So ist es.«

Lawrence kam auf sie zu, gefolgt vom Wacher.

»›Liebe‹«, verkündete Soliman, während er sich lässig, die Hände an den Hüften, an die Wagentür lehnte, »›Starke Zuneigung einer Person oder einer Sache gegenüber. Ein von den Naturgesetzen gesteuertes Gefühl. Leidenschaftliche Empfindung für eine Person des anderen Geschlechts.‹«

Leicht irritiert, drehte sich Camille zu Soliman um.

»Das ist das Wörterbuch«, erklärte Buteil. »Er hat alles hier drin«, fügte er hinzu und tippte dabei an seine Stirn.

»Ich werde mich verabschieden«, sagte Camille und erhob sich vom Tritt.

Der Wacher stieg in den Transporter und leerte mit einem Schwung den Inhalt seiner Tasche in die Schublade, die ihm Buteil zeigte, die erste rechts, wenn man einstieg. Danach stellte er sich an Solimans Seite neben den Tritt, wartete und drehte sich eine Zigarette aus Pfeifentabak. Gleich nach der Trauerfeier hatte der Wacher wieder seine ausgeleierte Kordhose und seine alte Jacke sowie seine Bergschuhe angezogen und seinen schwarzen Hut mit Band aufgesetzt, der vom Alter schon ganz brüchig und grau vom Staub geworden war. Er hatte sich gekämmt und rasiert und über sein Unterhemd ein sauberes, weißes, etwas steifes Hemd gezogen. Er hielt sich gerade, die Zigarette im Mundwinkel, und stützte sich mit der linken Hand auf seinen Stock. Sein Hund lag ihm zu Füßen. Er holte sein Federmesser hervor und polierte die Klinge auf seinem Oberschenkel.

»Wann soll's denn losgehen, diese Straßenreise?« fragte er mit seiner dunklen Stimme.

»Diese was?« fragte Soliman.

»Dieses Rod-Muwie. Dieses Sich-Fortbewegen.«

»Ach so. Sobald Camille sich endlich vom Trapper verabschiedet hat.«

»Zu meiner Zeit küßten die Frauen die Männer nicht vor meinen Augen auf Feldwegen.«

»Es war deine Idee, sie mitzunehmen.«

»Zu meiner Zeit«, fuhr der Wacher fort und klappte die Klinge seines Messers zusammen, »steuerten junge Frauen auch keine Lastwagen.«

»Wenn du ihn hättest fahren können, wären wir nicht in dieser Situation.«

»Ich habe nicht gesagt, daß ich etwas dagegen habe. Es gefällt mir sogar.«

»Was?«

»Die Arme dieses Mädchens auf dem Lenkrad des Lastwagens. Das gefällt mir.«

»Sie ist hübsch«, sagte Soliman.

»Sie ist mehr als das.«

Lawrence hielt Camille umschlungen und beobachtete die beiden von weitem.

»Der Alte hat sich für dich zurechtgemacht«, sagte er. »Ein makelloses Hemd in seiner schmuddeligen Hose.«

»Er ist nicht schmuddelig«, sagte Camille.

»Bleibt nur zu hoffen, daß er den Hund nicht mitnimmt. Was muß der stinken!«

»Gut möglich.«

»God. Bist du dir sicher, daß du fahren willst?«

Camille betrachtete die beiden Männer, die besorgt und nervös auf dem Tritt standen und auf sie warteten. Buteil legte letzte Hand an sein Werk und befestigte ein Mofa auf der linken und ein Fahrrad auf der rechten Seite.

»Ja, ganz sicher«, sagte sie.

Sie küßte Lawrence, der sie noch lange an sich drückte und ihr dann nachwinkte. Vom Lastwagen aus sah sie, wie er zu seinem Motorrad ging, die Maschine startete und auf der Straße davonfuhr.

»Und jetzt?« sagte sie zu den beiden Männern.

»Wir heften uns an seine Fersen«, sagte der Wacher, streckte sich und hob mit majestätischem Blick das Kinn.

»In welche Richtung? In der Nacht auf Montag war er in La Castille. Das macht fast achtundvierzig Stunden Vorsprung.«

»Wir fahren los«, sagte Soliman. »Den Plan erkläre ich dir unterwegs.«

Soliman war ein junger Mann von zarter Gestalt, mit einem klaren Profil, elegant und immer ein bißchen nach oben strebend. Er hatte einen geraden Rücken, lange Gliedmaßen und feine Hände. Seine Gesichtszüge waren rein, noch kindlich, fast durchsichtig. Aber auf seinem Gesicht lag immer ein Hauch von Ironie oder Vergnügen, so als habe er Mühe, einen ungeheuer komischen Witz oder eine höhere Weisheit für sich zu behalten, als spreche er zu sich selber und sage: Macht euch jetzt auf was wirklich Witziges gefaßt. Camille stellte sich vor, daß es vielleicht die Einflüsse des Wörterbuchs zusammen mit den afrikanischen Geschichten waren, die Soliman dieses sonderbare Lächeln eines Wissenden verliehen hatten, dieses Lächeln, das sein Gesicht auf merkwürdige Weise erhellte und ihm widersprüchliche Ausdrücke gab, manchmal folgsam, gutmütig, dann wieder düster und autoritär. Sie fragte sich, welche Art Lächeln wohl die intensive Lektüre des *Katalogs für handwerkliches Arbeitsgerät* bewirken würde, vielleicht ein nicht gerade erstrebenswertes.

Camille stellte ihre eigene Tasche in den Lastwagen, verteilte den Inhalt in der Schublade unter dem hinteren linken Bett, das Buteil ihr zugewiesen hatte, schloß die Hecktüren, hievte sich auf den Fahrersitz neben die zwei Männer, die bereits Platz genommen hatten, Soliman in der Mitte, der Schäfer am Fenster.

»Es ist besser, Sie legen den Stock auf den Boden«, empfahl sie dem Wacher und beugte sich zu ihm. »Wenn ich scharf bremsen muß, haut er Ihnen aufs Kinn.«

Der Wacher zögerte, dachte nach und legte den Stock unter seine Füße.

»Und der Sicherheitsgurt«, ergänzte Camille mit sanfter Stimme. Sie fragte sich, ob der Wacher überhaupt je in ein Auto gestiegen war. »Man muß dieses Ding anlegen, falls ich mal scharf bremsen muß.«

»Das klemmt mich ein«, sagte der Wacher. »Ich mag es nicht, wenn ich eingeklemmt bin.«

»So sind die Bestimmungen«, sagte Camille. »Das ist Pflicht.«

»Wir scheißen auf die Bestimmungen«, sagte Soliman.

»Verstanden«, sagte Camille und drehte den Zündschlüssel. »In welche Richtung geht es denn ungefähr?«

»Direkt nach Norden, Richtung Mercantour.«

»Und welche Strecke?«

»Durch das Tal der Tinée.«

»Gut. Das ist auch meine Richtung.«

»Ach ja?« fragte Soliman.

»Ja. Ich erklär dir den Plan unterwegs.«

Dröhnend setzte sich der Viehtransporter auf dem steinigen Feldweg in Bewegung. Buteil, der an der alten Holzschranke lehnte, winkte ihnen nach und sah so bekümmert aus, als würde ihm sein eigenes Haus durch die Felder davonfahren.

17

Camille bog mit dem Wagen langsam auf die Straße ein.

»War es unbedingt nötig, den Hund mitzunehmen?« fragte sie.

»Keine Sorge«, antwortete der Wacher, »das ist ein Hütehund. Er verjagt Wölfe, Füchse und sämtliches Dreckspack, das sonst noch rumläuft, und auch die Werwölfe. Aber Frauen rührt er nicht an. Interlock respektiert die Frauen.«

»Ich mach mir keine Sorgen«, sagte Camille sanft, »es ist nur, weil er stark riecht.«

»Er riecht nach Hund.«

»Ja, eben.«

»Man kann einen Hund nicht daran hindern, nach Hund zu riechen. Interlock wird über uns wachen. Sie können sich darauf verlassen, daß er diesen vermaledeiten Werwolf in einem Umkreis von fünf Kilometern wittert. Es braucht ja niemand zu wissen, daß er abgefeilte Zähne hat.«

»Abgefeilt?«

»Er ist ein Hütehund. Er darf den Tieren keinen Schaden zufügen. Wenn er Geschmack am Blut findet, muß man ihn erschießen. Aber Interlock hat eine gute Spürnase. Er hat in Massarts Hütte seine Witterung aufgenommen und wird ihn finden.«

Camille schüttelte den Kopf, ohne ihre Aufmerksamkeit von der Straße abzuwenden. Sie fuhr im vierten Gang und hatte den Lastwagen im Moment gut im Griff. Beim Fahren machte er einen Höllenlärm. Das Metallgestänge der Sichtfenster klapperte bei jeder Erschütterung. Man mußte laut reden, um sich verständlich zu machen. Sie hatten die Scheiben heruntergekurbelt und die Planen hochgezogen, um zu lüften.

»Interlock? Heißt der wirklich so?« fragte sie.

»Das habe ich durch Zufall im Wörterbuch gefunden, als er geboren wurde«, erklärte Soliman. »›Interlock. Männliches Substantiv. Strickmaschine zur Herstellung eines Maschengewebes. Unterkleidung, die mit dieser Maschine gestrickt wurde.‹«

»Ah ja«, sagte Camille. »Wieviel Uhr ist es?«

»Nach sechs.«

»Wie war nun dein Plan, Sol?«

»Es ist auch der Plan vom Wacher.«

Sie folgten inzwischen der Landstraße am Fluß entlang Richtung Norden. Camille fuhr in gemächlichem Tempo und nahm sich Zeit, sich an das Fahrzeug zu gewöhnen. Die Kurven waren gar nicht so leicht.

»Massart hat seinen Lieferwagen am Mont Vence stehen lassen«, begann Soliman. »Er mußte das so machen, wenn er wollte, daß man glaubt, er sei in den Bergen verschollen. Während die anderen noch warten, ist der Blutsauger schon zu Fuß unterwegs.«

»Und mit dem Fahrrad«, ergänzte der Wacher.

»Sag ihm, er soll lauter reden, Soliman, bei dem Lärm verstehe ich nichts.«

»Red lauter«, sagte Soliman zu dem Schäfer.

»Mit dem Fahrrad!« wiederholte der Alte mit erhobener Stimme.

»Hat er denn ein Fahrrad?«

»Ja«, sagte der Wacher. »Vor ein paar Jahren hatte er jedenfalls noch eines. Er hatte es in der Hundehütte verstaut. Letzte Nacht war ich dort, und da war keins mehr.«

»Massart fährt also mit dem Rad spazieren und wird von einer Dogge und einem Wolf begleitet?«

»Er fährt nicht spazieren, junge Frau«, sagte der Wacher. »Er geht zu Fuß und tötet.«

»Zu auffällig«, wandte Camille ein. »Man hätte ihn schon hundertmal entdeckt, bevor er eine Schäferei erreicht hätte.«

»Deshalb bewegt er sich ja nur nachts vorwärts«, sagte Soliman. »Tagsüber versteckt er sich, und nachts läuft er, zusammen mit den Tieren.«

»Trotzdem«, sagte Camille. »Mit einer derartigen Begleitung würde er nicht weit kommen.«

»Er geht auch nicht weit, junge Frau. Er geht nach Loubas, bei Jausiers.«

»Ich kann nichts verstehen«, sagte Camille.

»Nach Loubas!« brüllte der Alte. »Das ist achtzig Kilometer von hier entfernt, auf der anderen Seite des Mercantour. Das ist sein Ziel.«

»Gibt es in Loubas etwas Besonderes?«

»Aber sicher.«

Der Wacher streckte seinen Kopf aus dem Fenster und spuckte geräuschvoll aus. Camille mußte an Lawrence denken.

»Dort wohnt sein Cousin«, fuhr er fort. »Erklär's ihr, Sol.«

»Er braucht ein Auto«, sagte Soliman. »Er kann doch nicht mit seinen wilden Tieren durch die Gegend laufen. Wenn er seinen Lieferwagen stehengelassen hat, dann deswegen, weil er einen Plan hat. Massart hat einen Vetter in Loubas, einen ganz üblen Typen, der eine üble Werkstatt hat, wo er Gebrauchtwagen verkauft. Er kann sicher sein, daß der Cousin die Klappe hält.«

»Gut«, sagte Camille und konzentrierte sich auf die engen Kurven auf der schmalen Straße. »Massart beschafft sich also meinetwegen in Loubas ein Auto. Sehr gut. Aber warum mietet er sich nicht einfach eins?«

»Damit man ihn nicht ausfindig macht.«

»Verdammt, er wird doch nicht gesucht. Es kann ihn keiner daran hindern, zu fahren, wohin er will.«

»Er wird nicht gesucht, aber das kann ja noch kommen. Außerdem will Massart, daß man ihn für tot hält.«

»Damit er in Ruhe seine Arbeit als Werwolf verrichten kann«, sagte der Wacher.

»Genau«, sagte Sol.

»Wenn das stimmt«, sagte Camille, »dann braucht er falsche Papiere.«

»Sein Cousin ist ein übler Typ«, sagte der Wacher. »Die Werkstatt ist nur ein Vorwand.«

»So heißt es«, bestätigte Soliman.

»Der Cousin stellt falsche Papiere her?«

»Er kann welche beschaffen.«

»Und wie das?«

»Mit der nötigen Kohle.«

Camille fuhr langsamer und parkte den Laster am Straßenrand.

»Halten wir schon?« fragte der Wacher.

»Ich lockere nur meine Arme«, sagte Camille und stieg aus. »Die Lenkung geht schwer, und die Strecke ist schwierig.«

»Ja«, sagte Soliman. »Das kann ich mir denken.«

»Ich hole dir eine Landkarte«, sagte sie. »Wir haben sie bei Massart gefunden, mit einer Reiseroute darauf. Du kannst mir zeigen, wo sich dieses Loubas befindet.«

»Neben Jausiers.«

»Dann zeig mir, wo Jausiers ist.«

»Du weißt nicht, wo Jausiers ist?« fragte Soliman verwundert.

»Nein«, antwortete Camille und lehnte sich an die Tür. »Ich weiß nicht, wo Jausiers ist. Ich war vor diesem Jahr auch noch nie in dieser glühendheißen Gegend, ich habe noch nie einen Dreitonner auf einer so verdammten Bergstraße gefahren, ich weiß nicht, wie der Mercantour aussieht. Ich weiß nur, daß weiter unten das Mittelmeer liegt und daß es ein Meer ist, das weder steigt noch fällt.«

»Na, so was«, meinte Soliman verblüfft. »Wo hast du denn gelebt, daß du all das nicht weißt?«

Camille stieg aus, ging nach hinten und kramte in ihrer Schublade. Dann machte sie die Hecktür wieder zu und setzte sich mit der Karte in der Hand neben Soliman.

»Hör zu, Sol«, sagte sie, »weißt du, daß es Orte gibt, Tausende von Orten auf dieser Welt, wo es keine Zikaden gibt?«

»Ich habe davon gehört«, sagte Soliman und verzog das Gesicht.

»Also gut, da war ich.«

Soliman schüttelte halb bewundernd, halb mitleidig den Kopf.

»Also«, fuhr Camille fort und faltete die Karte von Massart auseinander, »zeig mir jetzt, wo dieses Loubas liegt.«

Soliman legte seinen Finger auf die Karte.

»Was ist das für eine rote Linie?« fragte er.

»Was ich dir gesagt habe, die Route von Massart. Jedes Kreuz kennzeichnet eine der Schäfereien, wo er getötet hat, außer Andelle und Anélias, wo nichts passiert ist. Ich glaube, er mußte flüchten, bevor er Zeit hatte, dort anzugreifen. Das liegt zu weit östlich. Zur Zeit bewegt er sich auf dieser Strecke in Richtung Norden, die Tinée entlang, durch das Mercantour-Massiv und dann nach Loubas.«

»Und danach?« fragte Soliman und runzelte die Stirn.

»Paß auf. Seine Reiseroute schlängelt sich wie eine Zickzacklinie auf Nebenstraßen bis nach Calais, dann setzt er nach England über.«

»Wozu das?«

»Er hat einen Halbbruder, der im Schlachthof von Manchester arbeitet.«

Soliman schüttelte den Kopf.

»Nein«, sagte er. »Massart will kein neues Leben anfangen, wie irgend jemand, der flieht. Massart hat das Leben hinter sich gelassen. Er hat das Tageslicht verlassen und ist in die Nacht eingetreten. Für die Bullen, die Leute von Saint-Victor, sogar für sich selbst ist er tot … Er will keine andere Existenz, er will einen anderen Zustand.«

»Was du nicht alles weißt«, bemerkte Camille.

»Er will in eine andere Haut schlüpfen«, ergänzte Soliman.

»In eine mit Haaren«, sagte der Wacher.

»So ist es«, sagte Soliman. »Jetzt, wo der Mensch tot ist, kann der Wolf töten, wann immer ihn die Lust dazu überkommt. Ich kann mir nicht vorstellen, daß er sich in Manchester eine gute Arbeit sucht.«

»Aber warum sollte er dann den Ärmelkanal überqueren wollen? Warum erstellt er eine Route, wenn er kein Ziel hat?«

Soliman stützte den Kopf in die Hände und dachte nach, den Blick weiter auf der Karte.

»Das ist ein Fluchtplan. Er geht immer weiter, er kann nicht an einer Stelle bleiben. Sein Ziel ist England, vielleicht hofft er dort auf Unterstützung. Aber selbst dort wird er nicht bleiben, er wird um die ganze Erde ziehen. Weißt du, was ›Werwolf‹ bedeutet?«

»Lawrence sagt, ich hätte keine Ahnung von der Sache.«

»Es ist ein Wolf, der umherzieht. Massart wird sich nicht in einem Loch verstecken, er zieht immer weiter, eine Nacht hier, die andere dort. Er kennt die Nebenstraßen wie seine Westentasche. Er weiß, wo er Unterschlupf finden kann.«

»Aber Massart ist kein Werwolf!« wandte Camille ein.

Für einen kurzen Augenblick herrschte Stille in der Fahrerkabine. Camille spürte, daß der Wacher sich mühsam beherrschte.

»Er hält sich zumindest für einen«, sagte Soliman. »Das reicht schon.«

»Sicher.«

»Hat der Trapper die Karte den Bullen gezeigt?«

»Natürlich. Für die Bullen ist das eine normale Reiseroute nach Manchester.«

»Und die Kreuze?«

»Sie meinen, die würden mit seiner Arbeit zusammenhängen. Das klingt plausibel, wenn man davon ausgeht, daß Suzanne von einem Wolf, einem gewöhnlichen Wolf getötet wurde. Und davon sind die Bullen überzeugt.«

»Dummköpfe«, sagte der Wacher entschlossen. »Ein Wolf greift keinen Menschen an.«

Wieder herrschte Stille. Camille hatte das Bild der ermordeten Suzanne vor Augen.

»Nein«, murmelte Camille.

»Wir heften uns an seine Fersen«, sagte der Wacher.

Camille ließ den Motor an und steuerte den Wagen aus der Haltebucht heraus. Ein paar Minuten lang fuhr sie schweigend, die Arme aufs Lenkrad gestützt.

»Ich habe nachgerechnet«, sagte Soliman. »Massart kann jede Nacht fünfzehn bis zwanzig Kilometer zurücklegen, ohne die Tiere zu ermüden. Zur Zeit muß er sich ganz im Norden des Mercantour befinden, sagen wir auf der Höhe des Col de la Bonette. Diese Nacht wird er die fünfundzwanzig Kilometer bis nach Jausiers hinunterwandern. Dort erwarten wir ihn im Morgengrauen, wenn wir ihm nicht schon vorher in den Bergen begegnen.«

»Willst du, daß wir die ganze Nacht im Mercantour herumfahren?«

»Ich meine nur, wir sollten auf dem Paß unser Nachtlager aufschlagen. In der Nacht lösen wir uns ab, um die Straße zu überwachen, aber ich erwarte nichts. Er kennt alle Pfade und Schleichwege. Morgen früh um halb sechs fahren wir nach Loubas hinunter, und genau dort werden wir ihn fassen.«

»Was verstehst du unter ›fassen‹?« fragte Camille. »Hast du schon mal versucht, einen Typen wie Massart zu fassen, einen, der mit einer Dogge und einem Wolf umherzieht?«

»Wir werden uns vorbereiten. Wir werden sein Auto finden, ihm folgen, bis er die nächste Herde angreift. In flagranti. Da werden wir ihn in die Enge treiben.«

»Wie denn?«

»Das sagen wir dir dann schon. Dumm, daß du Jausiers nicht kennst.«

»Warum das?«

»Weil das bedeutet, daß du auch die Strecke dahin nicht kennst. Es geht in Serpentinen bis auf dreitausend Meter Höhe. Die Straße ist nicht breiter als mein Arm. Auf der einen Seite geht es steil bergab, auf der anderen steht eine Schutzmauer, die alle zwei Meter eingedrückt ist. Was wir gerade hinter uns haben, war ein Witz dagegen.«

»Gut«, sagte Camille nachdenklich. »Ich habe mir den Mercantour anders vorgestellt.«

»Wie hast du ihn dir vorgestellt?«

»Ich habe mir eine heiße, leicht hügelige Landschaft vorgestellt. Mit Olivenbäumen. So was in der Art.«

»Nun, er ist kalt und extrem bergig. Es wachsen nur ein paar Lärchen dort, und oberhalb der Baumgrenze gibt es überhaupt nichts mehr, außer uns dreien und dem Lastwagen.«

»Das kann ja heiter werden«, bemerkte Camille.

»Weißt du nicht, daß die Olivenbäume bei sechshundert Metern aufhören?«

»Sechshundert Meter wovon?«

»Sechshundert Meter Höhe, verdammt. Die Olivenbäume hören bei sechshundert Metern auf, das weiß doch jeder.«

»Dort, wo ich herkomme, gibt es keine Olivenbäume.«

»O. k. Was eßt ihr dann?«

»Rüben. Die sind ganz schön robust. Die hören nicht auf zu wachsen, die gibt's auf der ganzen Welt.«

»Wenn du oben im Mercantour Rüben pflanzt, würden die auch eingehen.«

»Gut. Das hatte ich ohnehin nicht vor. Wieviel Kilometer sind's noch bis zu diesem verdammten Paß?«

»An die fünfzig. Die letzten zwanzig sind am schlimmsten. Glaubst du, daß du es schaffst?«

»Keine Ahnung.«

»Zieht es dir in den Armen?«

»Ja, es zieht mir in den Armen.«

»Meinst du, es geht wirklich?«

»Hör auf damit, Sol«, brummte der Wacher. »Laß sie in Ruhe.«

18

Es war sieben Uhr abends, und die Hitze ließ langsam nach. Camille hielt das Lenkrad des 508 fest umklammert und konzentrierte sich ganz auf die Straße. Noch war sie breit genug für zwei Fahrzeuge, aber Camille hatte nach der endlosen und schwierigen Kurverei fast kein Gefühl mehr in den Armen. Ein paar Zentimeter über den Straßenrand hinaus konnten verhängnisvoll sein.

Es ging bergauf. Camille sagte nichts mehr, und auch Soliman und der Wacher waren verstummt und hatten den Blick starr auf die Berge gerichtet. Mittlerweile hatten sie das beruhigende Laubwerk der Nußbaum- und Eichenwälder hinter sich gelassen. So weit das Auge reichte, klammerten sich düstere Kiefern an die felsigen Abhänge. Camille fand sie unheimlich, wie ein Heer von Soldaten in schwarzen Uniformen. In der Ferne zeichnete sich die etwas hellere Zone der ebenso regelmäßig stehenden kriegerischen Lärchen ab, dann die graugrünen Weiden des Mercantour, und noch höher nur die nackten, felsigen Gipfel. Sie näherten sich der Kargheit. Camille atmete schwer, während sie den Laster nach Saint-Étienne hinunterrollen ließ, dem letzten Dorf, bevor sie das Tal verließen und sich an den Aufstieg ins Massiv machten. Der letzte bewohnte Vorposten. Hier sollten sie lieber bleiben, dachte Camille. Zweitausend Höhenmeter auf einer Strecke von fünfundzwanzig Kilometern in einem alten Viehtransporter zu überwinden würde alles andere als ein Sonntagsausflug werden.

Camille hielt am Ortsausgang von Saint-Étienne, nahm die Wasserflasche, trank mit langsamen Schlucken und ließ ihre müden Arme hängen. Sie war sich nicht sicher, ob sie den Lastwagen unter solchen Bedingungen steuern konnte. Sie mochte Abgründe neben der Straße nicht besonders und fühlte sich an der Grenze ihrer körperlichen Belastbarkeit.

Weder Soliman noch der Wacher sprachen ein Wort. Sie beobachteten die Berge, und Camille wußte nicht, ob sie nach der Silhouette des Werwolfs Ausschau hielten oder ob sie Angst davor hatten, daß der Viehtransporter den Abhang hinunterstürzen könnte. Ihrem Gesichtsausdruck nach zu urteilen, wirkten sie eher vertrauensvoll, und Camille schloß daraus, daß sie auf Massart lauerten.

Sie sah Soliman an, der ihr zulächelte.

»›Sturheit‹«, sagte er. »›Hartnäckig auf einer Sache bestehen. Starrsinn.‹«

Camille ließ den Motor an, und der Viehtransporter verließ das Dorf. Ein Schild wies darauf hin, daß sie die höchste Straße Europas befahren würden, ein weiteres mahnte zur Vorsicht. Camille holte tief Luft. Es stank nach Hund, nach Wollschweiß und nach Schweiß, aber diese ekelhafte, vertraute Mischung hatte etwas Tröstliches für sie.

Zwei Kilometer weiter begann das Mercantour-Massiv. Die Straße war ungefähr so, wie Camille befürchtet hatte, eng und kurvig, ein schmales Band, das in den Berghang geschnitten war wie eine Narbe.

Der Lastwagen arbeitete sich langsam und unter lautem Geschepper den steilen Hang hinauf und ächzte in den Haarnadelkurven. Camille streifte mit dem rechten Kotflügel beinahe die fast senkrechte Felswand, und links hing sie über dem Abgrund. Sie wandte ihren Blick von der Leere und hielt statt dessen nach den Höhenangaben am Straßenrand Ausschau. Bei zweitausend Metern wurden die Bäume weniger und der Motor aufgrund des Sauerstoffmangels heiß. Mit vor Anstrengung zusammengebissenen Zähnen behielt Camille die Temperaturanzeige im Auge. Es war nicht gesagt, daß der Lastwagen durchhielt. Der ist robust, hatte ihr Buteil versichert, der mit dem Viehtransporter mühelos von Weide zu Weide kutschierte. Jetzt, auf dem Weg zum Paß, hätte sie seine Hilfe nicht abgelehnt.

Zweitausendzweihundert Meter Höhe, die letzten verkrüppelten Lärchen, dann begannen die Weideplätze, die wie Teppiche auf den grauen Hängen lagen. Eine herbe Schönheit natürlich, eine öde Welt der Riesen und der Stille, in der der Mensch, und erst recht sein Schaf, vollkommen unproportioniert schien. Ab und zu tauchten alte Schäfereien mit Blechdächern auf, die einzeln an den Hängen der Viehweiden lagen. Camille warf dem Wacher einen Blick zu. Er schien im Schatten seines hellen Hutes zu schlafen, so ruhig wie ein Seemann auf dem Deck seines Schiffes. Sie bewunderte ihn. Es verblüffte sie, wie er fünfzig Jahre seines Lebens in dieser unermeßlich leeren Einöde hatte verbringen können, nicht größer als eine Laus, die auf dem Rücken eines Mammuts herumläuft, ohne sich etwas daraus zu machen. Man sagte immer mit bösartigem Unterton, Massart habe nie eine Frau gehabt, aber der Wacher hatte ebenfalls keine Frau gehabt, und niemand verlor ein Wort darüber. Immer alleine in den Bergen. Zweitausendsechshundertzweiundzwanzig Meter. Vorsichtig überholte Camille zwei Radfahrer, die am Ende ihrer Kräfte waren, aber schließlich hatte sie ja niemand dazu gezwungen, und schaltete in den ersten Gang, um die letzte Kurvenstrecke in Angriff zu nehmen, die zum Paß hinaufführte. Ihr ganzer Oberkörper schmerzte.

»›Gipfel‹«, verkündete da Soliman und brach das Schweigen. »›Höchster Punkt. Höchster Grad, Vollendung, Höhepunkt.‹ Oben kannst du anhalten, Camille«, fügte er hinzu. »Dort gibt es einen Parkplatz.«

Camille nickte.

Sie fuhr den Lastwagen in den Schatten, schaltete den Motor ab, ließ die Arme fallen und schloß die Augen.

»›Pause‹«, sagte Soliman zum Wacher. »›Unterbrechung einer Arbeit, einer Aufgabe. Erholung, Aussetzen. Kurze Unterbrechung einer Vorstellung.‹ Steig aus, wir machen Abendessen, während sie ein bißchen zu Atem kommt.«

Es war gar nicht so einfach, aus dem Lastwagen zu kommen, und Soliman half dem alten Schäfer, wobei er ihn fast die zwei Trittstufen hinuntertrug.

»Behandele mich nicht wie einen unnützen Alten«, bemerkte der Wacher barsch.

»Du bist nicht unnütz. Du bist sehr alt, sehr steif und ganz schön klapprig, und wenn ich dir nicht helfe, fliegst du auf die Schnauze. Und dann müssen wir uns die ganze Fahrt um dich kümmern.«

»Du gehst mir auf die Nerven, Sol. Laß mich jetzt los.«

Eine Stunde später gesellte sich Camille zu den zwei Männern, die sich mit ihren Klappstühlen um die Holzkiste gesetzt hatten und im Freien zu Abend aßen. Langsam wurde es dunkel. Sie ließ ihren Blick über die Landschaft schweifen, bis zum Horizont nichts als Gipfel und Kiefern. Nicht ein Weiler, nicht eine Hütte, nicht ein Mensch in diesem Wolfsrevier. In diesem Augenblick fuhren die zwei Radfahrer auf der Paßstraße vorbei.

»So«, sagte sie, »jetzt sind wir ganz allein.«

»Wir sind zu dritt«, sagte Soliman und streckte ihr einen Teller hin.

»Plus Ingerbold«, fügte Camille hinzu.

»Interlock«, verbesserte Soliman. »›Strickmaschine zur Herstellung eines Maschengewebes.‹«

»Ja«, sagte Camille. »Entschuldigung.«

»Also zu viert«, stellte der Wacher klar.

Er saß aufrecht auf seinem Stuhl und zeigte mit seinem Arm auf die Weiden.

»Wir und er«, sagte er. »Er ist da hinten. Er verbirgt sich, er wartet. In einer Stunde, sobald es dunkel ist, kommt er mit seinen Tieren hervor. Er braucht Fleisch, für sie und für sich.«

»Glaubst du, daß er auch das Fleisch von den toten Schafen ißt?« fragte Soliman.

»Zwangsläufig trinkt er zumindest ihr Blut«, meinte der Wacher. »Wir haben den Wein vergessen«, fügte er plötzlich hinzu. »Hol ihn raus, Sol. Ich hab eine ganze Kiste davon mitgenommen, hinter der Plane vor den Toiletten.«

Soliman kam mit einer Flasche Weißwein ohne Etikett zurück. Der Wacher zeigte ihn Camille.

»Der Wein ist aus dem Dorf«, erklärte er und zog einen Korkenzieher aus seiner Hosentasche. »Der Weißwein von Saint-Victor. Nicht transportfähig. Der hält einen am Leben. Der ist stramm. Wir brauchen keinen andern.«

Der Wacher setzte die Flasche an die Lippen.

»Du bist hier kein alter, einsamer Schäfer«, sagte Sol und hielt seinen Arm fest, »du hast Gesellschaft. Trink nicht wie ein Ekel. Ab heute abend trinken wir aus Gläsern.«

»Ich hätte sowieso mit euch geteilt«, sagte der Wacher.

»Darum geht's nicht«, sagte Soliman. »Wir trinken aus Gläsern.«

Der junge Mann reichte eines Camille, die es an den Wacher weitergab.

»Vorsicht«, sagte der Wacher, als er den Wein einschenkte. »Er ist heimtückisch.«

Der Wein hatte einen ungewöhnlichen Geschmack, süß, leicht perlend, und er war im Lastwagen ordentlich warm geworden. Camille wußte nicht recht, ob er sie wirklich während der Reise am Leben erhalten oder sie alle innerhalb der nächsten drei Tage umbringen würde. Sie hielt ihr Glas hin, um eine zweite Ration zu bekommen.

»Heimtückisch«, wiederholte der Wacher und hob den Finger.

»Wir werden uns abwechselnd da postieren«, sagte Soliman und zeigte mit seinem Arm auf einen Felsvorsprung zu ihrer Rechten. »Von dort aus übersieht man den ganzen Berg. Camille übernimmt die erste Wache bis halb eins. Dann bin ich an der Reihe. Ich wecke euch Viertel vor fünf.«

»Die junge Frau sollte schlafen«, sagte der Wacher. »Morgen muß sie die ganze Strecke bergab fahren.«

»Stimmt«, sagte Soliman.

»Es wird schon gehen«, sagte Camille.

»Wir haben das Gewehr nicht mit«, sagte der Wacher und warf Camille einen vorwurfsvollen Blick zu. »Was machen wir, wenn wir ihn sehen?«

»Er wird nicht die Paßstraße nehmen«, sagte Soliman, »sondern irgendeinen Pfad abseits. Alles, was wir hoffen können, ist, daß wir ihn entdecken oder hören. In diesem Fall wissen wir auf eine Stunde genau, wann wir ihn in Loubas erwarten können.«

Der Wacher erhob sich und stützte sich dabei auf seinen großen Stock, klappte seinen Stuhl zusammen und nahm ihn unter den Arm.

»Ich lasse Ihnen den Hund da, junge Frau«, sagte er zu Camille. »Interlock verteidigt die Frauen.«

Er drückte ihr die Hand und stand dabei ganz aufrecht, wie ein Tennisspieler nach dem Match. Dann stieg er in den Laster. Soliman warf ihm einen mißtrauischen Blick hinterher und folgte ihm.

»He«, sagte er, als er hinter ihm einstieg. »Schlaf bloß nicht nackt. Hast du daran gedacht? Schlaf nicht nackt.«

»In meinem Bett mache ich, was ich will, Sol.«

»Du bist aber nicht *in* deinem Bett, du liegst *auf* deinem Bett, so stickig, wie es in diesem verdammten Laster ist.«

»Und was ist dabei?«

»Nachher steigt sie in den Lastwagen zum Schlafen. Sie muß dich ja nicht unbedingt nackt sehen.«

»Und du?« fragte der Wacher argwöhnisch.

»Für mich gilt das gleiche«, sagte Soliman etwas von oben herab. »Ich ziehe mir irgendwas über.«

Der Wacher seufzte und setzte sich aufs Bett.

»Na gut, wenn es dir Freude macht«, sagte er. »Du bist schon ganz schön kompliziert, Sol. Man fragt sich, wo du solche Manieren gelernt hast.«

»›Zivilisation‹«, begann Sol.

Der Wacher schnitt ihm mit einer Geste das Wort ab.

»Kannst du nicht mal für zwei Minuten die Klappe halten mit deinem blöden Wörterbuch?«

Soliman kletterte vom Laster herunter. Ein paar Meter von ihm entfernt stand Camille und suchte den Horizont ab, der langsam dunkler wurde. Sie wandte ihm ihr Profil zu, ihre Hände steckten in den hinteren Taschen ihrer Hose. Sie hatte ein klares Profil, ein ebenmäßiges Kinn, einen schlanken Hals, und dunkle, halblange Haare. Er hatte Camille schon immer zart, rein, fast vollkommen gefunden. Die Vorstellung, so dicht neben ihr zu schlafen, verwirrte ihn. Daran hatte er vor der Abfahrt nicht gedacht. Camille sollte der Fahrer sein, und Soliman hatte nicht eine Sekunde lang daran gedacht, mit dem Fahrer in einem Raum zu schlafen. Aber sobald der Lastwagen stand, hörte Camille auf, Fahrer zu sein, und wurde wieder einfach eine Frau, die zwei Meter entfernt auf einem Laken schläft, nur durch eine Plane von einem getrennt, und eine Plane ist nicht gerade viel. Eine Frau wie Camille auf einem Bett, nur zwei Meter von einem entfernt, war dagegen gigantisch.

Camille wandte sich zu ihm um.

»Weißt du, ob es hier irgendwo Wasser oder so was gibt?« fragte sie.

»Soviel du willst«, sagte Soliman. »Fünfzig Meter nach links gibt es eine Quelle mit einem Becken. Wir haben uns da gewaschen, als du geschlafen hast. Geh, bevor es richtig kalt wird.«

Die plötzliche Vorstellung, Camille könne ihre Jacke, ihre Jeans und ihre Stiefel ausziehen, fuhr ihm in den Magen. Er stellte sich vor, wie sie sich fünfzig Meter entfernt in diesem Bach wusch, in der Dunkelheit ganz weiß und durch ihre Nacktheit verletzlich. Ohne Stiefel, ohne Jacke, ohne T-Shirt und ohne Lastwagen erschien ihm Camille so verwundbar, als ob der Fels, der sie bislang beschützt hatte, plötzlich zur Seite rücken würde. Entwaffnet, also erreichbar. Fünfzig Meter sind nicht viel.

Beinahe erreichbar. Alles hängt immer an diesem ›beinahe‹. Wenn man einfach die fünfzig Meter Entfernung bis zu dem nackten Mädchen am Bach überwinden könnte, ohne sich groß Gedanken darüber zu machen, und wenn das nackte Mädchen sich auch noch freuen würde, einen zu sehen, dann wären viele Probleme auf diesem Planeten um einiges einfacher. Aber so funktioniert das nicht. Diese fünfzig Meter sind so unvorstellbar kompliziert, am Anfang, am Ziel, in der Mitte. Nichts geht.

Camille ging mit einem Handtuch um die Schultern an ihm vorbei. Soliman saß im Schneidersitz auf dem Boden, die Arme um beide Knie geschlungen.

Beinahe erreichbar. Die schwierigsten fünfzig Meter der Welt.

19

Jean-Baptiste Adamsberg war am Vorabend in Avignon eingetroffen, jetzt saß er am anderen Ufer der Rhône, wo er ein Plätzchen gefunden hatte, an dem er ungestört seinen Gedanken nachhängen konnte. Wo auch immer er sich gerade aufhielt, führte ihn eine Art Instinkt innerhalb kurzer Zeit genau zu den Orten, die für ihn lebenswichtig waren. Deshalb machte er sich auf Reisen nie Gedanken über den Ort, an dem er landen würde. Er wußte, er würde ihn finden. Diese Orte ähnelten sich alle in gewisser Hinsicht, unabhängig von ihrer Beschaffenheit, ihrem Klima oder der Vegetation, ob sie hier in Avignon oder am anderen Ende der Welt lagen. Wichtig war nur, daß der Ort leer genug, wild genug und verborgen genug war, damit sich sein Geist frei entfalten konnte, aber auch schlicht genug, damit er nicht die Aufmerksamkeit auf sich lenkte und man verpflichtet war, seine Schönheit zu kommentieren. Landschaften, bei deren Anblick einem der Atem stockt, stören beim Denken. Man muß sich mit ihnen beschäftigen und wagt es nicht, sich dort niederzulassen, ohne ihnen ein Minimum an Aufmerksamkeit entgegenzubringen.

Adamsberg hatte den ganzen Tag auf dem Kommissariat von Avignon zugebracht, damit beschäftigt, den hartnäckig leugnenden Geschäftsmann zu verhören, den Schwager des ermordeten Jungen aus der Rue Gay-Lussac. Der Kommissar hatte seine Karten noch nicht aufgedeckt, dafür war es noch zu früh. Er hatte den Mann in ein dahintreibendes Gespräch verwickelt und ihn dabei weiter ins

Offene driften lassen, als ihm lieb sein konnte, so wie ein Boot, das sich mit jeder Welle weiter vom rettenden Ufer entfernt. Und wenn man hinsieht, ist es schon zu spät, man ist zu weit draußen und kann nicht mehr umkehren. Bei schwierigen Verhören wandte Adamsberg diese einschmeichelnde Methode oft an, ohne daß er sie je hätte beschreiben oder wenigstens benennen können, selbst wenn ein ihm so wichtiger Kollege wie Danglard ihn darum bat.

Er konnte es nicht. Er wandte sie an, weil bei manchen Menschen keine andere Methode vorstellbar war. Was für Menschen? Na, eben solche wie der Kerl aus Avignon zum Beispiel.

Einstweilen war dem Mann noch vage bewußt, daß ihn der Kommissar genau dorthin lenkte, wo er auf keinen Fall hinwollte, dorthin, wo er keinen Boden mehr unter den Füßen spürte. Er reagierte. Er ging in Deckung und versuchte sich zu verteidigen. Adamsberg schätzte, daß er noch ein gutes Dutzend Stunden brauchen würde, ihn aus dem Gleichgewicht zu bringen und zu besiegen. Wenn er sein Geständnis hören würde, überkäme ihn wieder diese kurze Freude, die er immer dann empfand, wenn Intuition und Vernunft zusammentrafen. Adamsberg lächelte. Er zweifelte oft, aber nicht in diesem Fall. Der Typ würde weich werden, es war nur eine Frage der Zeit.

Adamsberg saß im Gras am Ufer der Rhône, abseits einer kleinen Straße, die oberhalb der Uferböschung verlief, am Rand einer Lichtung, die von Trauerweiden begrenzt wurde, und hielt einen langen Ast ins Wasser, den er gegen die Strömung stemmte. Das Wasser teilte sich vor dem Hindernis und floß dahinter wieder zusammen, welke Blätter strömten über den Ast oder tauchten unter ihm durch. Natürlich würde ihn das nicht sein ganzes Leben beschäftigen.

Er hatte in Paris angerufen. Sabrina Monge hatte bislang noch nichts unternommen, um seinen Zufluchtsort ausfindig zu machen. Da sie den Kommissar am Abend zuvor nicht hatte nach Hause kommen sehen, hatte sie eine ihrer jungen Sklavinnen auf ihrem Posten plaziert und sich selbst nicht weit von dem zweiten Ausgang, der durch die Keller führte, aufgestellt. Die andere Sklavin versorgte sie beide. Aber, hatte Danglard gesagt, da Adamsberg auch an diesem Morgen weder an dem einen noch an dem anderen Ausgang aufgetaucht sei, beginne sie offenbar, sich ernsthaft Gedanken zu machen.

»Sie macht sich sogar verdammte Sorgen«, hatte Danglard gesagt. »Man weiß schon nicht mehr, ob sie Sie töten oder heiraten will.«

Adamsberg hegte diesbezüglich nicht den geringsten Zweifel. Sabrina Monge wollte ihn töten.

Er nahm den Ast wieder aus dem Fluß und befragte seine innere Uhr. Zwischen zwanzig nach acht und halb neun. Er hatte vergessen, die Acht-Uhr-Nachrichten im Radio zu hören.

Er wußte also nichts Neues über den großen Wolf.

Adamsberg versteckte den Ast im Gras der Böschung. Vielleicht würde er sich freuen, ihn morgen hier wiederzufinden. Es war ein langer und starker Ast, gut geeignet, um friedlich mit dem Fluß Zwiesprache zu halten. Er stand auf und streifte flüchtig das Gras von seiner zerknitterten Hose. Er wollte in der Stadt etwas essen gehen, sich wieder unter die Leute und ihren Lärm mischen, mit etwas Glück vielleicht auf eine Bar voller Engländer stoßen.

Er schüttelte den Kopf. Er bedauerte ein wenig, den großen Wolf verpaßt zu haben.

20

Camille saß mit gekreuzten Beinen auf einem abgeflachten Felsen, den Hund auf ihren Stiefeln, und beobachtete, wie sich langsam die Nacht über den Mercantour senkte. Überall, wo ihr Blick suchte, stieß er sich an dem schwarzen, ehrfurchtgebietenden und trostlosen Bergmassiv.

Früher oder später mußte man aus den Bergen heraus kommen. Früher oder später wäre Massart ohne deren Schutz. Sicher. Die Hypothese mit der Werkstatt in Loubas klang interessant. Aber vielleicht täuschten sie sich alle. Vielleicht folgte Massart überhaupt keiner Route und suchte auch kein Auto. Vielleicht blieb er auf ewig im Mercantour versteckt. Jetzt, wo Camille dieses riesige Gebiet vor Augen hatte, das so verlassen war wie zu Anbeginn der Welt, hielt sie das für möglich. Siebzig Kilometer Felsen und fast unberührte Wälder und noch viel mehr, wenn man alle Abhänge und Schluchten, alle Ecken und Winkel dazuzählte. Hundertmal mehr, tausendmal mehr. Massart konnte über ein ungeheuer großes menschenleeres Gebiet verfügen und mußte nur seine Fangzähne aufreißen, um Wasser, Fleisch und Opfer in Hülle und Fülle vorzufinden.

Das Problem war die Kälte. Camille zog ihre Jacke enger um sich. Jetzt, wo es ganz dunkel geworden war, herrschten nur noch zehn Grad, und um vier Uhr morgens wären es nur noch sechs, hatte der Wacher angekündigt. Und es war Ende Juni. Sie streckte ihren Arm nach dem Weißwein von Saint-Victor aus und schenkte sich noch einen Schluck ein. Würde Massart es bei der Kälte aushalten? Monatelang im Schnee? Nur von seinem Wolfspelz geschützt? Er könnte Feuer machen, aber das Feuer würde ihn verraten.

Also würde er frieren. Also würde er früher oder später aus dem Mercantour herauskommen, aber eben nicht unbedingt morgen in Loubas, wie es für den Wacher und Soliman unzweifelhaft festzustehen schien. Deren Sicherheit überraschte Camille. Die beiden waren sowohl vom Erfolg als auch vom Sinn und Zweck ihrer Unternehmung überzeugt. Während ihr die ganze Verfolgungsjagd manchmal vernünftig und vertretbar und manchmal absurd und sinnlos vorkam.

Vielleicht würde Massart das Massiv erst bei der ersten Kälte im Oktober verlassen. Würden sie bis dahin, in vier Monaten, vor Loubas im Viehtransporter kampieren? Niemand sprach davon, niemand erwähnte den unsicheren Ausgang dieser Reise. Wenn sie einen Wolf mit Sender verfolgen würden, wären sie auch nicht sicherer. Camille schüttelte im Dunkeln den Kopf, stellte den Kragen ihrer Jacke hoch und nahm einen Schluck von dem heimtückischen Wein. Sie war von gar nichts überzeugt. Sie sah die Geschichte nicht mit der Ungezwungenheit auf sich zukommen, wie es der Greis und das Kind taten. Sie sah etwas Dunkleres, Chaotischeres, im Grunde etwas Schrecklicheres als diese klar vorherbestimmte Fährtensuche, an die sie sich, die Landkarte in der Hand, klammerten.

Und etwas Gefährlicheres. Camille hielt das Fernglas vor ihre Augen. Man konnte an den felsigen, pechschwarzen Abhängen nicht das Geringste erkennen. Massart konnte mitsamt dem Wolf zehn Schritte von ihr entfernt vorbeischleichen, und sie würde es nicht einmal bemerken. Der Hund beruhigte sie. Er würde ihn wittern, bevor Massart mit seinen Tieren über ihr wäre. Camille kraulte sein Fell. Es war zwar ein Hund, der nach Hund stank, schon klar, aber sie war ihm dankbar dafür, daß er sich auf ihren Stiefeln zusammengerollt hatte. Wie hieß der Hund noch gleich? Inberbolt? Insterstock? Was für eine seltsame Angewohnheit, sich auf die Schuhe der Leute zu legen!

Sie knipste die Taschenlampe an, warf einen Blick auf ihre Uhr und machte sie wieder aus. In einer Viertelstunde würde sie Soliman wecken.

Die linke Hand auf dem Hundefell, die rechte um das Glas gelegt, heftete sie den Blick auf den Berg. Der Berg machte sich keine Mühe, sie anzusehen. Er ignorierte sie schlicht.

21

Die Abfahrt vom Mercantour ins Tal in der Morgendämmerung war kaum leichter als der Aufstieg und fast ebenso lang. Kurz vor sechs Uhr parkte Camille mit schmerzenden Armen und kaputtem Rücken den Viehtransporter dreißig Meter vor der Werkstatt des Cousins in Loubas. Jetzt mußte man nur noch warten, bis Massart auftauchte.

Niemand hatte seine Silhouette in den Bergen entdekken können, der Hund hatte die ganze Nacht nicht geknurrt. Massart mußte in großer Entfernung vorbeigekommen sein, hatte der Wacher vermutet.

Camille stieg aus, um Kaffee zu kochen. Ihre Augen brannten leicht. Ihr kam es so vor, als ob der Wacher während der fünf Stunden, die sie gemeinsam schlafend im Laster verbracht hatten, ganz schön geschnarcht hätte, aber das hatte sie nicht besonders gestört. Sie hatte auf dem alten Sprungfederbett in diesem mit Wollschweiß eingefetteten Laster im großen und ganzen nicht schlecht geschlafen. Der Geruch hatte sich auch bei der Kälte nicht verflüchtigt. Diese Geschichte mit dem Gestank, der verfliegt, war ganz einfach ein Wunschtraum von Buteil, ein Märchen, so wie das von den fliegenden Teppichen. In ihrer Erinnerung an die Nacht sah sie einen bedrohlichen Traum vor sich und hörte Geräusche, wie von jemandem, der gegen den Lastwagen schlägt. Aber im Innern war alles ruhig geblieben, und Soliman, der zwanzig Schritte entfernt Wache geschoben hatte, hatte nichts bemerkt. Irvektor, oder wie der Hund auch immer hieß, auch nicht. Vielleicht der Wacher, der einmal aufgestanden war, weil er nicht schlafen konnte. Er hatte gesagt, daß er in manchen Nächten inmitten seiner Schafe bis zum Morgengrauen wachbleibe. Camille nahm die volle Kaffeekanne, Zucker und drei Blechtassen mit.

»Was versteht man eigentlich genau unter ›Wollschweiß‹?« fragte sie, als sie in die Fahrerkabine zurückkletterte. »Schweiß? Talg?«

»›Wollschweiß‹«, antwortete Soliman sofort. »›Ölige Flüssigkeit, die Wolltiere ausschwitzen.‹«

»Ah, danke«, erwiderte Camille.

Soliman machte den Mund zu, wie man ein Buch zuklappt, und alle drei hefteten ihren Blick wieder schweigend auf das Blechtor der Werkstatt. Soliman wollte, daß sechs Augen wachten statt nur zwei. Falls plötzlich ein Auto herausfahren sollte, wären sie in der Lage, zusammen alle entscheidenden Einzelheiten zu erfassen. Soliman hatte die Aufgaben verteilt: Camille sollte sich das Gesicht des Fahrers merken und nichts anderes, der Wacher Marke und Farbe des Autos, er selbst das Kennzeichen. Danach würden sie alles zusammensetzen.

»Zu Beginn der Welt«, meinte Soliman, »hatte der Mensch drei Augen.«

»Scheiße«, sagte der Wacher. »Geh uns nicht mit deinen Geschichten auf die Nerven. Halt einfach die Klappe.«

»Er konnte alles sehen«, fuhr Soliman unbeirrt fort. »Er sah sehr weit und sehr klar, er sah bei Nacht, und er sah die Farben unterhalb von Rot und oberhalb von Lila. Aber er konnte nicht in die Gedanken seiner Frau hineinsehen, und das machte ihn sehr traurig und manchmal verrückt. Deshalb begab er sich zum Gott des Sumpfes und trug seine Bitte vor. Dieser warnte ihn, aber der Mann bat ihn so inständig, daß der Gott es schließlich leid war und nachgab. Von diesem Tag an hatte der Mann nur noch zwei

Augen und konnte in die Gedanken seiner Frau hineinsehen. Und was er dort entdeckte, erstaunte ihn so sehr, daß er den Rest der Welt nicht mehr klar sehen konnte. Das ist der Grund dafür, warum die Menschen bis in unsere Tage hinein schlecht sehen.«

Camille drehte sich ein wenig verwirrt zu Soliman um.

»Er erfindet das alles«, sagte der Wacher gereizt und müde. »Er erfindet dämliche afrikanische Geschichten, um die Welt zu erklären. Dabei erklärt das gar nichts.«

»Man kann nie wissen«, sagte Camille.

»Gar nichts«, wiederholte der Wacher. »Es macht sie nur noch komplizierter.«

»Laß die Werkstatt nicht aus den Augen, Camille«, sagte Soliman. »Es macht sie gar nicht komplizierter«, entgegnete er dem Wacher. »Es erklärt nur, warum man zu dritt sein muß, um eine einzige Sache zu sehen. Das macht alles klarer.«

»Das denkst du dir so«, sagte der Wacher.

Um zehn Uhr war noch kein Auto aufgetaucht. Camille, der der Rücken weh tat, hatte sich die Freiheit genommen, auf der kleinen Straße ein paar Schritte zu gehen. Gegen Mittag begann selbst der Wacher den Mut zu verlieren.

»Wir haben ihn verpaßt«, sagte Soliman düster.

»Er ist schon durch«, erwiderte der Wacher. »Oder er ist noch da oben.«

»Er kann wochenlang da oben bleiben«, bemerkte Camille.

»Nein«, wandte Soliman ein. »Er wird sich rühren.«

»Wenn er ein Auto hat, ist er nicht mehr gezwungen, sich nachts fortzubewegen. Er kann tagsüber fahren. Er kann um fünf Uhr abends aus dieser Garage herauskommen, aber genausogut auch erst im Herbst.«

»Nein«, wiederholte Soliman. »Er wird sich nachts fortbewegen und tags schlafen. Man könnte seine Viecher hören, den heulenden Wolf. Das ist zu riskant. Und außerdem ist er ein Nachtmensch.«

»Was warten wir also hier auf ihn, mitten am Tag?« fragte Camille.

Soliman zuckte mit den Achseln.

»›Hoffnung‹«, sagte er.

»Mach das Radio an«, unterbrach ihn Camille. »In der Nacht von Dienstag auf Mittwoch hat er nicht angegriffen, vielleicht hat er's diese Nacht getan. Such einen Sender von hier.«

Soliman drehte eine Weile am Radio. Der Ton kam und verschwand, es knisterte.

»Verdammte Berge«, murmelte er.

»Respekt vor den Bergen, Sol«, sagte der Wacher.

»Ja«, erwiderte Soliman.

Er bekam einen Sender rein, zunächst leise, dann stellte er ihn lauter.

»...terinärmediziner, der die vorherigen Opfer untersucht hatte, hat Grund zu der Annahme, daß es sich um dasselbe Tier handelt, einen Wolf von ungewöhnlicher Größe. Das Tier hatte, wie bereits gemeldet, im Verlauf der vergangenen Tage mehrere Schäfereien angegriffen und den Tod von Suzanne Rosselin verursacht, einer Bewohnerin von Saint-Victor-du-Mont, die versucht hatte, den Wolf zu erschießen. Diesmal soll er im Lauf der vergangenen Nacht am Tête du Cavalier bei Fours im Departement Alpes-de-Haute-Provence seine Untaten fortgesetzt und fünf Schafe der dortigen Herde angegriffen haben. Die Aufseher des Mercantour-Naturparks sind sich einig, daß es sich um einen jungen Rüden auf der Suche nach einem neuen Revier handelt, und sie hoffen, daß bis ...«

Camille streckte rasch den Arm aus, um nach der Karte zu greifen.

»Zeig mir, wo dieser Tête du Cavalier ist«, sagte sie zu Soliman.

»Auf der anderen Seite des Mercantour, ganz im Norden. Er hat das Massiv überquert.«

Mit ausladenden Bewegungen faltete Soliman die Karte auseinander und legte sie Camille auf die Knie.

»Da«, sagte er, »bei den Almen. Er liegt auf der roten Strecke, auf der, die er zwei Kilometer abseits der Landstraße eingezeichnet hat.«

»Er ist vor uns«, sagte Camille. »Verdammt, er ist acht Kilometer vor uns.«

»Scheiße«, sagte der Wacher.

»Was machen wir?« fragte Soliman.

»Wir heften uns an seine Fersen«, erwiderte der Wacher.

»Moment«, unterbrach sie Camille.

Mit gerunzelter Stirn stellte sie erneut das leise vor sich hin laufende Radio lauter. Soliman wollte etwas sagen, aber Camille hob die Hand.

»Moment«, wiederholte sie.

»... die die Polizei benachrichtigte, als er nicht zurückkam. Das sechsundsechzigjährige Opfer, Jacques-Jean Sernot, ein pensionierter Lehrer, wurde in den frühen Morgenstunden schrecklich verstümmelt auf einem Feldweg in der Nähe von Sautrey gefunden, einem Dorf im Departement Isère. Sein Mörder soll ihm die Kehle durchgeschnitten haben. Nach Auskunft von Familie und Bekannten war Jacques-Jean Sernot ein friedfertiger Mensch, und die Umstände des Dramas sind derzeit ungeklärt. Die Staatsanwaltschaft von Grenoble hat polizeiliche Ermittlungen angeordnet und ist der Ansicht, daß die Einzelheiten ...«

»Das betrifft uns nicht«, bemerkte Soliman und sprang aus dem Laster. »Sautrey ist ein kleines Kaff am Ende der Welt, südlich von Grenoble.«

»Wie machst du es, daß du die gesamte Gegend kennst?«

»Das Lexikon«, erwiderte Soliman, während er mühelos das an der Seite des Lastwagens hängende Mofa von der Halterung nahm.

»Zeig mir das auf der Karte«, sagte Camille.

»Da«, sagte Soliman und deutete mit dem Finger darauf. »Das betrifft uns nicht, Camille. Wir werden uns nicht alle Morde des Landes aufhalsen. Das ist mindestens hundertzwanzig Kilometer entfernt.«

»Vielleicht hast du recht. Aber immerhin liegt es auf Massarts Strecke, und dem Typen ist die Kehle durchgeschnitten worden.«

»Na und? Kehle durchschneiden oder erwürgen ist immer noch die beste Methode, wenn du keine Knarre hast. Laß diesen Sernot, verzettel dich nicht, uns interessieren die Schafe. Er ist am Tête du Cavalier vorbei. Vielleicht haben sie dort seinen Wagen gesehen.«

Soliman schob sein Mofa ein paar Meter an, um es zu starten.

»Wartet am Dorfausgang auf mich«, rief er, »ich kauf ein paar Sachen. Wasser, Öl, Essen. Wir essen dann unterwegs.«

»›Vorsorge‹«, sagte er, während er losfuhr, »›Fähigkeit, vorauszuschauen. Das daraus resultierende Verhalten.‹«

Um halb zwei stellte Camille den Viehtransporter am Eingang von Le Plaisse ab, dem Weiler, der den Weideplätzen vom Tête du Cavalier am nächsten lag, am Rande der D 900. In Le Plaisse gab es eine alte Kirche mit Blechdach, ein Café und etwa zwanzig armselige Häuser aus Steinen, Brettern und Hohlblocksteinen. Das Café überlebte dank der Gaben der Einwohner, die Einwohner überlebten dank der Anziehungskraft des Cafés. Camille hoffte, daß ein nachts am Straßenrand anhaltendes Auto hier bemerkt würde.

Der Wacher stieß mit stolzer Miene die Tür zum Café auf. Seitdem sie den Col de la Bonette überquert hatten, war er am äußersten Ende seines Territoriums angelangt, und Herzlichkeit war hier nicht angebracht. Er hielt es für zweckmäßig, Fremde vor jedem möglichen Kontakt auf Distanz zu halten und ihnen gegenüber mißtrauisch zu sein. Er grüßte den Wirt mit einem kurzen Zeichen. Dann wanderte sein Blick rasch durch den kleinen, düsteren Raum, in dem sechs oder sieben Männer zu Mittag aßen, und blieb auf einem Mann in der Ecke haften, der ebenso weißes Haar hatte wie er selbst und eine Schirmmütze trug, eine gebeugte Gestalt mit starrem Blick, die Faust um ein Glas Wein geschlossen.

»Hol einen Weißwein aus dem Laster«, befahl der Wacher Soliman mit einer Kopfbewegung. »Ich kenne den Typen. Das ist Michelet, der Schäfer von Le Seignol, er wandert mit seinen Schafen häufig am Tête du Cavalier.«

Der Wacher setzte würdevoll seinen Hut ab, nahm Camille bei der Hand – es war das erste Mal, daß er sie berührte – und bewegte sich etwas hochmütig auf den Tisch des Schäfers zu.

»Ein Schäfer, dem ein Schaf gerissen wurde«, sagte er zu Camille, ohne sie loszulassen, »ist nicht mehr derselbe Mann. Er wird niemals mehr derselbe Mann sein. Er ist verändert, und man kann nichts machen.«

Der Wacher setzte sich an den Tisch des zusammengesunkenen Schäfers und streckte ihm dabei die Hand hin.

»Fünf Tiere, stimmt's?« sagte er.

Michelet warf ihm einen leeren, ungläubigen Blick zu, in dem Camille echte Verzweiflung las. Er hob nur die fünf Finger seiner linken Hand, wie zur Bestätigung, während seine Lippen schweigend Worte formulierten. Der Wacher legte ihm die Hand auf die Schulter.

»Mutterschafe?«

Der Schäfer nickte und preßte die Lippen zusammen.

»Harter Schlag«, erwiderte der Wacher.

In diesem Moment kam Soliman herein und stellte die Flasche auf den Tisch. Wortlos nahm der Wacher Michelets Glas, schüttete mit einer gebieterischen Geste den Inhalt durchs Fenster nach draußen und öffnete die Weißweinflasche.

»Du leerst jetzt in einem Zug zwei Gläser«, erklärte er. »Wir reden danach.«

»Willst du denn reden?«

»Ja.«

»Das kommt nicht oft vor.«

»Nein. Das kommt nicht oft vor. Trink.«

»Ist das ein Saint-Victor?«

»Ja. Trink.«

Der Schäfer stürzte zwei bauchige Rotweingläser hinunter, und der Wacher schenkte ihm ein drittes ein.

»Das hier trinkst du jetzt langsam«, sagte er. »Hol uns Gläser, Sol.«

Michelet warf Soliman einen mißbilligenden Blick nach. Er gehörte zu denen, die es noch nicht verdaut hatten, daß ein Schwarzer sich in die Provence und die Schafzucht einmischte. Wenn das der Nachwuchs sein sollte, na, dann könnte man sich auf was gefaßt machen. Aber er war klug genug, dem Wacher gegenüber die Klappe zu halten, weil im Umkreis von fünfzig Kilometern bekannt war, daß jeder, der Soliman zu kritisieren wagte, des Wachers Messer kennenlernen würde.

Der Wacher war fertig mit Einschenken und stellte die Flasche auf den Tisch.

»Hast du was gesehen?« fragte er.

»Erst heute morgen. Als ich wieder auf die Alm hoch bin, habe ich sie auf der Erde liegen sehen. Dieser Dreckskerl hat sie nicht mal gefressen. Er hat ihnen die Kehle durchgebissen, das war alles. Als ob er Spaß daran hätte. Ein brutales Vieh, Wacher, ein sehr brutales Vieh.«

»Ich weiß«, sagte der Wacher. »Er hat Suzanne erwischt. War er's? Würdest du das beschwören?«

»Bei meinem Haupte. Wunden wie mein Arm«, sagte der Schäfer und zog seinen Ärmel hoch.

»Um wieviel Uhr bist du gestern von der Alm runtergekommen?«

»Um zehn.«

»Hast du jemanden im Dorf gesehen? Ein Auto?«

»Fremde, meinst du?«

»Ja.«

»Niemand, Wacher.«

»Nichts auf der Straße?«

»Nichts.«

»Kennst du Massart?«

»Den Krummen vom Mont Vence?«

»Ja.«

»Ich seh ihn manchmal hier und da bei der Messe. Er geht nicht bei euch zur Kirche. Und er kommt immer zur Johannisprozession.«

»Bigott?«

Michelet wandte den Blick ab.

»Auf Les Écarts achtet ihr nichts, weder Eva noch Adam. Warum suchst du nach Massart?«

»Er ist seit fünf Tagen verschwunden.«

»Gibt es einen Zusammenhang?«

Der Wacher nickte.

»Was willst du damit sagen? Mit dem Tier?« fragte Michelet.

»Wir wissen es eben nicht genau. Wir suchen.«

Michelet trank einen Schluck Weißwein, pfiff durch die Zähne.

»Hast du ihn hier gesehen?«

»Nicht seit der Messe vorigen Sonntag.«

»Erzähl von den Prozessionen. Ist er bigott?«

Michelet verzog das Gesicht.

»Sagen wir, übler als das. Abergläubisch halt. Übertrieben freundlich, Schleimereien halt. Du weißt schon.«

»Ich weiß nicht viel. Aber ich weiß, was so geredet wird. Daß das Fleisch ihm in den Kopf gestiegen sein soll. Daß seine Arbeit im Schlachthof so an ihm genagt haben soll, daß er der Frömmigkeit verfallen sein soll.«

»Ich kann dir sagen, daß der Typ besser dran getan hätte, Mönch zu werden. Es heißt, er hätte nie eine Frau angerührt.«

Der Wacher schenkte eine weitere Runde ein.

»Ich hab noch nie erlebt, daß er eine Messe versäumt hätte«, fuhr Michelet fort. »Jede Woche fünfzehn Francs für Kerzen.«

»Sind das viele Kerzen?«

»Fünf«, antwortete Michelet und hob die Finger seiner Hand wie bei den getöteten Schafen. »Er ordnet sie in Form eines M an, so«, fügte er hinzu und zeichnete ein M auf den Tisch. »M wie ›Massart‹, ›Mein Gott‹, ›Miserere‹, was weiß ich, ich hab ihn nicht danach gefragt. Ist mir schnurz. Schleimereien halt. Im Chorgang macht er komplizierte Schritte, vorwärts, zurück, wer weiß, was in seinem Hirn vorgeht, irgendwas nicht sehr Christliches, das kannst du mir glauben, und dann fummelt er am Weihwasserbecken rum. Schleimereien ohne Ende. Du weißt schon.«

»Würdest du sagen, daß er verrückt ist?«

»Verrückt nicht, aber schon eigenartig. Schon eigenartig. Aber harmlos. Hat nie einer Fliege was zuleide getan.«

»Hat aber auch noch nie was Gutes getan, wie?«

»Auch nicht«, räumte Michelet ein. »Jedenfalls redet er mit niemandem. Was hast du damit zu schaffen, daß er verschwunden ist?«

»Wir scheißen drauf, ob er verschwunden ist.«

»Ja und? Warum suchst du ihn dann?«

»Er war's, der deine Schafe gefressen hat.«

Michelet machte große Augen, und der Wacher legte ihm die Hand fest auf den Arm.

»Behalt das für dich. Das bleibt unter Schäfern.«

»Was willst du damit sagen? Ein Werwolf?« murmelte Michelet.

Der Wacher nickte.

»Ja. Ist dir noch nie was aufgefallen?«

»Eine Sache.«

»Was?«

»Er ist unbehaart.«

Die beiden Männern schwiegen, während Michelet die Information verarbeitete. Camille seufzte und leerte ihr Glas Weißwein.

»Und du bist hinter ihm her?«

»Ja.«

»Mit den beiden?«

»Ja.«

»Das Mädchen kenne ich nicht«, bemerkte Michelet mit mißbilligendem Gesichtsausdruck.

»Sie ist eine Fremde«, erklärte der Wacher. »Sie kommt aus dem Norden.«

Michelet grüßte Camille reserviert mit seiner Mütze.

»Sie fährt den Viehtransporter«, fügte der Wacher hinzu.

Nachdenklich betrachtete Michelet Camille, dann Soliman. Er war der Ansicht, daß der Wacher sich in recht eigenartiger Begleitung befand. Aber er konnte nichts sagen. Niemand sagte dem Wacher etwas, weder in bezug auf Soliman noch auf Suzanne, noch auf Frauen oder irgend etwas anderes. Wegen des Messers.

Michelet betrachtete ihn, wie er seinen Hut wieder aufsetzte und aufstand.

»Danke«, sagte der Wacher mit einem kurzen Lächeln.

»Sag den Schäfern Bescheid. Sag ihnen, daß der Wolf sich nach Osten Richtung Gap und Veynes bewegt und dann nach Norden Richtung Grenoble ziehen wird. Sie sollen nachts bei den Tieren bleiben. Und ihr Gewehr mitnehmen.«

»Wir verstehen uns.«

»Gut möglich.«

»Woher weißt du soviel über ihn?«

Der Wacher verzichtete auf eine Antwort und begab sich zur Bar. Soliman ging hinaus, um am Brunnen Wasser zu pumpen. Es war zwei Uhr. Camille ging zurück zum Laster, setzte sich auf ihren Sitz und machte das Radio an.

Eine Viertelstunde später hörte sie, wie Soliman den Schlauch der Wasserpumpe hinten am Laster aufrollte und der Wacher bei den Weißweinflaschen herumstöberte. Sie verließ die Fahrerkabine, kletterte in den Laster und setzte sich auf Solimans Bett.

»Wir verlassen das Nest hier«, sagte der Wacher und setzte sich Camille gegenüber. »Niemand hat niemanden gesehen. Kein Massart, kein Auto, kein Wolf.«

»Rein gar nichts«, bestätigte Soliman und setzte sich seinerseits neben Camille.

Die Hitze im Viehtransporter nahm zu. Die Planen waren über die Sichtfenster hochgezogen worden und ließen einen schwachen Luftstrom durch. Soliman beobachtete, wie Camilles Haare sich bewegten wie beim Atmen.

»Da wäre schon noch was«, sagte Soliman. »Das, was Michelet gesagt hat.«

»Michelet ist ein Rüpel«, bemerkte der Wacher hochmütig. »Er war unhöflich zu der jungen Frau.«

Er holte seinen Tabak hervor und drehte drei Zigaretten. Er leckte das Papier mehrmals an, drückte zu und hielt Camille eine hin. Mit einem Gedanken an Lawrence führte Camille sie an ihre Lippen.

»Das, was er über die Bigotterie von Massart gesagt hat«, fuhr Soliman fort. »Die Sache mit den Kerzen. Möglich, daß Massart weder auf Kirchen noch auf Kerzen verzichten kann, vor allem wenn er gemordet hat. Möglich, daß er zur Buße irgendwo welche aufgestellt hat.«

»Wie würdest du wissen, daß es seine Kerzen sind?«

»Michelet sagt, daß er immer fünf davon in Form eines M aufstellt.«

»Hast du die Absicht, alle Kirchen auf der Strecke abzuklappern?«

»Das wäre eine Möglichkeit, ihn ausfindig zu machen. Er dürfte nicht sehr weit von hier sein. Zehn, maximal fünfzehn Kilometer.«

Schweigend dachte Camille nach, die Arme auf die Knie gestützt, und zog an ihrer Zigarette.

»Ich glaube, er ist weit entfernt«, sagte sie. »Ich glaube, er ist derjenige, der den Rentner in Sautrey umgebracht hat.«

»Verdammt«, erwiderte Soliman. »Er ist nicht der einzige Verrückte im Land. Was soll er mit diesem Rentner zu tun haben?«

»Das, was er mit Suzanne zu tun hatte.«

»Suzanne hatte ihn durchschaut, und er hat ihr eine Falle gestellt. Warum soll ein Rentner aus Sautrey den Werwolf durchschaut haben?«

»Er hat ihn vielleicht überrascht.«

»Der Blutsauger tötet nur Weibchen«, brummte der Wacher. »Massart würde sich nicht für alte Typen interessieren. Nicht im geringsten, junge Frau.«

»Ja. Das sagt Lawrence auch.«

»Also ist das geklärt«, sagte Soliman. »Wir durchsuchen die Kirchen.«

»Ich fahre nach Sautrey«, erklärte Camille und drückte ihre Zigarette auf dem schwarzen Boden des Viehtransporters aus.

»He«, sagte Soliman. »Nicht auf den Boden.«

Camille nahm die Kippe vom Boden und warf sie durch das Sichtfenster.

»Wir fahren nicht nach Sautrey«, sagte Soliman.

»Wir fahren nach Sautrey, weil ich den Laster fahre. Ich habe die Zwei-Uhr-Nachrichten gehört. Sernot ist auf besondere Weise umgebracht worden, ihm wurde mit irgendwas die Kehle zerfetzt. Sie reden von einem streunenden Hund. Sie haben die Verbindung zum Wolf vom Mercantour noch nicht hergestellt.«

»Das ändert eine ganze Menge«, murmelte der Wacher.

»Um wieviel Uhr war das?« fragte Soliman und stand auf. »Es kann nicht vor drei gewesen sein. Die Schafe hier wurden gegen zwei Uhr morgens getötet, nach Aussage des Veterinärmediziners.«

»Sie haben keine Uhrzeit genannt.«

»Und der Rentner? Was hat der draußen gemacht?«

»Wir fahren hin und fragen«, erwiderte Camille.

22

Um nach Sautrey zu gelangen, mußte Camille den Viehtransporter zu einem weiteren Paß hinaufsteuern. Aber die Straße war weniger steil, breiter, nicht so kurvenreich, und die Kurven waren nicht so eng. Die letzten Überreste der Provence waren aus dem Gebirge verschwunden, und zehn Kilometer vor dem Col de la Croix-Haute tauchten sie in eine feuchte, wattige Nebelzone ein. Soliman und der Wacher betraten fremdes Land, und sie prüften es so neugierig wie mißtrauisch. Es herrschte eingeschränkte Sicht, der Laster kam nur langsam voran. Der Wacher warf den niedrigen, langen flachen Häusern an den dunklen Hängen hochmütige Blicke zu. Um vier überquerte Camille den Paß und erreichte eine halbe Stunde später Sautrey.

»Lauter Holzstapel, lauter Holzstapel«, brummte der Wacher. »Was machen die mit dem ganzen Holz?«

»Sie heizen fast das ganze Jahr«, antwortete Camille.

Der Wacher schüttelte mitleidig und verständnislos den Kopf.

Kurz vor acht Uhr abends schloß der Cafébesitzer von Sautrey die Tür seines Cafés ab. Ein dicker Hund mit kurzem Haar lief ihm durch die Beine. Jetzt wurde gegessen.

»Sieh dir das an, Hund«, sagte der Cafébesitzer, »das ist doch nicht normal, daß so ein Mädchen einen Laster fährt. Das verheißt nichts Gutes. Findest du nicht, daß die beiden anderen Mützen, die dabei sind, fahren könnten? Was für ein Elend, so was zu sehen. Oder, Hund? Unglaublich, wie verrottet dieser Viehtransporter ist. Und dann die Frau, die da drin schläft – mit einem Schwarzen und einem Opa ...«

Der Cafébesitzer seufzte und hängte sein Tuch an das Tellerbuffet.

»Na, Hund?« fuhr er fort. »Was meinst du, mit wem schläft sie? Du wirst doch wohl nicht behaupten wollen, daß sie mit keinem schläft, das würde ich dir nicht abnehmen. Vielleicht wirklich mit dem Schwarzen. Die ist ja nicht gerade zimperlich. Der Schwarze sieht sie an, als wär sie eine Göttin. Was wollen die drei eigentlich hier, was nerven die die Leute den lieben langen Tag mit ihren Fragen? Was geht die der alte Sernot an? Du weißt es nicht? Na, ich auch nicht.«

Er machte das letzte Licht aus und ging hinaus, während er sich seine Jacke zuknöpfte. Die Temperatur war auf unter zehn Grad gefallen.

»Na, Hund? Das ist doch nicht normal, daß Leute so viele Fragen über einen Toten stellen.«

Wegen der Kälte und des Windes hatte Soliman den Tisch im Laster gedeckt, auf der Kiste, die zwischen die beiden Betten gezwängt worden war. Camille überließ Soliman die Küchenarbeit. Er kümmerte sich um das Mofa, die Verpflegung und das Wasser. Sie hielt ihren Teller hin.

»Fleisch, Tomaten, Zwiebeln«, verkündete Soliman.

Der Wacher entkorkte eine Flasche Weißwein.

»Früher, zu Anbeginn der Welt«, begann Soliman, »haben die Menschen nicht gekocht.«

»Ach, verdammt«, sagte der Wacher.

»Und so war es für alle Tiere der Erde.«

»Ja, ja«, unterbrach ihn der Wacher und schenkte Wein ein. »Adam und Eva haben miteinander geschlafen, und dann haben sie sich abrackern und sich ihr ganzes Leben was zu essen machen müssen.«

»Keineswegs«, erwiderte Soliman. »Die Geschichte geht anders.«

»Du erfindest deine Geschichten doch.«

»Na und? Kennst du eine andere Methode?«

Camille fröstelte und ging in den hinteren Teil des Lastwagens, um sich einen Pullover zu holen. Es regnete nicht, aber in diesem Nebel fror man wie in feuchter Kleidung.

»Überall befand sich Nahrung in ihrer unmittelbaren Nähe«, fuhr Soliman fort. »Der Mensch nahm alles für sich allein, und die Krokodile beklagten sich über seine egoistische Gefräßigkeit. Um sich ein klares Bild zu verschaffen, nahm der Gott des stinkenden Sumpfs die Gestalt eines Krokodils an und ging hin, um die Situation selbst zu überprüfen. Nachdem er drei Tage Hunger gelitten hatte, rief der Gott des Sumpfes den Menschen zu sich und sagte: ›Von jetzt an sollst du teilen, Mensch.‹ – ›Aber rein gar nicht‹, antwortete der Mensch. ›Ich scheiß auf die anderen.‹ Daraufhin geriet der Gott des Sumpfs in schreckliche Wut und nahm dem Menschen den Geschmack am Blut, an frischem und rohem Fleisch. Von dem Tage an mußte der Mensch alles kochen, was er zum Munde führen wollte. Das brauchte viel Zeit, und die Krokodile hatten in ihrem Reich des rohen Fleischs Ruhe.«

»Warum nicht«, sagte Camille.

»Daraufhin übergab der gedemütigte Mensch, der zur einzigen Kreatur geworden war, die Gekochtes ißt, die ganze Arbeit der Frau. Nur ich nicht, ich, Soliman Melchior, weil ich gut geblieben bin, weil ich schwarz geblieben bin und weil ich keine Frau habe.«

»Also gut«, sagte Camille.

Soliman schwieg und leerte seinen Teller.

»Nicht sehr gesprächig, die Leute hier«, bemerkte er dann.

Er hielt dem Wacher sein Glas hin.

»Weil sie Angst haben«, erwiderte der Wacher, während er ihm einschenkte.

»Sie haben kein Wort von sich gegeben.«

»Weil sie nichts zu sagen haben«, sagte Camille. »Sie wissen nicht mehr als wir. Sie haben Radio gehört, nicht mehr. Wenn sie etwas wüßten, würden sie es sagen. Kennst du auch nur einen Menschen, der etwas weiß und es nicht sagt? Nur einen einzigen?«

»Nein.«

»Na, siehst du. Alles, was sie wissen, haben sie gesagt. Daß der Typ Lehrer in Grenoble war, daß er vor drei Jahren hier in Rente gegangen ist.«

»Hier in Rente gegangen ...«, wiederholte der Wacher nachdenklich.

»Das ist das Dorf seiner Frau.«

»Das ist keine Entschuldigung.«

»Alles gerät ins Stocken«, bemerkte Soliman. »Wir verfaulen hier wie eine Feige, die vom Baum gefallen ist. Stimmt doch, oder?«

»Wir werden doch wohl nicht zwischen diesen Holzhaufen hier steckenbleiben«, sagte der Wacher. »Wir machen weiter mit dem Rod-Muwie. Wir heften uns an seine Fersen.«

»Red nicht so einen Schrott«, rief Soliman. »Wir wissen doch nicht mal, wo seine Fersen sind, verdammt! Ob sie hier sind, vor uns, hinter uns oder in der Kirche!«

»Reg dich nicht auf, Junge.«

»Aber kapier's doch! Merkst du nicht, daß wir den Faden verlieren? Daß wir nicht mal mehr ein Knäuel in der Hand haben? Daß wir keinerlei Möglichkeit haben, rauszufinden, ob es wirklich Massart war, der Sernot die Kehle aufgeschlitzt hat? Womöglich wissen die Bullen schon, wer's war, vielleicht sein Sohn, vielleicht seine Frau? Und was machen wir währenddessen in diesem Laster?«

»Wir essen und trinken«, sagte Camille.

Der Wacher schenkte ihr ein.

»Vorsicht«, sagte er. »Der ist heimtückisch.«

»Wir haben keine Ahnung!« rief Soliman, der sich immer mehr erregte. »Wir haben keine Ahnung, das aber mit Geduld und Hartnäckigkeit. Wir verbringen Stunden und Stunden damit, keine Ahnung zu haben. Und die ganze kommende Nacht ist eine lange Nacht ohne Ahnung.«

»Beruhige dich«, sagte der Wacher.

Soliman zögerte, dann ließ er seine Arme auf die Knie fallen. »›Unwissenheit‹«, erklärte er mit etwas ruhigerer Stimme. »›Allgemeiner Mangel an Wissen, Nichtvorhandensein von Kenntnis.‹«

»Genau das«, bemerkte Camille.

Der Wacher machte sich daran, drei Zigaretten zu drehen, anzulecken und anzudrücken.

»Wir müssen hier abziehen«, sagte er. »Wir brauchen nur zu den Bullen zu gehen, die sich um diesen Sernot kümmern. Wo sitzen die?«

»In Villard-de-Lans.«

Soliman zuckte mit den Schultern.

»Glaubst du etwa, daß die Bullen uns mal eben so ihre Informationen mitteilen? Daß sie uns mal eben so erzählen, was der Arzt gesagt hat? Mir vielleicht? Dir? Ihr?«

»Nein«, erwiderte der Wacher und verzog das Gesicht. »Ich glaube, daß sie uns schnell mal nach unseren Papieren fragen und uns dann rausschmeißen.«

Er streckte Camille die eine, Soliman die andere Zigarette hin.

»Und wir können ihnen auch nicht sagen, daß wir hinter Massart her sind, nicht wahr?« fuhr Soliman fort. »Was meinst du wohl, was die Bullen mit einem Schwarzen, einem Alten und einer Lasterfahrerin machen, die hinter einem Unschuldigen her sind, um ihm die Meinung zu sagen?«

»Sie behalten sie gerade da.«

»Ganz genau.«

Soliman schwieg erneut und zog an seiner Zigarette.

»Drei Unwissende«, sagte er nach einer Weile kopfschüttelnd. »Die drei Unwissenden aus der Fabel.«

»Was für eine Fabel?« fragte Camille.

»Eine Fabel, die ich mir ausdenken werde und die ›Die drei Unwissenden‹ heißen wird.«

»Ach so.«

Soliman stand auf und ging auf und ab, die Hände hinter dem Rücken verschränkt.

»Was wir bräuchten«, sagte er schließlich, »ein besonderer Bulle. Einen ganz besonderen Bullen. Einen Bullen, der uns alle Informationen rausrückt, ohne uns zu nerven und uns daran zu hindern, dem Blutsauger hinterherzurennen.«

»Mach dir keine Hoffnungen«, bemerkte der Wacher.

»›Illusion‹«, sagte Soliman. »Falsche Vorstellung. Einbildung.«

»Ja.«

»Aber ohne Illusion ist alles perdu. Ohne Illusion sind wir zu nichts mehr gut.«

Der junge Mann öffnete die Tür des Lasters und warf seine Kippe hinaus. Camille nahm ihre und warf sie aus dem Sichtfenster.

»Ich kenne eine Illusion«, sagte sie.

Ihre Stimme war leise, fast unhörbar. Soliman wandte sich um und sah sie an. Sie saß nach vorn gebeugt, die Ellbogen auf den Knien, und drehte ihr Glas zwischen den Fingern.

»Nein«, sagte er. »Ich hab von einem Bullen gesprochen.«

»Ich auch.«

»Von einem besonderen Bullen. Davon, einen besonderen Bullen zu kennen.«

»Ich kenne einen besonderen Bullen.«

»Kein Witz?«

»Absolut nicht.«

Soliman kam zu der Kiste zurück, die ihnen als Tisch diente, räumte sie ab und öffnete den Deckel. Er kniete sich davor, durchsuchte den Inhalt und holte eine Schachtel mit Kerzen heraus.

»In diesem Laster sieht man ja überhaupt nichts mehr«, sagte er.

Er ließ etwas Wachs auf einen Teller laufen, drückte drei Kerzen hinein. Camille schwenkte noch immer den Rest Wein in ihrem Glas.

Das Kerzenlicht stand Camille gut. Ihr Profil zeichnete sich als Schatten auf der grauen Plane ab, am Kopf von Solimans Bett. Die hereinbrechende Nacht und die Aussicht, weitere Stunden ausgestreckt auf der anderen Seite der Plane neben Camille zu liegen, ließen Soliman ein wenig taumeln. Er setzte sich ihr gegenüber neben den Wacher.

»Kennst du ihn schon länger?«

Camille hob den Blick und sah ihn an.

»Zehn Jahre vielleicht.«

»Freund oder Feind?«

»Freund, vermute ich. Ich hab keine Ahnung. Ich hab ihn seit Jahren nicht gesehen.«

»Wie ›besonders‹?«

»Anders«, sagte sie.

»Nicht wirklich wie die andern Bullen?«

»Schlimmer. Nicht wirklich wie die andern Typen.«

»Aha«, bemerkte Soliman etwas verwirrt. »Wie ist er also als Bulle? Ohne Skrupel?«

»Viele Skrupel und wenig Prinzipien.«

»Willst du damit sagen, daß er verkommen ist?«

»Nein, nicht im geringsten verkommen.«

»Was dann?«

»Na eben besonders, sag ich dir.«

»Laß sie es nicht noch mal sagen«, bemerkte der Wacher.

»Und so was behalten sie bei der Polizei?«

»Er ist begabt.«

»Wie heißt er?«

»Jean-Baptiste Adamsberg.«

»Alt?«

»Was hat das für eine Bedeutung?« unterbrach ihn der Wacher.

Camille dachte nach, zählte flüchtig an den Fingern ab.

»Um die fünfundvierzig.«

»Wo ist dieser besondere Bulle?«

»Im Kommissariat des 5. Arrondissements in Paris.«

»Inspektor?«

»Kommissar.«

»Richtig Kommissar?«

»Richtig Kommissar.«

»Könnte dieser Typ, dieser Adamsberg, uns aus der Klemme helfen? Ist er einflußreich?«

»Ich hab dir gesagt, er ist begabt.«

»Könntest du ihn anrufen? Weißt du, wie man ihn erreichen kann?«

»Ich habe nicht die Absicht, ihn zu erreichen.«

Soliman starrte Camille überrascht an.

»Warum erzählst du mir dann von diesem Bullen?«

»Weil du mich fragst.«

»Und warum willst du ihn nicht erreichen?«

»Weil ich ihn nicht hören will.«

»Ach so? Warum nicht? Ist er ein Dreckskerl?«

»Nein.«

»Ein Arschloch?«

Camille zuckte erneut mit den Schultern. Sie fuhr mit dem Finger durch die Kerzenflamme und wieder zurück.

»Na und?« fragte Soliman. »Warum willst du ihn nicht hören?«

»Ich hab's doch gesagt. Weil er besonders ist.«

»Laß sie es nicht noch mal sagen«, bemerkte der Wacher.

Soliman stand wütend auf.

»Es ist ihre Entscheidung«, wiederholte der Wacher und berührte Soliman mit der Spitze seines Stocks an der Schulter. »Wenn sie den Kerl nicht sehen will, will sie den Kerl nicht sehen, und Schluß.«

»Scheiße!« rief Soliman. »Wir scheißen drauf, ob er besonders ist oder nicht! Und was ist mit Suzannes Seele, Camille?« fragte er und wandte sich zu ihr. »Denkst du an Suzannes Seele? Die auf ewig bei den Krokodilen in diesem stinkenden toten Flußarm steckt? Glaubst du nicht, daß Suzanne in einer besonderen Situation ist?«

»Das mit dem toten Flußarm ist nicht sicher«, bemerkte der Wacher. »Ich werde dir das nicht noch hundertmal sagen.«

»Glaubst du nicht, daß Suzanne sich auf uns verläßt?« fuhr Soliman fort. »Daß sie sich allmählich fragen muß, was wir da anstellen? Ob wir sie womöglich vergessen? Ob wir uns nicht vielleicht mit Wein abfüllen und auf alles andere pfeifen?«

»Nein, Sol, das glaube ich nicht.«

»Nein, Camille? Warum bist du dann hier?«

»Erinnerst du dich nicht? Um den Laster zu fahren.«

Soliman richtete sich auf und wischte sich über die Stirn. Er regte sich auf. Er regte sich viel zu sehr über sie auf. Vielleicht weil er sie begehrte und ihm nicht ganz klar war, wie er diese verdammten letzten fünfzig Meter überwinden sollte, die ihn von ihr trennten. Es sei denn, Camille machte eine Geste, aber sie machte keine. Camille hatte in diesem Laster fast die gesamte Macht, und das war anstrengend. Die Macht über die Verführung, die Macht über das Steuerrad und die Macht weiterzumachen, wenn sie nur geruhte, diesen besonderen Bullen anzurufen.

Halb geschlagen setzte sich Soliman wieder.

»Es ist nicht wahr, daß du nur da bist, um den Laster zu fahren.«

»Nein.«

»Du bist da wegen Suzanne, du bist da wegen Lawrence, du bist da wegen Massart, um ihn in die Enge zu treiben, bevor er noch andere niedermacht.«

»Kann sein«, erwiderte Camille und leerte ihr Glas.

»Vielleicht hat er schon wieder einen niedergemacht«, fuhr Soliman hartnäckig fort. »Aber das erfahren wir ja nicht mal. Wir sind nicht in der Lage, auch nur an die kleinste Auskunft über einen Blutsauger heranzukommen, den nur wir allein kennen. Den nur wir allein stoppen können.«

Camille stand auf.

»Außer natürlich, wenn du diesen Bullen anrufst.«

»Ich geh schlafen«, sagte sie. »Gib mir dein Handy.«

»Rufst du ihn an?« fragte der junge Mann und begann zu strahlen.

»Nein, ich würde gern Lawrence anrufen.«

»Aber der Trapper ist uns völlig egal.«

»Mir nicht.«

»Denk doch mal nach, Camille. Das Zaudern ist der Luxus der Weisen. Willst du die Geschichte von dem Mann hören, der nicht zögern wollte?«

»Nein«, erwiderte der Wacher.«

»Nein«, erwiderte Camille. »Die Weisheit langweilt mich.«

»Dann denk nicht nach. Handle. Die Kühnheit ist der Luxus der starken Geister.«

Camille lächelte und umarmte Soliman. Beim Wacher zögerte sie, gab ihm die Hand und verschwand hinter der Plane.

»Scheiße«, brummte Soliman.

»Zäh«, kommentierte der Wacher.

23

Camille wachte gegen sieben Uhr ganz von allein auf, ein deutliches Zeichen, daß Spannungen und Widersprüche in der Luft lagen. Möglicherweise auch ein Zeichen für heimtückischen Wein.

Sie hatte Lawrence am Vorabend noch erreicht und sich gefreut, die Stimme des Kanadiers zu hören, wenn es auch nur Stimmfragmente gewesen waren. Am Telefon war Lawrence noch einsilbiger als sonst. Bei ihm im Mercantour blieb Crassus der Kahle unauffindbar. Fast alle anderen bekannten Wölfe waren in ihren Revieren erfaßt worden, aber der große Crassus fehlte noch immer beim Appell. Augustus verschlang noch immer Wildkaninchen, und Mercier wunderte sich, daß der Alte mit seinen kaputten Zähnen so gut durchhielt. »Siehst du«, hatte er zu Lawrence gesagt, »wenn man will, kann man auch.« Und Lawrence hatte schweigend genickt. Der Kanadier hatte mit Sorge von der Ermordung Jacques-Jean Sernots erfahren. Ja, er hatte an Massart gedacht. Aber ihm gefiel die brutale Wendung nicht, die dieses Wettrennen durchs Gebirge annahm. Ihm gefiel die Vorstellung nicht, daß Camille sich unmittelbar hinter Massart befand, allein in diesem Laster und sehr exponiert. Und die Vorstellung, daß Camille in diesem stinkenden Laster mit den beiden Typen eingeschlossen war, gefiel ihm sowieso nicht. Mit egal welchen Typen in egal welchem Laster. Nein, er hatte nichts dagegen, daß ein Bulle sich einmischte, ganz im Gegenteil. Alles, was sie von Anfang an gewollt hatten, war doch, daß ein Bulle sich einmischte, oder? Also, wenn sie einen kannte, sollte sie ihn anrufen, besonders oder nicht besonders, was sollte das ändern, Hauptsache, er war Bulle. Er wäre erfolgreicher als sie drei, vorausgesetzt, er würde sich für diesen Werwolf interessieren. Vorausgesetzt. Lawrence war davon überzeugt, daß die Einmischung eines Bullen der Abenteuerreise der Frau, des Greises und des Kindes sofort ein Ende bereiten würde. Und das war das, was er sich am meisten wünschte. Er würde versuchen, sie am folgenden Abend am Laster zu treffen, mit ihr zu reden, mit ihr zu schlafen, sie solle ihm Bescheid geben, wann sie weiterführe.

Camille lag auf dem Rücken und sah zu, wie das Tageslicht durch das Gestänge des Sichtfensters drang und der Staub in den schrägen Strahlen tanzte. In diesem Staub mußte es mehr als nur die gewöhnlichen Bestandteile geben. Mikropartikel von Heu, Wollschweiß und schwebendem Schafsmist, die sich im Morgenlicht bewegten. Es war bestimmt ein sehr kräftiger Staub, eine seltene Mischung. Camille zog die Decke bis unters Kinn. In der Nacht war es nicht gerade warm gewesen in diesem nebligen Dorf, sie hatten die von Buteil zurechtgelegten Reisedecken rausholen müssen. Was würde es sie kosten, Adamsberg anzurufen? Rein gar nichts, wie Soliman immer sagte. Adamsberg war ihr egal, er war in den Tiefen ihrer Erinnerung verschwunden, da, wo alles verkohlt, zu Staub zerfällt und sich neu zusammensetzt, wie in den Recycling-Fabriken, wo aus einem alten Traktor ein völlig neuer Korbsessel gemacht wird. Im Grunde war Adamsberg recycelt worden. Nicht zu einem Korbsessel, nein, ganz sicher nicht, denn Camille benutzte so etwas nicht. Aber zu Reisen, zu Partituren, zu 5/80er Schrauben, zu einem Kanadier, warum nicht. Die Erinnerung macht mit dem Material, das man ihr zum Verschrotten gibt, was sie will, das ist ihre Sache, man hat kein Recht, seine Nase in ihre Angelegenheiten zu stecken. Jedenfalls war von dem Jean-Baptiste Adamsberg, den sie so sehr geliebt hatte, nichts mehr übrig. Nicht ein Nachhall, nicht ein Echo, nicht ein Bedauern. Ein paar flache, verblaßte Bilder natürlich. Diese Fähigkeit der Erinnerung, gnadenlos Menschen und Gefühle zu zermahlen, hatte Camille eine Zeitlang niedergeschmettert. Soviel Zeit damit verbracht zu haben, sich mit einem Kerl zu beschäftigen, der sich nun in 5/80er Schrauben verwandelt sah, konnte einen schon nachdenklich werden lassen. Und Camille war nachdenklich geworden. Natürlich hatte ihre Erinnerung ganz schön Zeit gebraucht, um all diese Arbeit zu leisten. Unbestreitbar ziemlich viel Arbeit. Nicht enden wollende Monate des Zermahlens und Schrotens. Dann etwas Träumerei. Dann nichts mehr. Nicht ein Aufschrekken, nicht ein Zwinkern. Ein paar Erinnerungen aus einer anderen Welt.

Was sollte es ihr also ausmachen, Adamsberg anzurufen? Nichts. Außer Ärger im vorhinein, Verdruß bei der Vorstellung, in den toten Fetzen einer fremden Vergangenheit zu rühren. Jenen Verdruß, den man empfindet, wenn man wegen einer so lästigen Sache wie einem zu überprüfenden Gashahn umkehren muß. Umwege, verlorene Zeit, tote Zeit. Die Anstrengung eines nutzlosen Abstechers durch die abgefackelten Felder ihrer Erinnerung.

Aber mit seinem Schmerz, mit seinem überzeugenden Blick, mit seinen Fabeln, Märchen und Definitionen hatte Soliman eine Bresche in die Mauern ihres Egoismus geschlagen, und so hatte Camille die ganze Nacht das Zaudern erlebt, den Luxus der Weisen. Und die ganze Nacht hatten Massart und seine Fangzähne, die dicke Suzanne, ihr schwarzer Säugling und der Wacher ihren mißmutigen Widerstand bedrängt.

Als der Morgen kam, befand sie sich in einer Sackgasse, sie schwankte auf dem schmalen Grat des Zauderns und war in zwei gleichgroße Teile gespalten, auf der einen Seite ihre Weigerung, unverrichteter Dinge nach Les Écarts zurückzukehren, auf der anderen ihr Unbehagen bei der Vorstellung, Jean-Baptiste Adamsberg zu Hilfe zu rufen.

Soliman und der Wacher auf der anderen Seite der Plane waren bereits aufgestanden. Sie hörte, wie der junge Mann das Mofa von der Halterung nahm, sicherlich auf der Suche nach frischem Brot. Dann, wie der Wacher Hemd und Hose anzog. Dann roch sie Kaffeeduft und hörte das zurückkehrende Mofa. Camille schlüpfte in ihre Jacke, ihre Jeans und zog ihre Stiefel an, bevor sie den Boden berührte – man konnte in dem Viehtransporter nicht barfuß laufen.

Soliman lächelte, als er Camille sah, und der Wacher deutete mit der Spitze seines Stocks auf einen Schemel. Der junge Mann schenkte ihre Kaffeeschale voll, tat zwei Stück Zucker hinein, schnitt ihr Brotscheiben ab.

»Ich werd jetzt eine Lösung finden«, sagte Camille.

»Wir haben nachgedacht, junge Frau«, sagte der Wacher.

»Wir fahren nach Hause«, verkündete Soliman. »›Rückkehr. Gezielte Bewegung in umgekehrter Richtung zur vorangegangenen Bewegung.‹ Eine Rückkehr ist keine Niederlage. Was das angeht, ist das Wörterbuch sehr deutlich: es spricht nicht von Niederlage.«

Camille runzelte die Stirn.

»Kann das nicht noch warten?« fragte sie. »In ein, zwei Tagen gibt es vielleicht neue Schafe. Dann wissen wir, wohin wir fahren.«

»Na und?« erwiderte Soliman. »Wir werden immer hinterherhinken. Wir werden ihn nie überraschen können, wenn wir hinter ihm bleiben, nicht? Wir müßten vor ihm sein. Und um vor ihm zu sein, müßten wir wesentlich mehr wissen. Wir sind zu nichts nutze. Wir folgen ihm, wir schleichen uns an, aber wir können ihn nicht fassen. Wir fahren nach Hause, Camille.«

»Wann?«

»Heute, wenn du dich in der Lage fühlst, die Pässe noch mal zu überqueren. Wir könnten heute abend in Les Écarts sein.«

»Dann wären zumindest die Tiere zufrieden«, murmelte der Wacher. »Sie fressen nicht ordentlich, wenn ich nicht da bin.«

Camille trank ihren Kaffee und fuhr sich mit der Hand durchs Haar.

»Mir gefällt das nicht«, sagte sie.

»So ist das«, erwiderte Soliman. »Steck deinen Stolz weg. Kennst du die Geschichte von den drei Unwissenden, die hinter das Geheimnis von dem Baum mit den hundertzwanzig Ästen kommen wollten?«

»Und wenn ich anrufe?« fragte Camille. »Und wenn ich diesen Bullen anrufe?«

»Wenn du diesen Bullen anrufst, wird daraus die Geschichte von den drei Unwissenden und dem begabten Typen, die hinter das Geheimnis des unbehaarten Mannes kommen wollten.«

Camille nickte und dachte ein paar Minuten nach. Soliman versuchte, lautlos zu kauen, der Wacher beobachtete Camille, aufrecht, die Hände auf den Knien.

»Ich rufe den Bullen an«, sagte sie und stand auf.

»*Du* lenkst hier«, erwiderte Soliman.

24

»Ich vertrete ihn«, wiederholte Inspektor Adrien Danglard zum dritten Mal am Telefon. »Geht es um eine Anzeige? Raub? Bedrohung? Überfall?«

»Etwas Persönliches«, erklärte Camille. »Etwas streng Persönliches.«

Sie hatte gezögert, dieses Wort zu verwenden. Es mißfiel ihr, »etwas Persönliches« zu sagen, als ob dieser Ausdruck ihre Rechte überschritte, eine Bindung schaffte, wo sie keine wünschte. Es gab solche Wörter, sie waren wie Aufsässige, die unaufhörlich in Gebiete vordrangen, in denen sie nichts zu suchen hatten.

»Ich vertrete ihn«, sagte Danglard in sachlichem Tonfall. »Erklären Sie mir den Grund Ihres Anrufs genauer.«

»Ich möchte den Grund meines Anrufs nicht genauer erklären«, erwiderte Camille ruhig. »Ich möchte mit Kommissar Adamsberg sprechen.«

»Persönlich, wie?«

»Genau das habe ich gesagt.«

»Sind Sie hier im 5. Arrondissement? Von wo rufen Sie an?«

»Von einem Straßenrand im Departement Isère, am Rand der Route nationale 75.«

»Das gehört nicht zu unserem Zuständigkeitsbereich«, sagte Danglard. »Da müßten Sie die örtliche Gendarmerie aufsuchen.«

Er griff nach einem Blatt Papier, schrieb in großen Buchstaben einen Namen darauf, Sabrina Monge, und hielt ihn mit einem Kopfnicken seinem Kollegen hin, der rechts von ihm saß. Mit der Bleistiftspitze schaltete er den Lautsprecher ein.

Camille dachte daran aufzulegen. Das lag nahe, der Inspektor blockte ab, das Schicksal war gegen sie. Man wollte ihr Adamsberg nicht geben, und sie würde nicht darum kämpfen, mit ihm zu reden. Aber Camille hatte, wenn ein Kampf einmal begonnen war, wenig Talent zum Aufgeben, ein Mangel an Unterwürfigkeit, der sie schon oft viel Energie gekostet und nichts gebracht hatte.

»Ich glaube, Sie verstehen mich nicht«, sagte sie geduldig.

»Sehr gut«, erwiderte Danglard. »Sie wollen mit Kommissar Adamsberg sprechen. Aber mit Kommissar Adamsberg kann man nicht sprechen.«

»Ist er abwesend?«

»Er ist unerreichbar.«

»Es ist wichtig«, sagte Camille. »Sagen Sie mir, wo ich ihn finden kann.«

Danglard nickte seinem Kollegen erneut zu. Diese Sabrina offenbarte ihre Pläne mit unvorstellbarer Naivität. Sie hielt die Bullen wirklich für Idioten.

»Unerreichbar«, wiederholte Danglard. »Entschwunden, aufgelöst. Es gibt keinen Kommissar Adamsberg mehr. Ich vertrete ihn.«

Es herrschte kurze Zeit Stille im Telefon.

»Tot?« fragte Camille zögernd.

Der Inspektor runzelte die Stirn. Sabrina Monge hätte nicht diesen Tonfall gehabt. Danglard war ein Mann mit feinem Gespür. Er hatte weder das Mißtrauen noch die Wut, die er von Sabrina erwartete, in dieser Stimme gehört. Das Mädchen, das er in der Leitung hatte, war einfach nur ungläubig und aus der Fassung gebracht.

Camille wartete angespannt, mehr verblüfft als ängstlich, als habe ihr jemand mitgeteilt, daß das ewige Schilfrohr schließlich gebrochen sei. Unmöglich. Sie hätte es in der Zeitung gelesen, sie hätte es erfahren, Adamsberg war ein bekannter Mann.

»Einfach nur abwesend«, korrigierte Danglard in anderem Tonfall. »Geben Sie mir Ihren Namen und Ihre Adresse. Ich übermittle ihm eine Nachricht, und er wird Sie zurückrufen.«

»Das wird nicht funktionieren«, sagte Camille, deren Anspannung nachließ. »Das Handy ist halb leer, und ich stehe am Straßenrand.«

»Ihr Name?« fragte Danglard beharrlich nach.

»Camille Forestier.«

Der Inspektor richtete sich auf seinem Stuhl auf, schickte seinen Kollegen mit einer Geste hinaus und schaltete den Lautsprecher ab. Camille Forestier, die Tochter von Mathilde, die einzige Tochter von Königin Mathilde. Das Mädchen, das Adamsberg bisweilen, manchmal kurz, manchmal eine ganze Zeitlang auf der Oberfläche des Globus zu orten versuchte, so wie man eine Wolke sucht, und das er dann vergaß. Und mit der Nervosität eines Menschen, der seit Tagen auf Fischfang ist und plötzlich merkt, daß die Leine Widerstand zeigt, griff er nach einem weiteren Blatt.

»Ich höre«, sagte er.

Vorsichtig befragte Danglard Camille fast eine Viertelstunde, bevor er sich ihrer Identität sicher war. Er war ihr nie begegnet, aber er hatte ihre Mutter gut genug gekannt, um Camille über eine Unmenge von Details zu befragen, die Sabrina Monge – selbst wenn sie sich sehr gut informiert hätte – nie hätte herausfinden können. Und mein Gott, war die Mutter schön.

Ganz benommen von Danglards Fragefluß legte Camille auf. Adamsberg wurde so abgeschirmt, als ob ihm eine ganze Kolonne von Killern auf den Fersen wäre. Ihr schien, als habe die Erinnerung an ihre Mutter viel dazu beigetragen, das Sperrfeuer des Inspektors zu überwinden. Sie lächelte. Königin Mathilde war allein schon ein Passierschein, das war schon immer so gewesen. Adamsberg war in Avignon, sie hatte den Namen des Hotels und seine Telefonnummer.

Nachdenklich ging sie eine ganze Weile mit großen Schritten am Rand der Route nationale auf und ab. Sie hatte eine ungefähre Vorstellung davon, wo Avignon auf der Frankreichkarte lag, und es schien ihr nicht allzuweit entfernt zu sein. Adamsberg direkt zu sprechen statt am Telefon erschien ihr plötzlich deutlich ratsamer. Sie fürchtete dieses Gerät, das für alle etwas delikateren Situationen untauglich war. Das Telefon war für grobe und halbgrobe Gespräche konstruiert, aber keinesfalls für Diffiziles. Und einen Mann anzurufen, den man seit Jahren nicht mehr gesehen hat, einen Mann, der offenbar versteckt lebte, um ihn in einer zweifelhaften Werwolfgeschichte, die niemanden interessierte, um Hilfe zu bitten, erschien ihr plötzlich ein ungewisses, fast albernes Unterfangen. Ihn zu treffen bot größere Hoffnungen auf Erfolg.

Soliman und der Wacher erwarteten sie am Heck des Lasters in der inzwischen gewohnten Haltung, der junge Mann auf den Metallstufen sitzend, der Schäfer aufrecht an seiner Seite, den Hund auf seinen Füßen liegend.

»Er ist in Avignon«, sagte Camille. »Ich habe ihn nicht erreicht. Ich denke, wir müßten da hinfahren können.«

»Weißt du nicht mal, wo Avignon liegt?« fragte Soliman.

»Ich weiß es gelegentlich. Ist es weit?«

Soliman sah auf die Uhr.

»Wir fahren südlich von Valence auf die Autobahn«, sagte er, »und lassen uns die Rhône hinuntertreiben. Gegen eins können wir dort sein. Willst du nicht anrufen?«

»Es ist besser, ihn zu sehen.«

»Und warum?«

»Er ist besonders«, erwiderte Camille achselzuckend.

Der Wacher streckte die Hand aus, um Camille um das Handy zu bitten.

»Es ist fast leer«, sagte Camille. »Es muß aufgeladen werden.«

»Es dauert nicht lang«, brummte der Wacher und entfernte sich.

»Wen ruft er an?« fragte Camille Soliman.

»Die Herde. Er ruft kurz bei der Herde an.«

Camille runzelte die Stirn.

»Und wer nimmt ab?« fragte sie. »Ein Schaf? Mauricette?«

Soliman schüttelte gereizt den Kopf.

»Buteil natürlich. Aber dann ... Na ja ... Buteil reicht ihm ein paar Tiere. Das hat er gestern schon gemacht. Er ruft jeden Tag an.«

»Willst du damit sagen, daß er mit den Schafen redet?«

»Natürlich. Mit wem sonst? Er sagt ihnen, daß sie sich keine Sorgen machen sollen, daß sie ordentlich fressen und nicht schlapp machen sollen. Er redet vor allem mit dem Leitschaf. Das ist normal.«

»Willst du damit sagen, daß Buteil dem Leitschaf den Hörer ans Ohr drückt?«

»Scheiße, verdammt, ja«, rief Soliman. »Wie soll er es denn sonst machen?«

»Schon gut«, sagte Camille. »Ich will dich nicht nerven. Ich erkundige mich nur.«

Sie beobachtete den Wacher, der, das Telefon am Ohr, mit aufmerksamem Gesicht am Straßenrand auf und ab ging und seine Worte mit beruhigenden Gesten begleitete. Seine würdevolle Stimme klang zu ihr herüber, sie hörte etwas lauter gesprochene Satzfetzen wie »Hör zu, was ich dir sage, meine Liebe«. Soliman folgte Camilles Blick.

»Glaubst du, daß ein Bulle sich für das alles interessieren

könnte?« fragte er mit einer vagen Geste, die die Berge, sie drei und den Viehtransporter zugleich zu umfassen schien.

»Ich frage es mich«, murmelte Camille. »Das Spiel ist noch nicht gewonnen.«

»Verstehe«, sagte Soliman.

25

Camille war auf das rechte Rhône-Ufer hinübergegangen und hatte die Stadtmauern Avignons auf der anderen Seite des Flusses gelassen. Seit drei Uhr nachmittags lief sie auf der Suche nach Adamsberg unter der sengenden Sonne den Uferweg entlang nach Süden. Niemand hatte ihr genau sagen können, wo sie ihn finden würde, weder im Hotel noch im Hauptkommissariat, wo er die halbe Nacht verbracht und das er gegen zwei Uhr nachmittags verlassen hatte. Man wußte nur, daß der Kommissar sich auf der anderen Flußseite herumtrieb.

Camille machte ihn nach fast einer Stunde Fußmarsch auf einer schmalen, einsamen Lichtung inmitten von Trauerweiden ausfindig. In etwa zwanzig Schritt Entfernung blieb sie stehen. Adamsberg hatte sich ganz am Rand der Böschung niedergelassen, die Füße im Wasser. Allem Anschein nach tat er nichts, aber für Adamsberg war Draußen-Sitzen eine Beschäftigung an sich. Als sie ihn genauer beobachtete, bemerkte Camille, daß er tatsächlich etwas tat. Er tauchte einen langen Ast in den Fluß, und sein Blick, der aufmerksam auf die Strömung achtete, die gegen das schwache Hindernis anbrandete, wandte sich nicht von dessen Spitze ab. Er hatte – eine ziemlich ungewöhnliche Tatsache – sein Holster über seinem Hemd anbehalten, diese immer etwas furchteinflößenden Lederriemen, die im Widerspruch zu seiner nachlässigen Kleidung standen, zu dem zerknitterten Hemd, zu der abgewetzten Stoffhose und den bloßen Füßen.

Camille sah ihn in Dreiviertelansicht von hinten, fast im Profil. Er hatte sich in den vergangenen Jahren nicht verändert, und das erstaunte sie nicht. Nicht, daß die Zeit ihn stärker verschont hätte als andere, aber ihre Spuren waren kaum sichtbar, ganz einfach, weil Adamsberg dafür ein viel zu abwechslungsreiches Gesicht hatte. Auf einem glatten und regelmäßigen Gesicht hätte jede Unordnung der Zeit ihre Spur hinterlassen. Aber Adamsbergs Gesicht war seit seiner Kindheit in Unordnung. So gingen die feinen Spuren des Alters in seinen ungleichen und stürmischen Zügen im allgemeinen Chaos des Ganzen weitgehend unter.

Camille zwang sich, einfach nur aus Vorsicht, dieses Gesicht zu betrachten, das sie einmal über alle anderen gestellt hatte. Die Nase, die Lippen – im Grunde hielt alles darin einer Prüfung stand. Die große, ziemlich krumme Nase, die verträumten und kräftig gezeichneten Lippen. Keine Harmonie, kein Maß, keinerlei Nüchternheit. Ansonsten ein dunkler Teint, magere Wangen, ein fast nicht vorhandenes Kinn, dunkles, gewöhnliches Haar, das hastig nach hinten gestrichen war. Braune Augen, die tief unter wirren Brauen lagen, selten stillstanden und meistens unbestimmt blickten. Alles war schief in diesem Gesicht. Woher dieser ungewöhnliche Reiz kam, hatte Camilles unerbittlicher Geist nicht erhellen können. Vielleicht war es eine Sache der Intensität. Adamsbergs Gesicht war zu überladen, zu deutlich und damit sozusagen übersättigt.

Camille sah all das wieder, und sie machte eine nüchterne Bestandsaufnahme. Früher hatte ihr das Leuchten dieses Gesichts Frieden und Klarheit eingeflößt. Heute betrachtete sie sein Strahlen mit Gleichmut, so wie sie das richtige Funktionieren einer Lampe überprüft hätte. Dieses Gesicht sagte ihr nichts mehr, und nichts in ihrer Erinnerung konnte ihm mehr antworten.

Sie näherte sich ihm mit langsamen, vor Gleichgültigkeit

fast schwerfälligen Schritten. Adamsberg hörte sie sicherlich, aber er rührte sich nicht und überwachte noch immer den Ast vor ihm, der das Wasser der Rhône bremste. Als sie zehn Schritte von ihm entfernt war, blieb sie abrupt stehen. Ohne seinen Blick vom Fluß abzuwenden, richtete er mit seiner linken Hand den Lauf einer Pistole auf sie.

»Keinen Schritt weiter«, sagte er sanft. »Geh bloß keinen Schritt weiter.«

Camille blieb stehen, ohne ein Wort zu sagen.

»Du weißt, daß ich erheblich schneller schieße als du«, fuhr er fort, ohne den Ast aus den Augen zu lassen. »Wie hast du mich gefunden?«

»Danglard«, sagte Camille.

Beim Klang dieser unerwarteten Stimme drehte ihr Adamsberg langsam das Gesicht zu. Camille erinnerte sich sehr gut an diese Langsamkeit, die von Anmut und ein wenig Nonchalance geprägt war. Verblüfft sah er sie an. Behutsam zog er die Pistole zurück und legte sie fast verlegen neben sich ins Gras.

»Entschuldige«, sagte er. »Ich hatte jemand anderen erwartet.«

Camille nickte, ihr war unbehaglich.

»Vergiß die Waffe«, fuhr er fort. »Ein Mädchen, das sich in den Kopf gesetzt hat, mich umzubringen.«

»Ach so«, sagte Camille höflich.

»Setz dich«, sagte Adamsberg und zeigte auf das Gras. Camille zögerte.

»So setz dich doch«, drängte er. »Du bist bis hierher gekommen, da kannst du dich auch setzen.«

Er lächelte.

»Ein Mädchen, dessen Freund ich getötet habe. Meine Pistole hat ihn im Fallen getroffen. Sie will mir hier eine Kugel reinschießen.«

Er zeigte mit einem Finger auf seinen Bauch.

»Das ist der Grund, weshalb dieses Mädchen mir unaufhörlich zusetzt. Im Gegensatz zu dir, Camille, die mich flieht, die mich meidet, die entwischt, die mir aus den Fingern gleitet.«

Camille hatte sich schließlich vier Meter von ihm entfernt im Schneidersitz auf den Boden gesetzt und überließ ihm die Regie. Sie wartete auf seine Fragen. Adamsberg wußte ja, daß sie nicht aus Sehnsucht zu ihm gekommen war, sondern aus Notwendigkeit.

Er beobachtete sie einen kurzen Augenblick. Die graue Jacke, die ihr zu lang war und deren Ärmel ihr über die Hände fielen, die hellen Jeans und die schwarzen Stiefel ließen keinerlei Zweifel. Camille war tatsächlich das Mädchen aus dem Fernsehen, das Mädchen vom Dorfplatz in Saint-Victor-du-Mont, das sich an die alte Platane gelehnt hatte. Er wandte den Blick ab.

»Die mir aus den Fingern gleitet«, wiederholte er und tauchte erneut seinen Ast ins Wasser. »Es muß ganz schön was passieren, damit du dich entscheidest, zu mir zu kommen. Eine Art höheres Interesse.«

Camille antwortete nicht.

»Was ist geschehen?« fragte er behutsam.

Camille fuhr mit den Händen durch das trockene Gras. Sie fühlte sich gehemmt, verlegen und war versucht, zu fliehen.

»Ich brauche Hilfe.«

Adamsberg hob den Ast aus dem Wasser, änderte seine Position und setzte sich ihr mit verschränkten Beinen gegenüber. Dann legte er den Ast mit sorgfältigen und exakten Bewegungen zwischen ihnen vor seine Knie. Er lag nicht gerade, und Adamsberg korrigierte seine Lage mit einer Hand. Adamsberg hatte sehr schöne, kräftige und für seine Statur große Hände.

»Will dir jemand Böses?« fragte er.

»Nein.«

Die Aussicht, diese ganze lange Geschichte mit den Schafen, dem unbehaarten Mann, Soliman, dem stinkenden toten Flußarm, dem Viehtransporter, der Verfolgung und den Mißerfolgen ausbreiten zu müssen verdroß sie im voraus. Sie suchte nach einem Anfang, der nicht völlig absurd klang.

»Bleibt also die Sache mit den Schafen«, sagte Adamsberg. »Die Bestie vom Mercantour.«

Camille hob verblüfft die Augen.

»Irgend etwas hat eine schlechte Wendung genommen«, fuhr er fort. »Etwas, was dir nicht gefallen hat. Du hast dich darauf eingelassen, ohne jemandem Bescheid zu geben. Die örtliche Gendarmerie weiß von nichts. Du arbeitest als Freischärlerin, und jetzt sitzt du fest. Du suchst einen Bullen, der dich da rausholt, einen Bullen, der dich nicht zum Teufel jagt. Um des lieben Friedens willen und weil du wirklich keinen anderen kennst, suchst du mich, unentschlossen. Und findest mich. Und plötzlich weißt du nicht mehr, wie du da hineingeraten bist. Dir sind diese Schafe völlig egal. Im Grunde würdest du am liebsten zurückfahren. Gehen und fliehen.«

Camille lächelte kurz. Adamsberg hatte schon immer Dinge gewußt, von denen andere keine Ahnung hatten. Umgekehrt gab es eine Unmenge Dinge, über die alle anderen Bescheid wußten, die ihm aber vollständig unbekannt waren.

»Woher weißt du das?«

»An dir hängt ein leichter Berggeruch, ein Geruch nach Wolle.«

Camille sah auf ihre Jacke hinunter und rieb sich mechanisch die Ärmel.

»Ja«, erwiderte sie. »Das bleibt in den Kleidern.«

Sie hob den Blick.

»Woher weißt du das?« wiederholte sie.

»Ich habe dich in den Nachrichten gesehen, du bist auf dem Platz dieses Dorfes da gefilmt worden.«

»Du kennst also diese Schafgeschichte?«

»Ziemlich gut. Riesige Fangzähne, die sich in einunddreißig Tiere in Ventebrune, Pierrefort, Saint-Victor-du-Mont, Guillos, La Castille und gerade vor kurzem erst am Tête du Cavalier in der Nähe des Weilers Le Plaisse geschlagen haben. Und vor allem eine Frau in Saint-Victor, die genau wie die Schafe getötet wurde. Ich vermute also, daß du die Frau kennst. Das hat dich in diese Geschichte hineingezogen.«

Camille sah ihn ungläubig an.

»Würden sich die Bullen dafür interessieren?« fragte sie.

»Das interessiert keinen einzigen Bullen«, sagte Adamsberg leichthin. »Mich aber schon.«

»Wegen der Wölfe? Wegen der Wölfe von deinem Großvater?«

»Vielleicht. Und dann dieses Riesentier, dieses Etwas, das plötzlich aus einer Spalte der Zeit emporsteigt. Und um dieses Tier die Nacht – das hat mich interessiert.«

»Was für eine Nacht?« fragte Camille verständnislos.

»Überall um diese Sache herum. Irgend etwas Dunkles, Nächtliches, das man mit Blicken nicht durchdringen kann, etwas, was das Denken fürchtet. Nacht halt.«

»Noch etwas?«

»Ich weiß es nicht. Ich habe mich gefragt, ob nicht jemand die Schritte des Tieres lenkt. Es tötet sehr oft, auf grausame Weise und ohne das zum Überleben zu brauchen. Wie ein Besessener, ja im Grunde wie ein Mensch. Und dann Suzanne Rosselin. Ich verstehe nicht, warum das Tier sie angefallen hat. Es sei denn, das Tier wäre verrückt, besessen. Was ich auch nicht verstehe, ist, daß man es immer noch nicht gefunden hat. Sehr viel Nacht.«

Adamsberg sah Camille an und schwieg erneut. Stille, auch wenn sie lange dauerte, hatte ihn nie gestört.

»Sag mir, was du bei der Sache verloren hast«, sagte er behutsam. »Sag mir, was da außer Kontrolle geraten ist. Sag mir, was du von mir erwartest.«

Camille erzählte die gesamte Geschichte ganz von Anfang an, begann mit den ersten Schafen von Ventebrune, erzählte von der Treibjagd, von Massart mit seinem breiten, unbehaarten Körper auf den krummen Beinen, der deutschen Dogge, der Tiefe der Zahnabdrücke, dem Verschwinden von Crassus dem Kahlen, der zerfetzten Kehle von Suzanne, von Soliman in der Toilette, dem mumifizierten Wacher, der Flucht von Massart, der auf der Karte eingezeichneten Route, dem Werwolf mit den Haaren, die nach innen wuchsen, dem Schlachthof von Manchester, dem Herrichten des Viehtransporters, dem Hund Insaktor oder wie immer sein Name lauten mochte, dem Wörterbuch von Soliman, den fünf Kerzen in Form eines M, dem Mord an dem Rentner von Sautrey, der Sackgasse, dem Scheitern, dem toten Flußarm, in dem Suzanne steckengeblieben war.

Im Unterschied zu Adamsberg war Camilles Denken präzise, strukturiert und schnell. Für das alles brauchte sie keine Viertelstunde.

»Sautrey, sagst du? Ich habe das nicht verfolgt. Wo liegt das?«

»Ein Stück hinter dem Col de la Croix-Haute, unterhalb von Villard-de-Lans.«

»Was habt ihr über den Mord herausbekommen?«

»Eben nichts. Er war ein pensionierter Lehrer. Ihm ist nachts unweit von seinem Dorf die Kehle zerfetzt worden. Wir wissen nichts über die Wunde, aber sie reden von einem streunenden Hund, einem entlaufenen Pyrenäenhund oder was weiß ich. Soliman hat alle Kirchen auf der

Strecke abklappern wollen, dann hat er es aufgegeben. Er sagt, daß wir immer einen Zug Verspätung haben würden.«

»Und weiter? Was habt ihr gemacht?«

»Wir haben uns gedacht, daß wir einen Bullen brauchen.«

»Und weiter?«

»Ich habe gesagt, daß ich einen kenne.«

»Warum nicht die Bullen von Villard-de-Lans?«

»Kein einziger Bulle würde sich diese Geschichte bis zum Ende anhören. Wir haben nichts Greifbares.«

»Ich mag nicht greifbare Geschichten.«

»Das habe ich mir gedacht.«

Adamsberg nickte und saß ein paar Minuten schweigend da. Camille wartete. Sie hatte die Dinge erklärt, so gut sie konnte. Die Entscheidung war nicht mehr ihre Sache. Sie hatte es schon lange aufgegeben, andere zu überzeugen.

»Hat es dich viel Überwindung gekostet, zu mir zu kommen?« fragte Adamsberg schließlich und hob den Kopf.

»Soll ich die Wahrheit sagen?«

»Wenn möglich.«

»Es hat mich angekotzt.«

»Gut«, sagte Adamsberg nach neuerlichem Schweigen. »Also liegt dir die Sache am Herzen. Die Wölfe oder auch diese Suzanne oder dieser Soliman oder dieser alte Schäfer?«

»Alles zusammen.«

»Was hast du die letzte Zeit so gemacht?« fragte er und wechselte plötzlich das Thema.

»Ich repariere Boiler und Rohrleitungen.«

»Und deine Musik?«

»Ich komponiere für einen Fernsehmehrteiler.«

»Drama? Abenteuer?«

»Liebesgeschichte. Ziemliches Durcheinander in einer Wühlmausfamilie.«

»Ach so, gut.«

Adamsberg schwieg wieder eine Zeitlang.

»Machst du das alles in diesem Dorf da, in Saint-Victor?«

»Ja.«

»Und dieser Lawrence, von dem du erzählt hast? Der Aufseher vom Mercantour, der die ersten Wunden untersucht hat?«

Adamsberg sprach den Namen »Laurence« aus, er hatte noch nie einen englischen Klang erzeugen können.

»Er ist kein Aufseher«, erwiderte Camille in der Defensive. »Er hat einen Reportage- und Forschungsauftrag.«

»Ja. Nun, dieser Mann, dieser Kanadier.«

»Na was?«

»Na, erzähl mir von ihm.«

»Er ist Kanadier. Er hat einen Reportage- und Forschungsauftrag.«

»Ja, das hast du schon gesagt. Erzähl mir von ihm.«

»Warum soll ich von ihm erzählen?«

»Ich muß den Kontext richtig verstehen.«

»Er ist Kanadier. Viel mehr habe ich über ihn nicht zu erzählen.«

»Ist er nicht so ein richtiger Mann fürs Abenteuer? Ein schöner Mann, ein gut gebauter Mann mit langen blonden Haaren?«

»Ja«, sagte Camille mißtrauisch. »Das weißt du auch? Woher?«

»Alle Kanadier sind so. Oder?«

»Vielleicht.«

»Also erzähl mir von ihm.«

Camille sah Adamsberg an, der sie ruhig und mit einem leichten Lächeln beobachtete.

»Du willst den Kontext richtig verstehen, nicht wahr?« fragte sie.

»Richtig.«

»Willst du beispielsweise wissen, ob ich mit ihm schlafe?«

»Ja. Beispielsweise will ich wissen, ob du mit ihm schläfst.«

»Geht dich das was an?«

»Nein. Die Wölfe gehen mich auch nichts an. Auch die Mörder nicht. Auch nicht die Bullen. Und auch sonst nichts und niemand. Dieser Weidenast vielleicht«, sagte er und strich über den Holzstock, der zwischen ihnen lag. »Und ich selbst, von Zeit zu Zeit.«

»Gut«, erwiderte Camille seufzend. »Ich lebe mit ihm zusammen.«

»Da versteht man doch gleich mehr«, erwiderte Adamsberg.

Er erhob sich, nahm den Ast auf und machte ein paar Schritte auf der Lichtung.

»Wo hast du geparkt?« fragte er.

»Am Campingplatz Brèvalte, gleich am Ortseingang von Avignon.«

»Fühlst du dich in der Lage, heute abend bis Sautrey zu fahren?«

Camille nickte.

Adamsberg nahm sein langsames Hin- und Hergehen wieder auf. Vergangene Nacht waren bei dem Mörder von der Rue Gay-Lussac um fünf Uhr morgens die Deiche gebrochen und hatten eine Flut von Geständnissen freigesetzt. Er mußte noch den Bericht diktieren, Danglard anrufen, die Kripo anrufen. Ins Hotel gehen, die Staatsanwaltschaft von Grenoble anrufen, Villard-de-Lans anrufen. Er kannte den Gendarmeriehauptmann von Villard-de-Lans. Adamsberg blieb stehen und suchte nach dessen Namen. Montvailland, Maurice Montvailland. Ein schrecklich logischer Kerl.

Er zählte an seinen Fingern ab, ging zum Fluß, um seine Pistole aufzuheben, steckte sie wieder in das Holster und zog seine Schuhe an.

»Gegen halb neun heute abend«, sagte er. »Wartet ihr auf mich?«

Camille nickte und stand ebenfalls auf.

»Fährst du mit uns?« fragte sie. »Bis Sautrey?«

»Bis Sautrey oder weiter. Ich muß wieder nach Paris, in Avignon bin ich fertig. Nichts hindert mich daran, über Sautrey zu fahren, nicht wahr? Wie ist es dort?«

»Neblig.«

»Gut. Damit kommen wir schon zurecht.«

»Warum kommst du?« fragte Camille.

»Soll ich die Wahrheit sagen?«

»Wenn möglich.«

»Weil ich im Augenblick lieber versteckt bleibe wegen diesem Mädchen, das mir auf den Fersen ist. Ich warte auf eine Information.«

Camille nickte.

»Weil dieser Wolf mich interessiert«, fuhr er fort.

Adamsberg machte eine Pause.

»Und weil du mich darum gebeten hast.«

26

Ab acht Uhr hatten sich Soliman und der Wacher hinten am Laster postiert, um die Ankunft des begabten Bullen zu erwarten. Am Eingang des Campingplatzes Brèvalte wären sie beinahe abgewiesen worden, so sehr unterschied sich der Viehtransporter von den Zelten und den weißen Wohnwagen. Sie hatten sich einen Platz etwas abseits gesucht, damit niemand sich über den Geruch beschwerte.

Soliman hatte den Nachmittag damit verbracht, zu duschen, sich zu rasieren und mit dem Mofa durch Avignon zu fahren, das Handy aufzuladen und alle möglichen wesentlichen und unwesentlichen Waren mitzubringen. Der Wacher dagegen mußte sich nicht ständig bewegen und aktiv sein. Zehn Menschen sehen hieß hunderttausend sehen. Auf seinem Posten vor dem Laster zu bleiben, die Hände auf seinem Stock, die Welt bei ihrem Treiben mit vager Verachtung beobachten, Interlock auf seinen Füßen, schien ihm wenn auch nicht zu seinem Glück, so doch zu seinem Seelenfrieden zu genügen. Soliman dagegen wurde Stunde um Stunde neugieriger, gieriger. Der Trubel in Avignon faszinierte ihn. Dieses neuerwachte Interesse für etwas anderes als Les Écarts, dieser Hang zum Ausreißen, dieses Vergnügen daran, mit dem Mofa zu verschwinden, sei es tags, sei es nachts, erschreckten den Wacher. Je früher sie den Blutsauger erwischen würden, desto früher würden sie ihm den Wanst aufschlitzen und desto früher würde Soliman heimkehren und in der Schäferei wieder zur Ruhe kommen.

Ein Stückchen weiter saß Camille auf einem Campingstuhl im Schatten und löffelte eine Portion Reis mit Olivenöl. Auch sie wartete auf Adamsberg – ohne sich zu freuen und ohne sich zu ärgern. Ihn wiederzusehen war weniger aufreibend gewesen, als sie befürchtet hatte. Und ihn zu überzeugen hatte sie keinerlei Mühe gekostet. Noch bevor sie ihm davon erzählt hatte, hatte er den Eindruck erweckt, für diese Wolfsgeschichte der Richtige zu sein. Er war ihr voraus, so als ob er sie schon immer barfuß an diesem Rhône-Ufer erwartet hätte. Soliman dagegen konnte das Auftauchen des Bullen kaum erwarten und ließ die Einfahrt des Campingplatzes nicht aus den Augen, während der Wacher schweigend auf der Hut war.

Adamsberg traf zur verabredeten Stunde am Steuer eines Dienstwagens, der die Altersgrenze erreicht hatte, bei ihnen ein. Wenige Worte wurden gewechselt, Händeschütteln, kurzes Vorstellen. Der Kommissar schien die deutlich bekundete Distanz des Wachers nicht einmal zu bemerken. Gesellschaftliche Konventionen hatten ihn noch nie beeinflußt. Adamsberg war untauglich, sich kollektiven Zwängen zu unterwerfen, und stand den Grundsätzen von Ehrerbietung und den Ritualen von Sitten und Gebräuchen unwissend gegenüber; er pflegte seine Beziehungen zu anderen Menschen auf seine etwas schmucklose Weise, die frei von Zurückhaltung, aber auch frei von Macht war. Es hatte für ihn kaum Bedeutung, wer wen beherrschte, solange man die Güte hatte, ihn auf seinem Weg in Frieden zu lassen.

Das einzige, worum er bat, war die Straßenkarte von Massart. Er breitete sie auf dem staubigen Boden aus und sah sie sich lange und mit einem vagen Ausdruck von Sorge an. Alles an Adamsberg war vage, und man konnte nie sicher sein, auf seinem Gesicht den Widerschein der Wirklichkeit zu lesen.

»Diese Route ist seltsam«, sagte er. »All diese kleinen Straßen, die ganzen Abzweigungen. Ganz schön kompliziert.«

»Der Typ ist kompliziert«, sagte Soliman. »Wahnsinn ist kompliziert.«

»Wenn er trödeln und sich schnappen lassen wollte, würde er sich nicht anders verhalten. Wo er Frankreich doch an einem Tag durchqueren und das Land verlassen könnte.«

»Man hat ihn immer noch nicht geschnappt«, bemerkte Soliman.

»Weil er nicht gesucht wird«, erwiderte Adamsberg und faltete die Karte zusammen.

»Wir suchen ihn.«

»Zweifellos«, sagte Adamsberg lächelnd. »Aber wenn ihm alle Bullen auf den Fersen sein werden, wird er sich den Luxus, ewig auf Hohlwegen und in Kirchen hängenzubleiben, nicht mehr leisten können. Ich verstehe nicht, warum er nicht die Autobahn nimmt.«

»Er hat zwanzig Jahre lang alle Straßen des Landes abgeklappert, als er noch Stuhlflechter war«, sagte Camille. »Er kennt die unauffälligen Straßen, die Verstecke und auch die Ecken mit Schafen. Ihm ist daran gelegen, als tot zu gelten. Vor allem aber versteckt er einen Wolf.«

»Er streift nachts umher«, mischte sich der Wacher ein. »Er bringt Menschen und Vieh um und schläft tagsüber. Deshalb fährt er so wenig. Sein Instinkt hält ihn davon ab, sein Gesicht zu zeigen. Und er versteckt sich weit abseits der Menschen, weil das seine Natur ist.«

Kurz vor ein Uhr nachts erreichte der Viehtransporter Sautrey. Adamsberg war ihnen durch den Nebel vorausgefahren und erwartete sie geduldig am Ortseingang. Er ließ seine Gedanken vom Wolf zur Karte treiben, zu Soliman, zu dem Viehtransporter, zu Camille. Er war dem Zufall dankbar, der Camille auf seinen Weg geführt und ihn selbst auf die Route des großen Wolfs gesetzt hatte, aber verwundert war er nicht. Er fand es natürlich und legitim, sich mit diesem Tier auseinanderzusetzen, das mit dem ersten Blutbad in sein Leben getreten war. Er fand es auch natürlich, Camille gegenüberzustehen. Sie am Ufer des Flusses auftauchen zu sehen hatte ihn natürlich ein bißchen überrascht, aber gar nicht mal so sehr. Es war, als ob ein Teil von ihm, ein winziger, aber sehr wirksamer Teil, ständig aus den Augenwinkeln nach ihr Ausschau hielte. So war er in gewisser Weise bereit, als sie in sein Blickfeld trat.

Natürlich gab es da diesen Mann fürs Abenteuer, zwangsläufig, warum nicht. Er hatte nichts dagegen. Natürlich gab es da einen Mann. Warum hätte es keinen geben sollen? Ganz bestimmt einen schönen Mann, nach allem, was er gesehen hatte. Sehr gut, um so besser, leb dein Leben, Kamerad. Zu Anfang, am Fluß, hatte Camille ein bißchen nervös gewirkt, aber das war vorübergegangen. Jetzt war sie friedfertig, gleichgültig. Weder freundschaftlich noch feindlich, nicht einmal ausweichend. Friedlich, abwesend. Gut. Das war normal. Sie hatte ihn aus ihrem Gedächtnis gestrichen. So war das. Das hatte er gewollt. Und es war okay. Dieser große Typ auch, warum nicht, es brauchte ja schließlich einen, warum nicht? Besser, Camille entschied sich gleich für einen schönen Mann, sie verdiente es. Ob Camille nach Kanada ginge, war eine andere Frage.

Er sah die dunkle Silhouette des Viehtransporters auftauchen, öffnete die Wagentür und betätigte zweimal die Lichthupe. Der Laster hielt rumpelnd auf dem Randstreifen, seine Scheinwerfer gingen aus. Soliman und der Wacher saßen vorn und schliefen. Camille schüttelte den jungen Mann und sprang auf die Straße. Soliman stieg, etwas benommen, ebenfalls aus und half dem Wacher die Trittstufen hinunter.

»Trag mich nicht, verdammt«, brummte der Wacher.

»Ich will nicht, daß du fällst, Alter«, erwiderte Soliman.

»Habt ihr nichts anderes als diesen Viehwagen zum Reisen?« fragte Adamsberg Camille.

Camille schüttelte den Kopf.

»Ich habe mich dran gewöhnt.«

»Ich verstehe«, sagte Adamsberg. »Ich mag diesen Geruch. So riecht es in den Pyrenäen. Das macht der Wollschweiß.«

»Ich weiß«, sagte Camille.

Der Schäfer kniff in der Dunkelheit die Augen zusammen und ließ seinen Blick auf der Gestalt des Bullen ruhen. Endlich mal einer, ein einziger, der nicht gegen den Wollschweißgeruch des Viehtransporters wetterte. Dieser Typ da, in dessen Gesicht keine Spur von Verschlagenheit zu sehen war, war es vielleicht wert, daß man mit ihm redete. Er ging um den Laster herum und rief Adamsberg mit einer gebieterischen Geste herbei.

»Er bestellt dich ein«, kommentierte Camille.

Adamsberg näherte sich dem Schäfer, der seinen Hut geraderückte und die Hände über seinem Stock kreuzte.

»Hören Sie, mein Junge«, sagte der Wacher.

»Er ist Kommissar«, sagte Soliman. »Kommissar. Und auf keinen Fall ist er dein Junge.«

»Es gibt da was, was Massart betrifft«, fuhr der Wacher fort, »und was die Kleine bestimmt nicht gesagt hat. Es ist ein Werwolf. Nicht ein Haar am Körper, kapieren Sie?«

»Sehr gut.«

»Das sagt alles. Kein Erbarmen, wenn Sie an ihm dran sind. Ein Werwolf hat die Kraft von zwanzig Männern.«

»Gut.«

»Noch was, mein Junge. Da gibt's noch ein Bett hinten rechts. Wir bieten es Ihnen an.«

»Danke.«

»Vorsicht«, fuhr der Wacher fort und warf Soliman einen Blick zu. »Wir teilen den Laster mit der jungen Frau. Man muß sie respektieren und sich selbst respektieren.«

Mit einem kurzen Nicken ließ er Adamsberg stehen und kletterte in den Viehtransporter.

»›Gastfreundschaft‹«, sagte Soliman. »›Wohlwollen, Herzlichkeit bei der Art und Weise, wie man seine Gäste empfängt und behandelt.‹«

Müde von den neun Stunden Fahrt, lag Camille auf ihrem Bett und lauschte dem Schnarchen des Wachers auf der anderen Seite der Plane. Sie hatten die Sichtfenster zugezogen, und im Lastwagen herrschte fast vollständige Dunkelheit. Auf der Fahrt von Avignon hatte der Viehtransporter sich aufgeheizt, und es war mindestens fünf Grad wärmer als draußen. Adamsberg neben ihr schlief auch. Oder vielleicht nicht. Auch Soliman hörte sie nicht. Das Schnarchen des Wachers übertönte ihr Atmen. Adamsberg hatte bei der Aussicht, auf dem vierten Bett zu schlafen, wie es der Wacher ihm mit seinem Segen und seiner Ermahnung angeboten hatte, keinerlei Verlegenheit gezeigt. Der Wacher nahm in dem Viehtransporter gewissermaßen die Stelle des Pfarrers ein, was er duldete oder nicht duldete, war Gesetz, und man tat so, als respektiere man dieses Gesetz. Adamsberg war ohne weitere Komplikationen sofort schlafen gegangen. Jetzt lag er dort ausgestreckt, durch einen fünfzig Zentimeter breiten Gang von ihr getrennt. Das war nicht viel. Aber besser noch Adamsberg in dieser heiklen Nähe als der Wacher oder Soliman, der Camille seit ihrem Aufbruch von Les Écarts ziemlich unsicher vorkam.

Besser noch Adamsberg, denn das Nichts ist immer einfacher als das Etwas. Auch trauriger, aber einfacher. Wenn sie den Arm ausstreckte, könnte sie ihn an der Schulter berühren. Sie hatte Hunderte von Stunden, den Kopf an ihn gelehnt, geschlafen und dabei stets fast vollkommenes Vergessen gefunden. So daß sie geglaubt hatte, Adamsberg sei wie durch Zauberei für sie geschaffen und sie könne nichts dagegen tun. Aber heute störte sie seine Anwesenheit nicht einmal. Sie hätte gerne gewollt, Lawrence würde hier schlafen. Die Gefühlslandschaft, in der sie mit dem Kanadier wandelte, unterschied sich grundlegend von der offenkundigen Leidenschaft, die ihre frühere Verbindung mit Adamsberg beherrscht hatte. In gewisser Weise war sie bescheidener, bisweilen durchzogen von gewöhnlichen Hintergedanken und nebensächlichen Vorbehalten. Aber Camille interessierte sich nicht mehr für Ideale. Abgebrüht war sie, genau, das war sie geworden.

Der Wacher mußte auf die Seite gerollt sein, er hatte aufgehört zu schnarchen. Der Genuß einer kurzen Ruhepause. In der Stille hörte sie Adamsbergs regelmäßigen Atem. Auch er war ohne weitere Anstalten eingeschlafen. Leb dein Leben, Kamerad. Das also bleibt vom Glauben, von der Größe: gleichgültige Atemzüge.

Von solchen nüchternen Gedanken wachgehalten, schlief Camille spät ein und wachte erst gegen neun auf. Sie griff nach ihren Stiefeln, bevor sie die Füße auf den Boden setzte, und ging auf die andere Seite der Plane.

Soliman lag mit aufgestützten Ellbogen auf seinem Bett und las im Wörterbuch.

»Wo sind sie?« fragte Camille, während sie Kaffee machte. »Rutsch mal ein Stück, Strickzeug«, sagte sie zu dem Hund, als sie sich auf das Bett des Wachers setzte.

»Interlock«, verbesserte sie Soliman.

»Ja, entschuldige. Wo sind sie?«

»Der Wacher telefoniert mit der Herde. Anscheinend war das Leitschaf gestern abend nicht in Form, ein geschwollener Knöchel. Psychosomatisch. Der Alte ist dabei, es aufzumuntern. Ein hinkendes Leitschaf, da torkelt die ganze Herde.«

»Hat es einen Namen?«

»Es heißt George Gershwin«, antwortete Soliman und verzog das Gesicht. »Der Wacher hat einen Namen aus dem Wörterbuch nehmen wollen, aber er hat es bei den Seiten mit den Eigennamen aufgeschlagen. Da war's zu spät, um es zu ändern, gesagt ist gesagt. Wir nennen es George. Auf jeden Fall hat es einen geschwollenen Knöchel.«

»Und Jean-Baptiste?«

»Er ist in aller Frühe zu den Gendarmen von Sautrey gefahren, dann hat er seinen Wagen genommen, um zu den Bullen von Villard-de-Lans zu fahren. Er hat gesagt, die Staatsanwaltschaft hätte denen die Ermittlungen übertragen, so was in der Art. Er hat gesagt, wir sollen nicht mit dem Essen auf ihn warten.«

Adamsberg kam gegen drei zurück. Soliman wusch Wäsche in einer blauen Wanne, Camille saß in der Fahrerkabine und komponierte, und der Wacher hatte es sich auf einem Schemel bequem gemacht und summte, während er den Kopf des Hundes kraulte. Adamsberg betrachtete die drei, die ein wenig wie Nomaden wirkten. Er freute sich, zum Laster zurückzukommen.

Er holte einen Segeltuchklappstuhl aus dem Viehtransporter, eines dieser verrosteten Dinger, die einem die Finger abzwicken, und stellte ihn auf dem kurzgeschnittenen Rasenstück neben dem Laster auf. Soliman kam als erster zu ihm. Sein gestriger Eifer hatte sich noch gesteigert. An diesem Bullen gefiel ihm alles, das unregelmäßige Gesicht, die beruhigende Stimme, die langsamen Gesten. Am Morgen hatte er begriffen, daß dem Kommissar trotz seiner offensichtlichen Eigenschaften Behutsamkeit und Offenheit niemand etwas voraushaben oder ihn beeinflussen konnte, kein Mensch, kein Befehl, keine Konvention. Und das erinnerte ihn – auf einer ganz anderen Ebene – an die eherne Unabhängigkeit seiner Mutter. Er hatte ihn zum Wagen begleitet und ihm lange von Suzanne erzählt.

Soliman setzte die Wanne vor Adamsberg ab. Der zehn Schritte entfernt sitzende Wacher unterbrach sein Summen.

»Rede, mein Junge«, sagte er. »Wie wurde Sernot umgebracht?«

»Von einem sehr großen Hund oder einem Wolf«, antwortete Adamsberg.

Der Wacher stieß mit dem Stock auf den Boden, wie um mit einem dumpfen Stoß die Richtigkeit ihrer Sicht der Dinge zu unterstreichen.

»Ich habe mit Montvailland gesprochen«, fuhr Adamsberg fort. »Ich habe ihn über Massart und die Bestie vom Mercantour informiert. Ich kenne den Mann. Er ist sehr gut, aber sehr rational, und das bremst ihn. Die Geschichte hat ihm gefallen, aber eher so, wie einem ein Gedicht gefällt. Und außerdem erträgt Montvailland Gedichte nur in Alexandrinern, immer vier zusammen. Das ist unser Handicap: Das Epos von Massart paßt nicht in einen zu eckigen Schädel. Die Wolfshypothese nimmt er hin. Letztes Jahr hatten sie südlich von Grenoble in der Nähe des Massif des Écrins Alarm wegen einem Wolf. Aber die Vorstellung, daß ein Mensch dahintersteht, will er nicht akzeptieren. Ich habe gesagt, für einen einzigen Wolf seien das eine ziemliche Strecke und ganz schön viele Opfer in ein paar Tagen, aber er glaubt, daß so etwas möglich ist, zum Beispiel, wenn der Wolf Tollwut hat. Oder wenn er einfach durchgedreht ist. Er wird eine Treibjagd und einen Hubschrauber beantragen. Und noch was ...«

Der Wacher hob die Hand, um ihn zu unterbrechen.

»Hast du gegessen, mein Junge?«

»Nein«, antwortete Adamsberg. »Ich habe nicht mehr daran gedacht.«

»Sol, hol das Essen. Bring auch den Weißwein mit.«

Soliman stellte eine Lattenkiste neben Adamsberg ab und hielt dem Wacher die Flasche hin. Niemand anderes als der Wacher hatte das Recht, den Weißwein von Saint-Victor auszuschenken, das hatten sie Camille am Tag nach ihrer Wache am Col de la Bonette schonend beigebracht.

»›Imperialismus‹«, sagte Soliman und sah den Wacher an. »›Kollektiver oder individueller Expansions- und Herrschaftswille.«

»Respekt, Sol«, erwiderte der Wacher.

Er füllte ein Glas für Adamsberg und streckte es ihm hin.

»Der ist stramm«, sagte er. »Vorsicht, er ist heimtückisch.«

Adamsberg bedankte sich mit einem Nicken.

»Sernot hat eine Schädelprellung«, sagte Adamsberg, »als sei er geschlagen worden, bevor man ihm die Kehle durchgeschnitten hat. Hat man irgend etwas Ähnliches an Suzanne Rosselin bemerkt?«

Ein kurzes Schweigen.

»Davon wissen wir nichts«, sagte Soliman mit leicht bebender Stimme. »Das heißt, zu dem Zeitpunkt hat man wirklich an einen Wolf geglaubt. Da hat noch niemand an Massart gedacht. Ihr Schädel wurde nicht untersucht.«

Soliman verstummte.

»Ich verstehe«, erwiderte Adamsberg. »Ich habe Montvailland darauf hingewiesen. Aber seiner Ansicht nach hat Sernot sich verletzt, als er mit dem Tier gekämpft hat. Das ist rational. Montvailland will da nicht weiter. Zumindest habe ich erreicht, daß er die Leiche nach Haaren untersucht.«

»Massart hat keine Haare«, brummte der Wacher. »Und es sieht nicht so aus, als würden die, die ihm nachts wachsen, ausgehen.«

»Tierhaare«, präzisierte Adamsberg. »Damit wir wissen, ob es sich um einen Hund oder einen Wolf handelt.«

»Wissen sie, wann der Angriff stattgefunden hat?« fragte Soliman.

»Gegen vier Uhr morgens.«

»Er hätte also die Zeit gehabt, vom Tête du Cavalier bis nach Sautrey zu kommen. Was hat Sernot um vier Uhr morgens draußen gemacht? Haben sie da eine Vorstellung?«

»Das ist für Montvailland kein Problem. Sernot war ein Kletterer, ein Wanderer, einer dieser Typen, die lange, anstrengende Wanderungen lieben, und er konnte schlecht schlafen. Es kam vor, daß er um drei Uhr morgens aufwachte und nicht mehr einschlafen konnte. Wenn's ihm zuviel wurde, ging er raus, wandern. Montvailland denkt, daß er dem Tier bei dessen nächtlicher Jagd begegnet ist.«

»Das ist rational«, bemerkte Camille.

»Warum soll das Tier ihn angegriffen haben?« fragte Soliman.

»Durchgedreht.«

»Wo ist das passiert?« fragte Camille.

»An der Kreuzung zweier Feldwege, an der Croisée du Calvaire. Da steht ein großes Holzkreuz auf einem kleinen Hügel. Die Leiche lag am Fuß des Kreuzes.«

»Die Kerzen«, murmelte Soliman.

»Bigott«, ergänzte der Wacher.

»Darüber habe ich mit Montvailland ebenfalls gesprochen.«

»Hast du ihm von uns erzählt?« fragte Camille.

»Das ist das einzige, von dem ich ihm nicht das Geringste erzählt habe.«

»Dabei bräuchte man sich nicht zu schämen«, sagte der Wacher mit einem gewissen Hochmut.

Adamsberg sah den Schäfer an.

»Jemanden zu bedrängen ist verboten«, sagte er. »Das fällt unter die Bestimmungen des Gesetzes.«

»Wir scheißen auf die Bestimmungen des Gesetzes«, erklärte Soliman.

»Wir bedrängen ihn nicht«, fügte der Wacher hinzu. »Wir haben uns an seine Fersen geheftet. Das ist nicht verboten.«

»Doch.«

Adamsberg hielt dem Wacher sein Glas hin.

»Montvailland weiß, daß ich mich hier verdeckt aufhalte«, fuhr er fort, »und daß niemand meinen Namen nennen darf. Er glaubt, daß ich die Informationen während meines Umherstreifens hier gesammelt habe.«

»Versteckst du dich, mein Junge?« fragte der Wacher.

Adamsberg nickte.

»Ein Mädchen sucht mich, eine Frage von Leben und Tod. Wenn die Zeitungen meine Anwesenheit hier melden, kommt sie eine Minute später hier an, um mir eine hübsche kleine Kugel in den Wanst zu feuern. Das ist ihr einziger Gedanke.«

»Was willst du tun?« fragte der Wacher. »Bringst du sie um?«

»Nein.«

Der Wacher runzelte die Stirn.

»Was dann? Willst du dein ganzes Leben auf der Flucht sein?«

»Ich will ihr eine andere Idee in den Kopf setzen. Ich bereite ihr eine neue Weichenstellung vor.«

»Geschickt, so eine Weichenstellung«, sagte der Wacher und kniff die Augen zusammen.

»Aber kompliziert. Mir fehlt noch ein Einzelteil.«

Adamsberg räumte langsam das Brot und das Obst in die Lattenkiste, erhob sich und stellte alles im Laster ab.

»Wir fahren nach Grenoble«, verkündete er. »Ich habe eine halboffizielle Verabredung mit dem Präfekten. Ich will ihn darüber informieren, daß ich Montvailland auf die Idee mit Massart gebracht habe. Ich will versuchen, ihn zu überzeugen, daß er die Untersuchung in unserem Sinne betreibt.«

»In welche Richtung also?« fragte Camille und stand auf.

»Weißt du auch nicht, wo Grenoble liegt?« fragte Soliman.

»Scheiße, Sol. Zeig mir einfach die Karte.«

»Sie ist die Fahrerin«, bemerkte der Wacher und berührte Soliman mit dem Ende seines Stocks an der Schulter.

Zehn Kilometer vor Grenoble ließ Adamsberg sich nach der Abzweigung auf die Autobahn von dem Viehtransporter überholen. Camille sah im Rückspiegel, wie er ihr wiederholt Zeichen mit der Lichthupe gab.

»Wir halten an«, sagte Camille. »Es gibt ein Problem.«

»In zwei Kilometern kommt ein Rastplatz«, sagte Soliman.

»Sie hat's gesehen«, erwiderte der Wacher.

Camille parkte den Laster, schaltete die Warnblinkanlage ein und ging zu Adamsbergs Wagen.

»Hast du eine Panne?« fragte sie und beugte sich zu seinem Fenster herunter.

Plötzlich war sie diesem Gesicht zu nahe, viel zu nahe. Sie ließ das Fenster los und wich zurück.

»Ich habe gerade die Nachrichten reinbekommen«, rief Adamsberg aus dem Fenster, um den Lärm der Autobahn zu übertönen. »Heute nacht ist nordwestlich von Grenoble vierzehn Schafen die Kehle zerfetzt worden.«

»Wo?« rief Camille zurück.

Adamsberg schüttelte den Kopf, dann stieg er aus seinem Wagen.

»Vierzehn Tiere«, wiederholte er, »in Tiennes, nordwestlich von Grenoble. Wieder auf Massarts Strecke. Aber diesmal hat der Wolf die Berge verlassen. Wir haben ihn, verstehst du?«

»Willst du sagen, daß wir die Wolfsgebiete verlassen haben?«

Adamsberg nickte.

»Kein einziger Bulle wird jetzt noch an das Herumirren eines einzelnen Wolfs glauben können. Das Tier zieht nach Norden, es folgt der roten Strecke, es entfernt sich von den unbesiedelten Gegenden. Es wird von einem Mann geführt. Es muß ein Mann sein. Ich rufe Montvailland an.«

Adamsberg ging zum Auto zurück, während Camille Soliman und den Wacher informierte.

»Tiennes«, sagte Camille. »Zeig mir die Karte. Vierzehn Tiere.«

»Verdammt«, brummte der Wacher.

Camille fand den Ort und gab dem Wacher die Karte.

»Gibt es dort große Schäfereien?« fragte sie.

»Es gibt überall Schäfereien, wo es rechtschaffene Menschen gibt.«

Adamsberg kam zu ihnen zurück.

»Montvailland bekommt erste Zweifel«, sagte er. »Sie haben kein einziges Tierhaar an Sernots Leiche gefunden.«

Von hinten brummte der Wacher etwas Unhörbares.

»Ich fahre wie geplant nach Grenoble«, sagte Adamsberg. »Es dürfte nicht mehr allzu schwer sein, den Präfekten zu überzeugen.«

»Beantragst du, offiziell damit betraut zu werden?« fragte ihn Camille.

»Ich habe keinerlei örtliche Zuständigkeit. Und außerdem ist da dieses Mädchen, ich möchte nicht, daß sie mich ausfindig macht. Camille, du fährst nach Tiennes. Ich treffe euch dort.«

»Wo?«

»Park den Laster am Dorfeingang, wo du kannst, am Rand der Landstraße.«

»Und wenn ich nicht kann?«

»Na, sagen wir, wenn ihr nicht da seid, dann seid ihr woanders.«

»O. k. Machen wir's so.«

»Ihr werdet rechtzeitig da sein, um noch in die Kirche gehen zu können. Sieh nach, ob er uns eine Nachricht hinterlassen hat.«

»Kerzen?«

»Zum Beispiel.«

»Glaubst du, er will, daß man ihn bemerkt?«

»Ich glaube vor allem, daß er uns führt, wohin er will. Wir werden ihn überholen müssen.«

Camille stieg wieder in die Fahrerkabine. So war es häufig mit Adamsberg, man war sich nicht immer sicher, ihn verstanden zu haben.

27

Kurz hinter Grenoble verschwanden die Berge plötzlich. Sie erreichten offenes Land, und nach dem halben Jahr, das Camille in den Alpen verbracht hatte, schien es ihr, als brächen auf allen Seiten Mauerstücke zusammen, als verliere sie plötzlich ihre Stützen und Bezugspunkte. Im Rückspiegel sah sie, wie dieser schützende Wall sich entfernte, und sie hatte das Gefühl, in eine weit offen klaffende Welt einzudringen, die jeglichen Rahmen verloren hatte, in der Gefahren und auch Verhaltensweisen nicht mehr vorhersehbar waren, nicht einmal die eigenen Reaktionen. Es schien ihr, als ob sie von nichts Stabilem mehr gestützt würde. Sobald sie Tiennes erreicht hätten, würde sie den Kanadier anrufen. Lawrences Stimme würde ihr das tröstliche Umschlossensein, das die Berge vermittelten, wieder in Erinnerung rufen.

Und das alles wegen einer Ebene. Sie warf einen Blick auf Soliman und den Wacher. Der Schäfer starrte mit verdrossener Miene auf diese Weite ohne Größe und ohne Grenzen, die ihn der Fundamente seines gesamten Lebens beraubte.

»Flach, nicht?« sagte Camille.

Die Straße war uneben, die Blechteile des Lasters klapperten an allen Ecken und Enden, und man mußte lauter reden, um sich verständlich zu machen.

»Erdrückend«, sagte der Wacher dumpf.

»Das bleibt jetzt so bis zum Nordpol. Das werden wir akzeptieren müssen.«

»Bis dahin fahren wir nicht«, bemerkte Soliman.

»Wir fahren bis dahin, wenn der Blutsauger bis dahin fährt«, sagte der Wacher.

»Wir kriegen ihn vorher. Wir haben Adamsberg.«

»Niemand *hat* Adamsberg, Sol«, erwiderte Camille. »Hast du das noch nicht kapiert?«

»Doch«, antwortete Soliman trübsinnig. »Kennst du die Geschichte«, fügte er dann hinzu, »von dem Mann, der die Augen seiner Frau in eine Schachtel stecken wollte, um sie anzusehen, wenn er auf die Jagd ging?«

»Scheiße, Sol«, sagte der Wacher und schlug mit der Faust an die Scheibe.

»Da sind wir«, verkündete Camille.

Soliman nahm das Mofa von der Halterung und fuhr los, um die Kirchen zu inspizieren. Der Wacher begab sich – mit der eigenen Weißweinflasche – zum größten Café von Tiennes, in dem Angst und Aufruhr herrschten. Vierzehn Tiere, verdammt. Man hatte nicht damit gerechnet, daß Wölfe ins Tal kämen. Jetzt aber, erklärte eine spitze Stimme, vermehrten sie sich wegen dieser Idioten vom Mercantour, die sich damit vergnügten, den Dingen ihren Lauf zu lassen, und breiteten sich aus wie eine Epidemie. Bald würden sich die Untaten der Wölfe wie ein blutiger Mantel über das ganze Land legen. Da habe man den Preis dafür, wenn man die Wildnis neu belebte. Eine rauhe Stimme schaltete sich ein. Wenn man keine Ahnung hat, sagte die rauhe Stimme, hält man das Maul. Das sei keine Epidemie, das seien keine Wölfe, das sei *ein* Wolf. Ein einziger großer Wolf, ein riesiges Tier, das inzwischen bereits dreihundert Kilometer in Richtung Nordwesten zurückgelegt habe. Ein Wolf, ein einziger Wolf, die Bestie vom Mercantour. Der Arzt habe die Wunden gesehen. Das war die Bestie, mit so großen Fangzähnen. Sie hätten es gerade in den Nachrichten gesagt. Der Blödmann solle sich doch informieren, bevor er den Mund aufmache. Der Wacher bahnte sich einen Weg an die Bar. Er wollte wissen, wer der Schäfer war und ob er in der Nacht einen Wagen in der Nähe der Weiden gesehen habe. Solange man den Wagen nicht hatte, so lange hatte man auch Massart nicht. Und der verdammte Wagen blieb nach wie vor unauffindbar.

Gegen fünf kam Soliman ziemlich aufgeregt zurück. In einer Kapelle ganz in der Nähe von Tiennes hatte er etwas abseits von den anderen Kerzen fünf heruntergebrannte Stümpfe gefunden, die in Form eines M angeordnet waren. Das Türschloß war herausgebrochen, die Kapelle konnte nachts nicht mehr verschlossen werden. Soliman wollte die Kerzenstummel an sich nehmen, um an die Fingerabdrücke zu kommen. Abdrücke im Wachs wären doch ideal.

»Wart auf ihn«, sagte Camille.

Sie konsultierte den *Katalog für handwerkliches Arbeitsgerät*, während Soliman sich mit nacktem Oberkörper wieder der Wäsche in der blauen Wanne zuwandte. Der Wacher döste im Laster vor sich hin. Sie warteten auf den Bullen.

Eine knappe Stunde verstrich, ohne daß jemand sprach.

Mit großem Auspuffgeröhre tauchten plötzlich vier Motorradfahrer auf der Landstraße auf, bogen zum Laster ab und stellten wenige Meter von Soliman entfernt die Motoren aus. Überrascht sah der junge Mann auf. Sie nahmen wortlos ihre Helme ab und grinsten ihn an. Camille erstarrte.

»Na, so was, Neger!« sagte einer von ihnen. »Leistest du dir 'ne weiße Frau?«

»Keine Angst, sie mit deinen Pfoten dreckig zu machen?« fragte der zweite.

Soliman richtete sich auf und preßte mit beiden Fäusten die Wäsche zusammen, die er, vor Wut bebend, über der Wanne auswrang.

»Ganz langsam, Affe«, fuhr der erste fort, während er von seinem Motorrad abstieg. »Wir geben dir jetzt den letzten Schliff. Wir richten dich so schön her, daß dir die Lust an der Liebe bis zur Rente vergehen wird.«

»Und aus dir, Mädel«, sagte der zweite, ein magerer Rothaariger, der ebenfalls abstieg, »machen wir eine richtige Schönheit. Danach wollen dich nur noch Schwarze. Zur Strafe.«

Die vier Männer kamen auf die beiden zu. Über ihren nackten Oberkörpern trugen sie schwarze Lederwesten, in den Händen Motorradketten, mit Nägeln verzierte Ringe an den Fingern. Der Wortführer war blond und fett.

Soliman duckte sich, zum Angriff bereit, und stellte sich vor Camille, um sie zu schützen.

»Hast du einen Namen, Affe?« fragte der erste Typ und schwang seine Kette. »Ich weiß gern, wen ich schlage.«

»Melchior«, rief Soliman.

Der fette Typ lachte höhnisch und machte einen Schritt auf ihn zu, während die anderen sich verteilten, um jede Fluchtmöglichkeit zu versperren.

»Wer den Weisen aus dem Morgenland anrührt, ist ein toter Mann«, sagte plötzlich die Stimme des Wachers in die Stille hinein.

Der alte Schäfer stand aufrecht auf den hinteren Stufen des Viehtransporters, ein Jagdgewehr auf die Motorradfahrer gerichtet, mit haßerfülltem Blick und unerbittlicher Geste.

»Ein toter Mann«, wiederholte der Alte und gab mit seinem Gewehr einen Schuß auf den Benzintank eines der schwarzen Motorräder ab. »Das ist Wildschweinmunition, ich rate euch, macht keine falsche Bewegung.«

Unentschlossen waren die vier Motorradfahrer stehengeblieben. Der Wacher hob das Kinn.

»Vor Prinzen zieht man den Hut«, sagte er. »Werft die

Helme weg. Und die Jacken. Und die Ketten. Und die Ringe. Und die Stiefel.«

Die Motorradfahrer gehorchten und ließen alles zu ihren Füßen fallen.

»Behaltet ja bloß die Hosen an«, fuhr der Wacher mit herrischer Stimme fort. »Hier ist eine Frau anwesend. Ich möchte nicht, daß sie sich ihr Leben lang ekelt.«

Die vier Männer blieben mit nacktem Oberkörper, in Strümpfen und stumm vor Erniedrigung vor dem Wacher stehen.

»Und jetzt auf die Knie«, befahl der Wacher. »Auf den Boden wie Gewürm. Hände auf den Boden und Stirn auf die Erde. Runter mit den Hintern. Wie die Hyänen. So. Das ist schon besser. So grüßt man Prinzen.«

Der Wacher sah ihnen zu, wie sie sich krümmten, und lachte höhnisch.

»Jetzt hört mir mal zu, Bürschchen«, fuhr er dann fort. »Ich habe das Alter des Schlafens hinter mir. Ich wache die ganze Nacht. Ich wache über das Wohl des jungen Melchior. Das ist meine Aufgabe. Wenn ihr wiederkommt, knall ich euch ab wie Hunde. Du da, Dicker, versuch nicht, dich zu rühren«, sagte er und richtete rasch das Gewehr auf ihn. »Sollen wir gleich damit anfangen?«

»Schießen Sie nicht, Wacher«, sagte plötzlich Adamsbergs Stimme.

Der Kommissar kam langsam von hinten, seine Magnum 357 in der Hand.

»Legen Sie Ihr Gewehr beiseite«, sagte er. »Wir werden keine einzige Wildschweinkugel an die Hintern dieses Gesindels verschwenden. Das würde uns zuviel Zeit kosten, und wir haben es eilig. Sehr eilig. Camille, komm zu mir, nimm mein Handy aus meiner Jacke, ruf die Bullen an. Soliman, mach die Tanks leer, die Reifen kaputt, zerschlag die Scheinwerfer. Das wird uns guttun.«

Camille bewegte sich unauffällig inmitten dieser sieben Männer im Kriegszustand. Auf Solimans Gesicht entdeckte sie ein mörderisches Zucken, in den Augen des Wachers einen unbarmherzigen Ausdruck.

Während der nächsten Minuten wurde kein einziges Wort gesprochen. Sie sahen zu, wie Soliman mit Wut und Methode die Maschinen zerstörte.

Die Gendarmen legten den vier Männern Handschellen an und verfrachteten sie in ihre Wagen. Adamsberg sorgte dafür, daß die Zeugenaussagen abgekürzt und die Formalitäten der Strafanzeige vertagt wurden. Bevor sie losfuhren, steckte er den Kopf durch die Tür.

»Dich«, rief er dem ersten Typen zu, »wird Soliman wiederfinden. Und dich«, fügte er hinzu und wandte sich dem Rothaarigen zu, »werde *ich* wiederfinden. Ich folge Ihnen«, sagte er zu den Gendarmen.

»Seit wann gibt's hier ein Gewehr?« fragte Camille, als sie fuhren, während Soliman, an die Schulter des Wachers gelehnt, wieder zu Atem kam.

»Bedauerst du das, junge Frau?« fragte der Wacher.

»Nein«, erwiderte Camille, die registrierte, daß der Wacher im Laufe der Turbulenzen das Siezen aufgegeben hatte. »Aber wir hatten gesagt: ›Kein Gewehr.‹ Das war die Übereinkunft. Wir hatten gesagt: ›Niemand bringt jemanden um.‹«

»Wir bringen niemanden um«, erklärte der Wacher.

Camille zuckte skeptisch mit den Schultern.

»Warum hast du ›Melchior‹ gesagt?« fragte sie Soliman.

»Damit der Wacher merkt, daß ich aus der Situation nicht allein rauskomme.«

»Wußtest du, daß er ein Gewehr hat?«

»Ja.«

»Hast du auch eins?«

»Ich schwöre dir, daß ich keins habe. Willst du meine Sachen durchsuchen?«

»Nein.«

Am Abend berichtete Adamsberg von seinem Gespräch mit dem Präfekten von Grenoble. Die Staatsanwaltschaft würde wegen Totschlags ermitteln. Man suchte einen Mann und ein zum Töten abgerichtetes Tier. Adamsberg hatte die Beschreibung von Auguste Massart weitergegeben. Man würde die Ermittlungen im Mordfall Suzanne Rosselin sowie in allen von dem großen Wolf heimgesuchten Gemeinden wieder aufnehmen.

»Warum schreiben sie ihn nicht zur Fahndung aus?« fragte Soliman. »Ein Foto von Massart in den Zeitungen?«

»Nicht legal«, antwortete Adamsberg. »Es gibt keinerlei Beweis, der es rechtfertigt, Massart öffentlich zu beschuldigen.«

»Ich habe zwei Kilometer von hier seine verdammten Sühnekerzen in einer Kapelle gefunden. Nehmen wir sie mit wegen der Fingerabdrücke?«

»Man wird keine finden.«

»O. k.«, sagte Soliman enttäuscht. »Wenn die Bullen aufmarschieren, wozu sind wir dann da?« fragte er.

»Verstehst du das nicht?«

»Nein.«

»Wir sind dazu da, an die Sache zu glauben. Wir brechen heute abend auf«, fügte er hinzu. »Wir bleiben nicht hier.«

»Wegen der Motorradfahrer? Ich hab keine Angst.«

»Nein. Wir müssen Massart überholen oder uns ihm zumindest nähern.«

»Von wo? Wohin? Er sucht sich seine Rastplätze ganz zufällig aus.«

»Da bin ich mir nicht sicher«, sagte Adamsberg behutsam.

Camille hob den Blick und sah ihn an. Wenn Adamsberg diesen Ton annahm, war das, was er sagte, wichtiger, als es den Anschein hatte. Je wichtiger etwas war, desto behutsamer redete er.

»Nicht ganz zufällig«, räumte Soliman ein. »Er greift nur auf seiner roten Strecke an, und dann dort, wo die Schafe am leichtesten zugänglich sind. Er sucht sich seine Schäfereien aus.«

»Das habe ich nicht gemeint.«

Soliman sah ihn fragend an.

»Ich denke an Suzanne und an Sernot«, erklärte Adamsberg.

»Er hat Suzanne getötet, weil er Angst bekommen hat«, sagte Soliman. »Und er hat Sernot die Kehle durchgeschnitten, weil der ihn überrascht hat.«

»Weh dem, der seinen Weg kreuzt«, bemerkte der Wacher etwas belehrend.

»Da bin ich mir nicht so sicher«, wiederholte Adamsberg.

»Wo willst du hin?« fragte Camille mit gerunzelter Stirn.

Adamsberg holte die Karte aus seiner Tasche und faltete sie auseinander.

»Hierhin«, sagte er. »Nach Bourg-en-Bresse. Hundertzwanzig Kilometer Richtung Norden.«

»Warum, verdammt?« fragte Soliman kopfschüttelnd.

»Weil das das einzige größere Städtchen ist, auf das er sich bei seiner Route einläßt«, bemerkte Adamsberg. »Wenn er einen Wolf und eine Dogge dabeihat, ist das keine Kleinigkeit. Sonst meidet er Marktflecken und Städte. Wenn er über Bourg-en-Bresse fährt, dann deshalb, weil er einen guten Grund dafür hat.«

»Hypothese«, sagte Soliman.

»Instinkt«, verbesserte Adamsberg.

»Er ist aber auch über Gap gefahren«, wandte Soliman ein. »Und in Gap ist nichts passiert.«

»Nein«, räumte Adamsberg ein. »Vielleicht passiert in Bourg auch nichts. Aber wir fahren da hin. Es ist besser, vor ihm zu sein als hinter ihm.«

Nach zweieinhalb Stunden Fahrt stellte Camille den Viehtransporter in der Dunkelheit auf dem Randstreifen der N 75 am Eingang von Bourg-en-Bresse ab.

Sie ging zu dem Feld hinunter, das sich rechts der Straße erstreckte, und nahm ein Stück Brot mit sowie ein Glas Wein, das der Wacher ihr zugebilligt hatte. Aufgrund der unerwarteten Dauer des ›Rod-Muwie‹, hatte der Wacher gesagt, mußte der Weißwein von Saint-Victor rationiert werden. Er mußte bis zum Ende reichen, das war lebensnotwendig, auch auf die Gefahr hin, jeden Tag nur eine Pipette voll trinken zu können. Aber weil Camille den Laster steuerte und ihr das stark in die Arme und in den Rücken ging, hatte sie Anrecht auf eine zusätzliche Ration, um ihr die Muskeln für die Nacht zu lockern und sie zugleich für den nächsten Tag zu beleben. Camille hatte nicht einen Augenblick daran gedacht, der Medikation des Wachers zu widersprechen.

Sie lief das Feld entlang bis zu den Bäumen an seinem Ende und kehrte wieder um. Der undeutliche Eindruck vom Fehlen des Gleichgewichts, der sie überkommen hatte, als sie das Gebirge verließen, dieser Eindruck von Bedrohung und Öffnung, von Furcht und Freiheit, ließ sie nicht los. Lawrences Stimme vorhin hatte sie beruhigt. Ihn zu hören erinnerte sie an Saint-Victor, an die hohen Mauern des hoch am Berg liegenden Dorfes, die engen Gäßchen, die mächtigen, umrahmenden Berge, den begrenzten Blick. Dort schien ihr alles vorhersehbar, erwartet. Hier dagegen wirkte alles vage und möglich. Camille verzog das Gesicht, streckte ihre Arme aus, wie um diese Furcht von ihrem Körper abfallen zu lassen. Es war das erste Mal, daß sie das Mögliche fürchtete, und dieser Verteidigungsreflex mißfiel ihr. In einem Zug leerte sie das Glas des Wachers.

Sie ging gegen ein Uhr morgens als letzte schlafen. Sie schlich an Soliman und dem Wacher vorbei und schob dann vorsichtig die graue Plane zur Seite, während sie auf Adamsbergs Atem achtete. Geräuschlos stellte sie ihre Stiefel auf den Boden, zog sich leise aus und legte sich hin. Adamsberg schlief nicht. Er bewegte sich nicht, er sagte nichts, aber sie spürte, daß seine Augen weit offen waren. Die Nacht war nicht so dunkel wie die vorangegangene. Wenn sie zu ihm hinübergesehen hätte, hätte sie sein Profil erkennen können. Aber sie sah nicht zu ihm hinüber. In diesem angespannten Schweigen schlief sie schließlich ein.

Ein paar Stunden später weckte sie das Piepsen des Handys. Dem Licht nach zu urteilen, das unter den Planen der Sichtfenster hervordrang, schätzte sie, daß es noch vor sechs Uhr morgens sein müsse. Sie schloß halb wieder die Augen, sah Adamsberg ohne Eile aufstehen, seine bloßen Füße auf den schmutzigen Boden des Viehtransporters setzen und das Handy aus seiner Jacke nehmen, die an der Futterkrippe hing. Er murmelte ein paar Worte und legte auf. Camille wartete, bis er in seine Sachen geschlüpft war, dann fragte sie, was los sei.

»Schon wieder ein Mord«, murmelte er. »Verflucht. Was für ein Gemetzel richtet dieser Typ an.«

»Wer hat angerufen?« fragte Camille.

»Die Bullen von Grenoble.«

»Wo ist es passiert?«

»Wo wir vermutet haben. Hier in Bourg.«

Adamsberg fuhr sich mit den Händen durchs Haar, hob die Plane hoch und verließ den Laster.

28

Er traf die Polizisten von Bourg an der Place du Calvaire. Sie befanden sich am Stadtrand, fast schon auf dem Land, an der Kreuzung von drei Nebenstraßen. Ein Steinkreuz markierte die Stelle. Die Polizisten waren an der Leiche eines etwa siebzigjährigen Mannes beschäftigt, dessen Kehle zerfetzt und dessen Schulter aufgerissen war.

Kommissar Hermel, ein Mann, der genauso klein war wie Adamsberg, mit hängendem Schnurrbart und einer Brille, deren Bügel auf großen Ohren saßen, trat zu ihm, um ihm die Hand zu reichen.

»Man hat mir mitgeteilt, daß Sie der Sache schon von Anfang an nachgehen«, sagte er. »Ich bin froh, von Ihrer Hilfe profitieren zu können.«

Hermel war ein umgänglicher, herzlicher Mensch, den die mögliche Konkurrenz nicht störte. Adamsberg gab ihm schnell die Informationen, die er besaß. Hermel hörte ihm mit geneigtem Kopf zu und rieb sich die Wange.

»Das paßt zusammen«, sagte er. »Zusätzlich zu den Verletzungen haben wir einen ziemlich sauberen Pfotenabdruck links von der Leiche, so groß wie eine Untertasse. Ein Tierarzt sollte kommen und das alles untersuchen. Aber heute ist Sonntag, da sind alle später dran.«

»Um wieviel Uhr ist es passiert?«

»Gegen zwei Uhr morgens.«

»Wer hat ihn entdeckt?«

»Ein Nachtwächter auf dem Nachhauseweg.«

»Weiß man schon, wer es ist?«

»Fernand Deguy, ein ehemaliger Bergführer. Er hat sich vor fünfzehn Jahren in Bourg zur Ruhe gesetzt. Sein Haus ist ganz in der Nähe. Ich habe gerade seine Familie benachrichtigt. Was für eine Katastrophe. Von einem Wolf gefressen.«

»Hat irgend jemand eine Ahnung, was er hier draußen gemacht hat?«

»Wir konnten seine Frau noch nicht gründlich befragen. Sie steht unter Schock. Aber der Mann ist immer erst spät ins Bett gegangen. Wenn es nichts zu sehen gab, hat er draußen noch eine Runde gedreht.«

Mit einer kreisförmigen Geste deutete Hermel auf die Hügel.

»Wo zu sehen?« fragte Adamsberg.

»Im Fernsehen.«

»Gestern gab's nichts«, bemerkte ein Inspektor. »Typisch für Samstagabend. Ich schaue trotzdem, das ist mein einziger ruhiger Abend.«

»Für ihn wäre es besser gewesen, wenn er's wie du gemacht hätte«, sagte Hermel nachdenklich. »Statt dessen ist er raus in die Natur. Und er ist auf den Mann gestoßen, dem er nicht hätte begegnen sollen.«

»Können Sie mir sämtliche verfügbaren Informationen über das Leben dieses Mannes zusammentragen?« bat Adamsberg.

»Was könnte das nützen?« erwiderte Hermel. »Es hat ihn erwischt. Ebensogut hätte es einen anderen erwischen können.«

»Genau das frage ich mich. Könnten Sie das erledigen, Hermel? Alles zusammentragen, was Sie können? Die Leute von Villard-de-Lans machen dasselbe mit Sernot. Wir werden beide vergleichen.«

Hermel schüttelte den Kopf.

»Der arme Alte war zum falschen Zeitpunkt hier«, beharrte er. »Was bringt uns das, wenn wir wissen, wann er sein erstes Paar Skier bekommen hat?«

»Ich weiß es nicht. Ich möchte, daß wir so verfahren.«

Hermel dachte nach. Er kannte Adamsbergs guten Ruf. Seine Bitte erschien ihm absurd, aber er beschloß zu tun, was von ihm verlangt wurde. Ein Kollege hatte ihm gesagt, daß Adamsbergs Verhalten oft absurd erschien. Und außerdem gefiel ihm dieser Bulle.

»Wie Sie wünschen, mein Lieber«, sagte Hermel. »Wir werden ein Dossier mit den Informationen anlegen.«

»Kommissar«, sagte der Inspektor und kam wieder auf ihn zu, »das hier lag im Gras, neben der Leiche. Das ist ganz neu.«

Auf der Handfläche des Polizisten lag ein blaues Papierkügelchen. Der Kommissar streifte seine Handschuhe über und faltete es auseinander.

»Papier«, kommentierte er verdrießlich. »Eine Werbung vielleicht. Sagt Ihnen das etwas, mein Lieber?«

Adamsberg nahm es vorsichtig und untersuchte es.

»Gehen Sie manchmal ins Hotel, Hermel?« fragte er.

»Ja.«

»Kennen Sie diese ganzen kleinen Proben im Badezimmer, die man sich in die Tasche steckt?«

»Ja.«

»Kleine Seifen, kleine Tuben mit Schuhcreme oder Zahnpasta, Erfrischungstücher für die Hände. Kennen Sie das?«

»Ja.«

»Den ganzen Mist, den man mitschleppt, wenn man abreist?«

»Ja!«

»Und genau so was ist das hier. Das ist die Verpackung eines Erfrischungstuches. Es stammt aus einem Hotel.«

Hermel nahm das zerknüllte Papierchen wieder an sich, setzte seine Brille auf und besah es sich näher.

»*Le Moulin*«, las er. »In Bourg gibt es kein Hotel *Le Moulin*.«

»Dann müßte man in der Umgebung suchen«, sagte Adamsberg. »Und zwar schnell.«

»Warum schnell?«

»Weil wir dann die Chance haben, das Zimmer zu finden, in dem Massart geschlafen hat.«

»Das Hotel wird schon nicht davonfliegen.«

»Aber es wäre nicht schlecht, dort zu sein, bevor das Zimmermädchen da war.«

»Glauben Sie, daß das hier dem Mörder gehört?«

»Gut möglich. So etwas steckt man in die Hosentasche, und es fällt erst raus, wenn man sich richtig bückt. Wer sollte sich hier an diesem Ort, am Fuße dieses Kreuzes schon richtig bücken?«

Um zehn Uhr morgens entdeckte man ein *Hôtel Le Moulin* in Combes, fast sechzig Kilometer von Bourg entfernt. Mit quietschenden Reifen verließ ein Wagen mit Hermel, Adamsberg, dem Inspektor und zwei Männern vom Labor das Kommissariat.

»Klug«, kommentierte Adamsberg. »Er tötet auf seinem Weg, aber er übernachtet weit abseits davon. Da kann man ihn lange auf seiner Route suchen. Er ist überall.«

»Wenn er es ist«, ergänzte Hermel.

»Er ist es«, erwiderte Adamsberg.

Kurz vor elf Uhr hielten sie vor dem *Hôtel Le Moulin*, einem Zwei-Sterne-Hotel der oberen Kategorie.

»Doppelt klug«, sagte Adamsberg, als er die Fassade betrachtete. »Er denkt, daß ihn die Bullen nur in schäbigen Absteigen suchen, und damit hat er nicht unrecht. Statt dessen logiert er in besseren Hotels.«

Die junge Frau am Empfang konnte ihnen kaum helfen. Ein Mann hatte am Vorabend telefonisch reserviert, sie hatte ihn aber nicht kommen sehen. Die Gäste bekamen die Codenummer der Haustüre. Sie hatte um sechs Uhr morgens ihren Dienst angetreten, er war in der Frühe gegangen, gegen halb sieben. Nein, sie habe ihn nicht gesehen, sie sei dabeigewesen, die Tische für das Frühstück zu decken. Er habe seinen Schlüssel auf den Tresen gelegt. Nein, er habe weder einen Meldezettel ausgefüllt noch bezahlt. Er habe angekündigt, drei Nächte bleiben zu wollen. Nein, sie habe weder sein Auto noch sonst irgend etwas gesehen. Nein, einen Hund habe er nicht bei sich gehabt. Ein Mann, das sei alles.

»Sie werden ihn nicht wiedersehen«, sagte Hermel.

»Welches Zimmer?« fragte Adamsberg.

»Nummer 24, im zweiten Stock.«

»War das Zimmermädchen schon da?«

»Noch nicht. Wir fangen immer im ersten Stock an.«

Sie arbeiteten zwei Stunden in dem Zimmer.

»Er hat alles abgewischt«, sagte einer der Männer von der Spurensicherung. »Ein Vorsichtiger, ein ganz Genauer. Er hat sogar das Kopfkissen abgezogen und die Badehandtücher mitgenommen.«

»Gib dein Bestes, Juneau«, ordnete Hermel an.

»Ja«, antwortete Juneau. »Sie halten sich für cleverer als die anderen, aber irgendwas lassen sie immer zurück.«

Sein Kollege meldete sich aus dem Badezimmer.

»Er hat sich vor dem Fenster die Fingernägel geschnitten«, sagte er.

»Weil er Blut darunter hatte«, bemerkte Hermel.

»Zwei Nägel sind im Fensterfalz hängengeblieben.«

Der Mann fuhr mit der Pinzette in die Ritze und holte die Nägel heraus, die er in einem Plastikbeutel verschloß. Juneau fand ein feines schwarzes Haar, das schon fast im Abfluß der Dusche verschwunden war.

»Er hat nicht alles gesehen«, sagte er. »Sie lassen immer was zurück.«

Als sie wieder im Kommissariat von Bourg waren, brauchten sie noch zwei Stunden, bis sich die Gendarmerie von Puygiron bereit erklärte, das Haus von Massart zu durchsuchen und die dort gefundenen Proben zu Vergleichszwecken an das Labor von Lyon zu schicken.

»Wonach wird gesucht?« fragte der Gendarmeriehauptmann von Puygiron.

»Nach Haaren und Fingernägeln«, antwortete Hermel. »Alle, die Sie einsammeln können. Nehmen Sie auch die Fingerabdrücke, das kann von Nutzen sein.«

»Wir nehmen, was wir finden«, sagte der Hauptmann. »Wir werden nicht dafür bezahlt, Ihnen Ihre – wie soll ich sagen – Beweisstücke zu liefern.«

»Genau so habe ich es gemeint«, erwiderte Hermel gelassen. »Nehmen Sie, was Sie finden.«

»Massart ist tot. Er hat sich auf dem Mont Vence verirrt.«

»Hier gibt es jemanden, der da nicht sicher ist.«

»Ein ziemlich großer Typ? Athletisch? Mit langen blonden Haaren?«

Hermel betrachtete Adamsberg.

»Nein«, sagte er. »Ganz und gar nicht.«

»Ich wiederhole es noch einmal, Kommissar. Massart ist irgendwo an diesem – wie soll ich sagen – Berg abgestürzt.«

»Ohne Zweifel. Aber lieber auf Nummer Sicher gehen, nicht wahr, für Sie wie für mich. Ich brauche diese Proben so schnell wie möglich.«

»Es ist Sonntag, Kommissar.«

»Das bedeutet, daß Sie ausreichend Zeit haben, heute nachmittag Massarts Haus zu durchsuchen und das Material heute abend nach Lyon bringen zu lassen. Hier sind Menschen zu Tode gekommen, und der Mörder läuft frei herum. Verstehen Sie mich, Hauptmann?«

Hermel legte den Hörer auf und verzog das Gesicht.

»Einer von diesen Gendarmen, die alles tun, um die Ermittlungen der Polizei zu blockieren. Ich hoffe, er sorgt für eine korrekte Durchsuchung.«

»Das war der, der den ganzen Fall von Anfang an blockiert hat«, sagte Adamsberg.

»Ich kann es mir nicht erlauben, einen von meinen Leuten hinzuschicken. Das hieße Feuer ins Öl gießen.«

»Kennen Sie jemanden bei der Staatsanwaltschaft von Nizza?«

»Ich kannte jemanden, mein Lieber. Er ist schon seit zwei Jahren nicht mehr dort.«

»Versuchen Sie es trotzdem. Es wäre für uns einfacher, einen Ihrer Leute dort unten zu haben.«

Adamsberg erhob sich und drückte seinem Kollegen die Hand.

»Halten Sie mich auf dem laufenden, Hermel. Die Laborergebnisse und die Akte. Vor allem die Akte.«

»Die Akte, ich weiß.«

»Und was die Mörderin betrifft, die mir auf den Fersen ist, sagen Sie Ihren Kollegen, daß sie die Klappe halten sollen. Vergessen Sie das nicht.«

»Gefährlich?«

»Sehr.«

»Es ist mir recht, daß ich Ihren Namen nicht nennen muß. Passen Sie auf sich auf, mein Lieber.«

Am nächsten Morgen, einem Montag, widmeten fast alle Zeitungen ihre Titelseite dem Werwolf. Soliman kam schweißgebadet aus der Stadt zurück, warf das Mofa auf die Böschung und das frische Brot sowie einen Stoß Zeitungen auf die Holzkiste.

»Alles steht in diesen Scheißzeitungen!« brüllte er. »Alles! Eine Katastrophe! Ein Riesenleck! Scheißbullen und

Scheißzeitungen! Der Werwolf, die Schafe, die Opfer, alles steht drin! Sogar die Karte! Die Route! Nur der Name von Massart wird nicht genannt! Es ist aus! Erledigt! Massart wird sich davonmachen, sobald er das gelesen hat. Vielleicht macht er sich gerade in diesem Moment davon! Er entkommt uns, schöne Scheiße! Man müßte die Grenzen kontrollieren, die Straßen sperren! Diese Arschlöcher von Bullen! Meine Mutter hatte recht! Arschlöcher von Bullen!«

»Beruhige dich, Soliman«, sagte Adamsberg. »Trink deinen Kaffee.«

»Verstehen Sie nicht?« rief der junge Mann. »Anstatt ihn ins Netz gehen zu lassen, legt man ihm einen roten Teppich aus, damit er verschwinden kann!«

»Beruhige dich«, wiederholte Adamsberg. »Zeig her.«

Adamsberg schlug die Zeitungen auf, gab eine davon Camille, eine dem Wacher. Er zögerte und legte dann noch eine auf die Pfoten von Interlock.

»Hier, Hund, lies das.«

»Ist das jetzt der Moment, Witze zu machen?« fragte Soliman böse und kniff die Augen zusammen. »Ist das wirklich der Moment, Witze zu machen, wenn Massart abhaut und meine Mutter weiter im stinkenden toten Fluß steckt?«

»Was den toten Fluß angeht, sind wir keineswegs sicher«, sagte der Wacher.

»Oh, Scheiße, Alter!« schimpfte Soliman. »Verstehst du auch nichts?«

Der Wacher hob seinen Stock und berührte Soliman leicht an der Schulter.

»Halt die Klappe, Sol«, sagte er. »Respekt.«

Soliman schwieg, holte Luft und setzte sich niedergeschlagen und mit hängenden Armen hin. Der Wacher schenkte ihm einen Kaffee ein.

Camille studierte die Zeitungen und überflog die fettgedruckten Überschriften. *Ein Werwolf auf dem Weg nach Paris – Rückkehr der Lykanthropie – Die Bestie aus dem Mercantour: Geführt von einem Irren – Der wahnwitzige Marsch des Wolfsmannes.*

Einige erwähnten die rote Wegstrecke, die Massart gezeichnet hatte, und illustrierten sie mit einer Karte. Sterne kennzeichneten die Orte, an denen sich die Massaker ereignet hatten. *»Nachdem die Bestie vor neun Tagen das Mercantour-Massiv verlassen und danach in mehreren Departements gewütet hat – Alpes Maritimes, Alpes-de-Haute-Provence, Isère und Ain, wo sie ihr letztes Opfer fand – soll sie sich nun genau nach Norden bewegen. Geführt von einem blutrünstigen Psychopathen, der unter Lykanthrophie leidet, soll das Tier dreißig Kilometer westlich der Autoroute du Soleil bis auf die Höhe von Chaumont hinaufziehen, wo es den Weg nach Westen in Richtung der Hauptstadt, über Bar sur-Aube und Provins, einschlagen soll. Man vermutet, daß sich der Mann in kleinen Etappen von sechzig bis zweihundert Kilometern ausschließlich nachts fortbewegt, begleitet von einem Wolf und einer deutschen Dogge, wahrscheinlich am Steuer eines Lieferwagens mit abgedunkelten Scheiben. Bis heute soll er drei Menschen auf dem Gewissen haben, dazu über vierzig Schafe. Es wird allen Schafzüchtern geraten, ihr Vieh mit Wachhunden oder elektrischen Weidezäunen zu schützen. Ausdrücklich werden alle Personen, Männer und Frauen, die am Rand oder in unmittelbarer Nähe der genannten Landstraßen wohnen, davor gewarnt, nach Einbruch der Nacht ohne Begleitung das Haus zu verlassen. Jede Person, die über eine Information verfügt, die der Polizei bei ihren Ermittlungen nützlich sein kann, wird gebeten, sich mit der Gendarmerie oder dem nächsten Polizeiposten in Verbindung zu setzen.«*

Niedergeschlagen legte Camille die Zeitung weg.

»Das Leck befindet sich bei den Bullen«, sagte sie. »Sie

haben die Presse informiert. Soliman hat nicht unrecht. Wenn Massart auch nur drei Körnchen Verstand hat, wird er verschwinden, bevor alle anderen auch nur Zeit haben, Luft zu holen.«

»Die Bullen dachten, sie machen es richtig«, meinte der Wacher. »Sie wollten lieber die Bevölkerung warnen und so neue Opfer verhindern. Massart eine Falle stellen heißt, Menschenleben aufs Spiel zu setzen. Man kann das verstehen.«

»Rein gar nicht«, erwiderte Soliman. »Das ist eine Riesensauerei. Ich würde gern wissen, welcher Schwachkopf das verzapft hat.«

»Ich«, sagte Adamsberg.

Im Lastwagen breitete sich drückende Stille aus. Adamsberg beugte sich zum Hund hinunter und nahm ihm die zerrissene Zeitung aus den Zähnen.

»Interlock hat das gefallen«, sagte er lächelnd. »Ihr müßtet euch mehr auf den Hund verlassen. Hunde haben eine gute Witterung.«

»Ich kann's nicht glauben«, murmelte Soliman niedergeschmettert. »Ich kann's nicht glauben.«

»Es wäre besser, du würdest es glauben«, sagte Adamsberg behutsam.

»Laß ihn das nicht noch mal sagen«, riet der Wacher. »Wenn er es dir sagt!«

»Ich habe gestern bei AFP angerufen«, sagte Adamsberg, »und ich habe ihnen genau das erzählt, was ich wollte.«

»Was ist AFP?« fragte der Wacher.

»Eine Art riesiges Leitschaf für die Journalisten«, erklärte Soliman. »Alle Zeitungen folgen dem, was AFP sagt.«

»Gut«, erwiderte der Wacher. »Ich versteh halt gern, worum es geht.«

»Und was ist mit der Route?« fragte Camille angespannt. »Warum hast du ihnen die Route zukommen lassen?«

»Gerade die. Ich wollte ihnen vor allem die Route geben.«

»Damit Massart sich davonmacht?« fragte Soliman. »Ist es das? Ist es das, ein Bulle ohne Prinzipien?«

»Er wird sich nicht davonmachen.«

»Und warum nicht?«

»Weil er seine Arbeit noch nicht beendet hat.«

»Welche Arbeit?«

»Seine Arbeit. Seine Arbeit als Mörder.«

»Der wird seine Arbeit anderswo erledigen«, rief Soliman, der wieder in Wut geriet und aufsprang. »In Amazonien, in Patagonien, auf den Hebriden! Es gibt überall Schafe!«

»Ich spreche nicht von Schafen. Ich spreche von Menschen.«

»Er wird sie anderswo töten.«

»Nein. Seine Arbeit ist hier.«

Wieder herrschte Stille.

»Das kapieren wir nicht«, sagte Camille und sprach damit aus, was alle dachten. »Weißt du das, oder denkst du dir das aus?«

»Ich weiß nichts«, antwortete Adamsberg. »Ich will sehen. Ich habe schon gesagt, daß der Weg von Massart genau und kompliziert ist. Jetzt, wo seine Route bekannt ist und wo er gesucht wird, muß er großes Interesse daran haben, sie zu ändern.«

»Und er wird sie auch ändern!« ereiferte sich Soliman. »Er ist gerade dabei, sie zu ändern.«

»Oder nicht«, erwiderte Adamsberg. »Das ist der empfindliche Punkt der Geschichte. Alles beruht darauf. Wird er von seinem Weg abweichen? Oder wird er sich daran halten? Davon hängt einiges ab.«

»Und wenn er sich daran hält?« fragte Camille.

»Das ändert alles.«

Soliman verzog verständnislos das Gesicht.

»Wenn er sich daran hält«, erklärte Adamsberg, »dann deswegen, weil er keine andere Wahl hat. Dann muß er dieser Route folgen, dann kann er gar nicht anders, als ihr zu folgen, wie hoch auch immer das Risiko dabei sein sollte.«

»Und warum?« fragte Soliman. »Verrücktheit? Wahnsinn?«

»Notwendigkeit, Berechnung. In diesem Fall ginge es nicht mehr um Zufall. Weder bei dem Mord an Sernot noch bei dem an Deguy.«

Soliman schüttelte ungläubig den Kopf.

»Wir schwimmen«, sagte er.

»Natürlich«, erwiderte Adamsberg. »Was können wir auch anderes tun?«

29

Mit den Morgennachrichten ließ der Druck auf die Aufseher des Mercantour mit einem Schlag nach. Man beschloß unverzüglich, die regelmäßige Überwachung der beiden Wolfsmeuten abzubrechen.

Lawrence fuhr mit seinem Motorrad zu Camille. Tage- und nächtelang hatte er sie nicht gesehen. Alles fehlte ihm. Ihre Worte, ihr Gesicht, ihr Körper. Er hatte aufreibende Momente hinter sich, und er brauchte sie. Camille holte ihn aus der Stille und der Isolation heraus.

Der Kanadier machte sich Sorgen. Man hatte ihm keine weitere Verlängerung seines Visums zugestanden. Die Aufgabe im Mercantour war mehr als erledigt, und er sah keine Möglichkeit, sie über ihr Ziel hinaus zu erweitern.

In knapp zwei Monaten, am 22. August, würde er abreisen müssen. Man erwartete ihn bei den Grizzlys. Weder er noch Camille hatten je darüber gesprochen, was nach Ablauf des Visums aus ihnen werden würde. Lawrence stellte es sich schwer vor, das Leben ohne sie wiederaufzunehmen. Wenn er könnte, wenn er es wagte, würde er sie heute nacht darum bitten, mit ihm nach Vancouver zu kommen. Bullshit. Die Frauen beeindruckten ihn zu sehr.

Am späten Nachmittag erhielt Adamsberg einen Anruf von Hermel.

»Es ist dasselbe Haar, mein Lieber«, sagte Hermel. »Dieselbe Dicke, dieselbe Farbe, derselbe Querschnitt, dasselbe genetische Muster. Ganz sicher. Wenn er es nicht ist, ist es sein Bruder. Wegen der Nägel müssen wir noch warten, wir haben erst jetzt welche in seiner Hütte um das Bett herum gefunden. Dieser Idiot aus Puygiron hatte nur im Bad danach suchen lassen. Wo der Typ doch sehr wohl an den Nägeln kauen und sie ausspucken kann, während er im Bett liegt, oder nicht? Ich habe heute morgen einen von meinen Männern hingeschickt und ihm aufgetragen, das Zimmer zu durchsuchen und uns die Nägel aller zehn Finger zu bringen, und keinen weniger. Wenn Sie etwas vom Wiederaufflammen des Krieges zwischen Gendarmerie und Polizei hören, dann wissen Sie, warum. Auf jeden Fall handelt es sich um Ihren Massart, das ist so gut wie sicher. Sie wissen, wie die in den Labors sind. Keine Chance, ihnen ein eindeutiges Ja zu entlocken. Warten Sie, ich bin noch nicht fertig, mein Lieber. Unter den Nägeln, die man im Fensterfalz des Hotelzimmers gefunden hat, gab es sogar Blutpartikel. Es ist das Blut von Fernand Deguy, darüber besteht kein Zweifel. Also hat der Typ aus dem Hotel wirklich sein Vieh auf Deguy losgelassen. Was das betrifft, so haben wir die Nachforschungen angestellt, die Sie verlangt haben, aber wir haben kein einziges Wolfshaar an der Leiche gefunden. Es gab zwar ein paar Hundehaare, aber die kamen von seinem Cockerspaniel. Wir beschäftigen uns mit diesem Deguy, wir kratzen alles zusammen, was wir können. Aber ich fürchte, Sie werden wenig Spaß damit haben. Bergführer, Bergführer, mein Lieber. Da hört es schon auf. Er hat sein ganzes Leben in Grenoble verbracht und hat sich in Bourg zur Ruhe gesetzt, weil Grenoble nur noch ein bis zum Rand gefüllter Abgaskessel ist. Überhaupt nichts Auffälliges, kein Drama, keine Geliebte, soweit bisher bekannt ist. Ich habe mit Montvailland in Villard-de-Lans gesprochen. Er ist seinerseits mit der Sache Jacques-Jean Sernot weitergekommen. Nichts Auffälliges, kein Drama, keine Geliebte, soweit bisher bekannt ist. Sernot

hat zweiunddreißig Jahre lang in Grenoble Mathematik unterrichtet. Grenoble ist der einzige gemeinsame Punkt in ihrer Biographie, aber für einen Punkt ist er ziemlich groß. Und ja, beide haben viel Sport getrieben. Das tun viele in dieser Stadt. Die Berge sind voll von Leuten, die wild entschlossen sind, stundenlang über Geröll zu wandern. Sie kennen das, mein Lieber, Sie kommen aus den Pyrenäen, wurde mir gesagt. Nichts deutet darauf hin, daß die zwei Männer sich jemals begegnet sind. Und noch weniger, daß sie Suzanne Rosselin gekannt haben. Ich gehe der Sache trotzdem weiter nach und faxe Ihnen alles, wohin Sie es haben möchten.«
Adamsberg legte auf und ging zum Lastwagen zurück. Soliman hatte sich wieder beruhigt; er hatte seine blaue Blechwanne hervorgeholt, Camille komponierte in der Kabine bei geöffneter Tür, der Wacher pfiff vor sich hin und saß neben den Stufen. Er entfernte Flöhe vom Bauch seines Hundes, die er dann zwischen Daumen und Zeigefinger zerquetschte. Das Leben verlief zunehmend nach festen Ritualen um den Lastwagen herum, die Territorien waren allmählich abgesteckt. Camille besetzte den vorderen Posten, Soliman die Flanke, und der Wacher bewachte den hinteren Teil.

Adamsberg ging nach vorne.

»Das Haar gehört Massart«, sagte er zu Camille.

Soliman, der Wacher und Camille umringten den Kommissar, schweigend, ernst, fast benommen. Sie hatten immer gewußt, daß es sich um Massart handelte, aber diese Bestätigung hatte etwas Schreckliches. Es war ein Unterschied wie der zwischen der Vorstellung von einem Messer und dem Anblick eines Messers. Ein Übermaß an Präzision und Realität, eine schneidende Gewißheit.

»Wir zünden eine Kerze im Lastwagen an«, unterbrach

Adamsberg die Stille. »Der Wacher soll darauf achten, daß die Flamme nicht ausgeht.«

»Was ist denn mit dir los?« fragte Camille. »Glaubst du etwa, das hilft?«

»Das hilft, um herauszufinden, wie lange eine Kerze brennt.«

Adamsberg suchte in seinem Kofferraum und kam mit einer langen Kerze zurück, die er auf eine Untertasse klebte. Er nahm sie mit in den Lastwagen und zündete sie an.

»Gut«, sagte er, während er zufrieden einen Schritt zurücktrat.

»Warum machen wir das?« fragte Soliman.

»Weil wir gerade nichts Besseres zu tun haben. Du und ich, wir werden in Ruhe die Landstraße entlangfahren und dabei alle Kirchen besichtigen. Falls Massart nach dem Mord von Deguy einen Anfall von Reue bekommen hat, haben wir eine Chance, auf ein Zeichen von ihm zu stoßen. Wir müssen feststellen, ob er sich immer noch an die Route hält, oder ob er sie geändert hat.«

»Alles klar«, sagte Soliman.

»Camille, falls wir seine Spur finden, kommst du mit dem Lastwagen nach.«

»Das ist nicht möglich. Ich habe nicht vor, heute abend zu fahren.«

»Wegen der Kerze?« fragte Soliman. »Der Wacher kann sie auf seinen Knien halten.«

»Nein«, sagte Camille. »Ich bleibe in Bourg. Lawrence kommt heute abend.«

Es gab eine kurze Stille.

»Ah, gut«, sagte Adamsberg. »Laurence kommt heute abend. Gut.«

»Der Trapper kann uns auch weiter nördlich treffen«, meinte Soliman. »Was kann ihm das ausmachen?«

Camille schüttelte den Kopf.

»Er ist schon unterwegs, ich kann ihn nicht mehr erreichen. Ich habe mich in Bourg mit ihm verabredet, ich bleibe in Bourg.«

Adamsberg nickte.

»Gut«, sagte er. »Bleib in Bourg. Das ist normal. Das ist o. k.«

Adamsberg und Soliman besichtigten neunzehn Kirchen, bevor sie fast neunzig Kilometer nördlich von Bourg-en-Bresse in einer kleinen Dorfkirche in Saint-Pierre-de-Cenis fünf Kerzen entdeckten, die abseits der anderen standen und ungefähr in Form eines M angeordnet waren.

»Das ist er«, sagte Soliman. »In Tiennes war es genauso.«

Adamsberg nahm eine neue Kerze, zündete sie an der Flamme einer anderen an und steckte sie in die Halterung.

»Was machst du da?« sagte Soliman verblüfft. »Willst du beten?«

»Ich vergleiche.«

»Trotzdem. Wenn du eine Kerze aufstellst, mußt du beten. Und du mußt die Kerze bezahlen. Sonst wird man nicht erhört.«

»Bist du gläubig, Sol?«

»Ich bin abergläubisch.«

»Aha. Das muß anstrengend sein.«

»Sehr.«

Adamsberg neigte den Kopf und betrachtete die Kerzen.

»Sie sind zu einem Drittel niedergebrannt«, stellte er fest. »Wir müssen sie noch mit der aus dem Lastwagen vergleichen, aber Massart war wahrscheinlich vor ungefähr vier Stunden hier. Zwischen drei und vier Uhr heute nachmittag. Das ist eine einsame Ecke hier. Er muß sich in die leere Kirche geschlichen haben.«

Er schwieg und betrachtete lächelnd die Kerzen.

»Was bringt uns das jetzt eigentlich?« fragte Soliman. »Er ist jetzt weit weg. Wir wissen schon, daß er Kerzen anzündet.«

»Hast du immer noch nicht verstanden, Sol? Diese Kirche liegt auf seinem Weg. Das bedeutet, daß er nicht abgewichen ist. Er klebt an seiner Route. Das heißt, daß nichts zufällig ist. Wenn er hier vorbeikommt, dann, weil er es muß. Jetzt wird er nicht mehr von seinem Weg abweichen.«

Bevor sie gingen, warf Adamsberg noch drei Francs in ein Körbchen.

»Ich wußte, daß du dir etwas gewünscht hast«, sagte Soliman.

»Ich habe nur die Kerze bezahlt.«

»Du lügst. Du hast dir etwas gewünscht. Ich habe es an deinen Augen gesehen.«

Adamsberg parkte den Wagen etwa zwanzig Meter vom Viehtransporter entfernt. Er zog langsam die Handbremse. Weder er noch Soliman stiegen aus. Der Wacher hatte ein Feuer gemacht, das er mit dem eisenbeschlagenen Ende seines Stockes schürte. Neben ihm, den Blick in die Flammen gerichtet, hatte ein großer, schöner Mann in einem weißen T-Shirt, mit blonden, schulterlangen Haaren, seinen Arm um Camilles Schultern gelegt. Adamsberg musterte ihn eine ganze Weile, ohne sich zu rühren.

»Das ist der Trapper«, erklärte Soliman endlich.

»Das sehe ich.«

Die beiden Männer schwiegen erneut.

»Das ist der Typ, der mit Camille zusammenlebt«, fuhr Soliman fort, als wolle er es sich selbst noch einmal erklären, um sich wirklich davon zu überzeugen. »Das ist der Typ, den sie gewählt hat.«

»Das sehe ich.«

»Sehr schön, sehr solide, keine kalten Augen. Und er hat Ideen«, fügte Soliman hinzu und tippte an seine Stirn. »Man kann nicht sagen, daß Camille eine schlechte Wahl getroffen hat.«

»Nein.«

»Man kann ihr nicht vorwerfen, daß sie sich diesen und keinen anderen Typen ausgesucht hat, nicht wahr?«

»Nein.«

»Camille ist frei. Sie kann sich aussuchen, wen sie will. Denjenigen, der ihr am besten gefällt. Wenn es dieser hier ist, na gut, dann wählt sie eben den, nicht wahr?«

»Ja.«

»Außerdem entscheidet schließlich sie. Nicht wir. Nicht die anderen. Sie ist es. Ich weiß nicht, was man darüber zu sagen haben sollte, nicht wahr?«

»Nein.«

»Und letztendlich hat sie ja keine schlechte Wahl getroffen. Oder? Ich weiß nicht, warum wir uns da einmischen sollten.«

»Nein. Wir mischen uns nicht ein.«

»Nein, nicht eine Sekunde.«

»Das geht uns auch wirklich nichts an.«

»Nein, wirklich nicht.«

»Nein«, wiederholte Adamsberg.

»Was machen wir?« fragte Soliman nach einer erneuten Pause. »Steigen wir aus?«

Der Wacher befestigte ein Gitter über der Glut und legte nachlässig zwei Reihen mit Koteletts und Tomaten darauf.

»Wo hast du den Grill her?« fragte ihn Soliman.

»Das ist ein Hühnergitter. Buteil hatte ihn im Lastwagen gelassen. Die Hitze desinfiziert alles.«

Der Wacher sah zu, wie das Fleisch grillte, und verteilte danach schweigend die einzelnen Stücke.

»Die Kerzen?« fragte Camille.

»Fünf in Saint-Pierre-du-Cenis«, sagte Adamsberg. »Er muß sie gegen drei Uhr angezündet haben. Er klebt an der Route. Was uns betrifft, wir müssen noch heute abend weg von hier, Camille. Jetzt, wo Laurence da ist, können wir ja weiterfahren.«

»Willst du nach Saint-Pierre?«

»Da ist er nicht mehr. Er ist schon weiter. Falte die Karte auseinander, Sol.«

Soliman stellte die Gläser auf die Seite und breitete die Karte auf der Kiste aus.

»Siehst du«, sagte Adamsberg und verfolgte die Route mit der Spitze seines Messers, »der Weg knickt hier ab und führt genau in westlicher Richtung nach Paris. Auch wenn er es vermeiden will, die Autobahn zu überqueren, hätte er schon früher abbiegen können, hier, auf der kleinen Straße, oder auch hier. Statt dessen macht er einen Schlenker von dreißig Kilometern. Das ist unsinnig, es sei denn, er will unbedingt durch Belcourt hindurch.«

»Das springt nicht gerade ins Auge.«

»Nein«, sagte Adamsberg.

»Massart tötet zufällig, wenn man ihm in die Quere kommt.«

»Das ist gut möglich. Aber trotzdem würde ich gern heute abend nach Belcourt fahren. Das Städtchen scheint nicht allzu groß zu sein. Wenn irgendwo ein Kreuz steht, werden wir es finden und uns dort aufstellen.«

»Ich glaube nicht daran«, sagte Soliman.

»Ich schon«, meldete sich plötzlich Lawrence zu Wort. »Nicht sicher, aber sehr wahrscheinlich. Bullshit. Hat schon genug Morde begangen.«

»Wenn wir ihn in Belcourt stören«, sagte Soliman und wandte sich dem Kanadier zu, »wird er anderswo töten.«

»Nicht sicher. Hat feste Vorstellungen.«

»Er sucht die Schafe«, erklärte Soliman.

»Hat Geschmack an den Menschen gefunden«, erwiderte Lawrence.

»Du hast gesagt, er habe es auf Frauen abgesehen«, sagte Camille.

»Hab mich getäuscht. Hat es nicht auf Frauen abgesehen, um sie zu vergewaltigen, hat es auf Männer abgesehen, um sich zu rächen. Kommt fast auf dasselbe raus.«

In Belcourt stand nirgends auch nur das kleinste Kreuz, ebensowenig in der Umgebung. Camille stellte den Viehtransporter am Rande eines mit Pflaumenbäumen bepflanzten Gemeindeterrains an der Landstraße ab, die durch die kleine Stadt führte. Adamsberg war ihnen vorausgefahren, um die diensthabenden Gendarmen zu benachrichtigen.

Soliman wartete allein auf ihn. Die Machenschaften des Kommissars verwirrten ihn, seine unvollständigen Ausführungen ließen ihn skeptisch. Aber seine Skepsis tat der Treue, die ihn seit den ersten Stunden an Adamsberg gebunden hatte, keinen Abbruch. Aus Logik und Vernunft kämpfte Soliman gegen ihn. Aber aus Instinkt schloß er sich seinem Tun an – wenn auch nicht seinen Gedanken, die er nicht klar erkennen konnte.

»Wie sind die Gendarmen?« fragte er ihn, als Adamsberg gegen Mitternacht zum Laster zurückkam.

»Gute Sorte«, sagte Adamsberg. »Kooperativ. Sie werden den Ort bis auf weiteres unter Bewachung stellen. Wo sind die anderen?«

»Der Wacher sitzt unter einem Pflaumenbaum, da hinten. Er trinkt einen Weißwein.«

»Die anderen?« hakte Adamsberg nach.

»Spazierengegangen. Der Trapper hat Camille gesagt, er wolle mit ihr allein sein.«

»Gut.«

»Ich vermute, sie haben das Recht dazu, oder?«

»Ja, natürlich, ja.«

»Ja«, wiederholte Soliman.

Er nahm das Mofa von der Halterung und ließ den Motor an.

»Ich fahre in die Stadt«, sagte er. »Ich schau mal, ob noch ein Café offen ist.«

»Hinter dem Rathaus ist eins.«

Soliman entfernte sich auf der Straße. Adamsberg stieg in den Laster, überprüfte die Kerze, die in sieben Stunden auf weniger als die Hälfte heruntergebrannt war. Er blies sie aus, nahm einen Klappstuhl und ein Glas und ging zum Wacher, den man am Ende des Feldes, fünfzig Meter entfernt, aufrecht in der Dunkelheit sitzend erkennen konnte.

»Setz dich, mein Junge«, sagte der Wacher, als er näher kam.

Adamsberg stellte den Klappstuhl neben ihn, setzte sich und streckte ihm sein Glas hin.

»Die Stadt wird überwacht«, sagte er. »Wenn Massart aufkreuzt, geht er ein ganz schönes Risiko ein.«

»Dann wird er nicht aufkreuzen.«

»Das macht mir Sorgen.«

»Hättest ihnen die Streckenbeschreibung einfach nicht zu geben brauchen, mein Junge.«

»Das war die einzige Möglichkeit, etwas herauszufinden.«

»Hm ...«, brummte der Wacher, während er Adamsberg einschenkte. »Ich habe die List kapiert. Aber der Mann ist ein Werwolf, Junge. Schon möglich, daß er seine Opfer aussucht, da widersprech ich dir nicht. Sicher wird er sich Feinde gemacht haben, als er Stuhlflechter war. Aber er bringt sie als Werwolf um. Das ist die Sache. Du wirst's sehen, wenn man ihn erwischt.«

»Ich werd's sehen.«

»Nicht sicher, daß man ihn erwischt. Mir scheint, daß wir ein ganzes Weilchen warten werden.«

»Na, dann warten wir. Wir warten so lange, wie nötig. Hier. Unter dem Pflaumenbaum.«

»Ganz genau, Junge. Wir warten auf ihn. Und wenn es sein muß, bleiben wir hier bis ans Ende unsres Lebens.«

»Warum nicht?« meinte Adamsberg etwas resigniert.

»Nur, wenn wir warten, müssen wir dran denken, Wein aufzutreiben.«

»Wir werden dran denken.«

Der Wacher trank einen Schluck.

»An diese Motorradfahrer neulich«, fuhr er dann fort, »müssen wir auch denken.«

»Die vergesse ich nicht.«

»Das ist Gesindel. Ohne das Gewehr hätten sie meinen Soliman massakriert und deine Camille abgemurkst. Glaub mir.«

»Ich glaube dir. Sie ist nicht meine Camille.«

»Du hättest mich nicht daran hindern sollen zu schießen.«

»Doch.«

»Ich hätte auf die Beine gezielt.«

»Ich glaube nicht.«

Der Wacher zuckte mit den Achseln.

»Sieh da«, bemerkte er. »Da kommen sie zurück. Die junge Frau und der Trapper.«

Der Wacher folgte den hellen Silhouetten, die die Landstraße entlanggingen, mit dem Blick. Camille stieg als erste in den Laster, Lawrence blieb zögernd vor den beiden Türflügeln am Heck stehen.

»Was macht er da?« fragte der Wacher.

»Der Geruch«, vermutete Adamsberg. »Der Wollschweiß.«

Der Schäfer brummte irgend etwas vor sich hin, während er den Kanadier mit hochmütigem Blick musterte. Lawrence schien eine Entscheidung getroffen zu haben. Er warf seine Haare zurück und sprang mit einem Satz in den Laster, wie jemand, der taucht.

»Anscheinend ist er traurig, weil der alte Wolf gestorben ist, um den er sich gekümmert hat«, nahm der Wacher das Gespräch wieder auf. »Das sind die Dinge, um die sie sich im Mercantour kümmern. Die Alten ernähren. Anscheinend geht er auch wieder nach Kanada zurück. Das ist nicht gerade die Tür nebenan.«

»Nein.«

»Wird versuchen, nicht allein zu gehen.«

»Mit dem alten Wolf?«

»Der alte Wolf ist gestorben, hab ich dir gesagt. Er wird versuchen, Camille mitzunehmen. Und sie wird versuchen, ihm zu folgen.«

»Ohne Zweifel.«

»Da müssen wir auch dran denken.«

»Das geht dich nichts an, Wacher.«

»Wo wirst du die Nacht schlafen?«

Adamsberg zuckte mit den Achseln.

»Unter dem Pflaumenbaum hier. Oder in meinem Auto. Es ist nicht kalt.«

Der Wacher nickte zustimmend, füllte die beiden Gläser und schwieg.

»Liebst du sie?« fragte er schließlich mit seiner dumpfen Stimme.

Adamsberg zuckte erneut mit den Achseln, ohne zu antworten.

»Mir ist es schnurz, wenn du nichts sagst«, bemerkte der Wacher, »ich bin nicht müde. Ich habe die ganze Nacht, um dir die Frage zu stellen. Wenn die Sonne aufgeht, wirst du mich hier antreffen und ich werde sie dir wieder stellen, bis du mir antwortest. Und wenn wir beide in sechs Jahren noch immer hier sind und unter dem Pflaumenbaum auf Massart warten, dann werd ich dich immer noch fragen. Mir ist es schnurz. Ich bin nicht müde.«

Adamsberg lächelte und trank einen Schluck Wein.

»Liebst du sie?« fragte der Wacher.

»Du nervst mit deiner Frage.«

»Das beweist, daß es eine gute Frage ist.«

»Ich habe nicht gesagt, sie sei schlecht.«

»Mir schnurz, ich habe die ganze Nacht. Ich bin nicht müde.«

»Wenn man eine Frage stellt«, sagte Adamsberg, »dann, weil man die Antwort bereits kennt. Ansonsten hält man die Klappe.«

»Das stimmt«, erwiderte der Wacher. »Ich kenne die Antwort bereits.«

»Siehst du.«

»Warum überläßt du sie anderen?«

Adamsberg schwieg.

»Mir schnurz«, sagte der Wacher. »Ich bin nicht müde.«

»Scheiße, Wacher. Sie gehört mir nicht. Niemand gehört jemandem.«

»Red dich nicht mit deiner Moral raus. Warum überläßt du sie anderen?«

»Frag den Wind, warum er nicht auf dem Baum bleibt.«

»Wer ist der Wind? Du? Oder sie?«

Adamsberg lächelte.

»Wir wechseln uns ab.«

»Das ist gar nicht so schlecht, Junge.«

»Aber der Wind verschwindet«, sagte Adamsberg.

»Und der Wind kommt zurück«, erwiderte der Wacher.

»Das ist das Problem. Der Wind kommt immer wieder zurück.«

»Das letzte Glas«, kündigte der Wacher an und besah

sich prüfend die Flasche in der Dunkelheit. »Wir müssen rationieren.«

»Und du, Wacher? Hast du jemanden geliebt?«

Der Wacher schwieg.

»Mir schnurz«, sagte Adamsberg. »Ich bin nicht müde.«

»Kennst du die Antwort?«

»Suzanne, dein ganzes Leben lang. Deswegen hab ich deine Patronentasche leer gemacht.«

»Mistkerl von Bulle«, sagte der Wacher.

Adamsberg ging zu seinem Wagen zurück, holte eine Decke aus dem Gepäckraum, legte sich auf die Rückbank und ließ die Tür offen, um die Beine ausstrecken zu können. Gegen zwei Uhr morgens grollte ein Gewitter über dem Land, und es begann leicht, aber hartnäckig zu regnen, was ihn dazu zwang, sich im Wagen zusammenzukrümmen. Nicht daß er groß gewesen wäre, ein Meter einundsiebzig, die erforderliche Mindestgröße, um bei der Polizei genommen zu werden, aber die Haltung war auf Dauer doch unbequem.

Wenn er drüber nachdachte, mußte er sogar der kleinste Bulle Frankreichs sein. Immerhin schon was. Der Kanadier dagegen war groß. Sehr viel größer. Auch schöner, ganz unbestreitbar. Und sogar schöner, als gedacht. Robust, vertrauenswürdig. Eine sehr gute Wahl, sehr viel besser als er. Er war die Sache nicht wert. Nur Wind, leere Versprechungen.

Natürlich liebte er Camille, er hatte nie versucht, es zu leugnen. Manchmal war es ihm bewußt, manchmal suchte er sie, und dann dachte er nicht mehr daran. Camille war seine natürliche Vorliebe. Diese beiden Nächte neben ihr waren sehr viel schwieriger gewesen, als er gedacht hätte. Hundertmal hatte er seine Hand ausstrecken und sie berühren wollen. Aber Camille hatte nicht den

Eindruck gemacht, irgend etwas zu wollen. Leb dein Leben, Kamerad.

Ja, natürlich liebte er Camille aus tiefster Seele, aus den tiefsten Tiefen dieser unbekannten Regionen, die man wie eine vertraute und fremde Unterwasserwelt in sich herumschleppt. Natürlich. Und weiter? Nirgends stand geschrieben, daß man jeden Gedanken auch verwirklichen mußte. Bei Adamsberg führte das Denken nicht notwendigerweise zum Handeln. Der aus Träumen bestehende Zwischenraum zwischen beiden absorbierte unzählige Triebe.

Und dann gab es diesen schrecklichen Wind, der ihn unaufhörlich weiter vorantrieb und manchmal seinen eigenen Stamm entwurzelte. An diesem Abend allerdings war er der Baum. Er hätte Camille in seinen Zweigen zurückhalten wollen. Aber just an diesem Abend war Camille der Wind. Sie sauste durch die Luft, bis zum Schnee dort oben hinauf. Mit dem verdammten Kanadier.

30

Durchnäßt und gerädert, wechselte Adamsberg um sieben Uhr morgens auf den Vordersitz, ließ den Motor an und fuhr direkt nach Belcourt, ohne das Erwachen der anderen abzuwarten. Er machte am städtischen Bad Halt, wo er sich zwanzig Minuten lang mit gerecktem Kopf und herunterbaumelnden Armen unter den lauwarmen Strahl der Dusche stellte.

Von Schmutz und Erinnerungen befreit, verweilte er eine halbe Stunde im Café, bevor er sich eine einsame Ecke im Ort suchte, um Danglard anzurufen. Dieses Mal hatte die lange Suche, die er Sabrina Monge betreffend in die Wege geleitet hatte, endlich zu einer greifbaren Fährte geführt, die in einem Dorf westlich von Danzig endete.

»Ist Gulvain verfügbar?« fragte er. »Sagen Sie ihm, er soll sich sofort auf den Weg machen, und benachrichtigen Sie Interpol. Wenn er die Fotos hat, soll er sie mir von Danzig aus per Expreß an die Gendarmerie von Belcourt, Departement Haute-Marne, schicken. Danglard, schicken Sie mir auch die gesamten polnischen Unterlagen, Ausweispapiere und Adressen. Nein, mein Lieber, wir warten noch immer. Ich denke, daß er hier in Belcourt oder in der Umgebung zuschlägt. Nein, mein Lieber, ich weiß es nicht. Geben Sie mir Bescheid, falls sie verschwindet.«

Adamsberg ging zur Gendarmerie. Der Gendarmerieoffizier Hugues Aimont trat seinen Tagesdienst an, und Adamsberg stellte sich vor.

»Ach, Sie sind das«, sagte Aimont, »der den Nachtdienst zum Großeinsatz gebracht hat.«

»Ich glaubte, das Richtige zu tun.«

»Ich bitte Sie«, sagte Aimont.

Der Hauptmann war ein langer, schwächlicher und etwas weichlicher blonder Typ. Ein schüchterner, fast linkischer, manchmal fast respektvoller Mann – für die Gendarmerie ein seltener Fall. Er drückte sich gewählt aus, war reserviert und vermied dabei Abkürzungen, Flüche und laute Ausrufe. Er stellte Adamsberg sofort die Hälfte seines Büros zur Verfügung.

»Aimont«, sagte Adamsberg, »die Kollegen von Villard und Bourg müssen uns die Unterlagen über Sernot und Deguy schicken. Der Hauptmann von Puygiron sollte uns alles schicken, was er über Auguste Massart besitzt, aber es kann sein, daß er es hinausschiebt. Es wäre nützlich, wenn Sie ihn anriefen. Dieser Gendarmeriehauptmann mag die Leute von der Polizei nicht.«

»Gab es da nicht noch ein drittes Opfer? Eine Frau?«

»Ich habe sie nicht vergessen. Aber die Frau ist umgebracht worden, weil sie etwas über Massart wußte, zumindest glaube ich das. Die anderen beiden sind aus einem anderen Grund getötet worden. Diesen Grund suche ich.«

»Sind Sie sicher«, fragte Aimont mit dünner Stimme, »daß der dritte Überfall in Belcourt stattfinden wird?«

»Seine Strecke macht einen Schlenker und führt hier vorbei. Aber er kann zweihundert Kilometer entfernt sein.«

»Es scheint mir nicht klug, den Zufall auszuschließen«, fuhr Aimont verlegen, aber beharrlich fort. »Diese beiden Männer hatten die Angewohnheit, nachts das Haus zu verlassen. Durchaus möglich, daß sie Massart einfach so begegnet sind.«

»In der Tat«, bemerkte Adamsberg. »Durchaus möglich.«

Adamsberg verbrachte den Tag in den Räumen der Gendarmerie und in deren unmittelbarer Umgebung und wechselte zwischen der Lektüre der Unterlagen und Phasen des Träumens. Adamsberg las langsam im Stehen und kam häufig auf eine bestimmte Zeile zurück, wenn sein flüchtiger Geist sich vom Text entfernt hatte. Seit einigen Jahren versuchte er, sein Denken zu disziplinieren, indem er sich Notizen in einem Heft machte. Diese Zwangsübung hatte jedoch nicht die erhoffte Wirkung.

Er aß mit Aimont zu Mittag, dann verließ er die Stadt auf der Suche nach einem Schlupfwinkel, den er ziemlich leicht drei Kilometer von Belcourt entfernt in der Nähe einer von Brombeerranken und Geißblatt überwucherten Mühle fand. Er nahm sein Heft heraus, kritzelte über eine Stunde und zeichnete die Bäume vor seiner Nase, dann fuhr er wieder zu seinem provisorischen Büro hinunter. Er fühlte sich in Gegenwart dieses schüchternen Hauptmanns überaus wohl und zog es vor, sich dort statt am Lagerplatz des Lasters einzurichten. Nicht daß Lawrences Anwesenheit ihn störte. Adamsberg kannte fast keine Eifersucht. Wenn er sie, verheerend und schmerzvoll, bei anderen entdeckte, schien es ihm, als fehle ihm noch mehr als sonst schon. Indes war er nicht ganz sicher, ob seine Anwesenheit dem Kanadier recht war. Lawrence hatte ihm mehrfach ruhige, fragende Blicke zugeworfen, die zugleich ›Ich bin da‹ und ›Was suchst du?‹ zu bedeuten schienen. Und Adamsberg hätte große Schwierigkeiten gehabt zu antworten. Eine sehr gute Wahl, dagegen gab es nichts zu sagen. Mit der kleinen Einschränkung, daß Lawrence nicht sehr redselig und nicht immer sehr eindeutig war. Adamsberg fragte sich, wer wohl dieser Bullschitt sein mochte, dessen Namen er ständig im Munde führte. Vielleicht seine Mutter.

Gegen fünf Uhr hatte er Hermel am Apparat.

»Haben Sie die Unterlagen gesehen, mein Lieber?« fragte Hermel. »Nicht sehr spannend, wie? Und nicht *eine* Verbindung zwischen den beiden Männern. Sie haben nie im selben Viertel gewohnt. Ich habe alle Mitgliedslisten der Sportvereine von Grenoble der letzten dreißig Jahre überprüft. Nichts, mein Lieber. Sie verkehrten nicht in denselben Kreisen. Jetzt die Fingernägel. Die aus Massarts Bude und die aus dem Fensterfalz. Voll ins Schwarze. Die Rillen entsprechen einander haargenau. Was sagen Sie dazu? Der Hauptmann von Puygiron ist immer noch hartnäckig dabei, Fingernägel im Bad zu suchen. Wenn er eine Idee hat, treibt ihn das wie eine Lokomotive. Dumm und unter Dampf, wenn Sie meine Meinung hören wollen, mein Lieber. Er wird keine finden. Massart hat sich die Nägel im Bett abgekaut, wie ich gesagt habe. Ich habe dem Hauptmann gesagt, er solle es lassen, da wir Proben haben, aber er will unbedingt recht behalten. Meiner Ansicht nach wird er das Bad durchsuchen, bis er in Rente geht, wir haben also Ruhe. Ich habe ihn daran erinnert, daß wir auf Auskünfte über Massart warten, aber ich habe nicht den Eindruck, daß er sich in Bewegung setzt. Dieser Typ redet nur mit Kollegen von der Gendarmerie. Wegen dem Foto von dem Kerl wende ich mich direkt an seinen Arbeitgeber, das spart Zeit. Dann machen wir weiter wie besprochen, wir verbreiten es in den Kommissariaten.«

Die Hitze hatte im Lauf des Tages zugenommen. Adamsberg aß allein auf der Terrasse desselben Cafés zu Abend, dann schlenderte er durch die dunklen Straßen. Gegen elf entschloß er sich, wieder zum Gemeinschaftsleben zurückzukehren.

Soliman und Camille saßen auf den Stufen und rauchten. In der Dunkelheit konnte man die Silhouette des Wachers erkennen, der auf dem pflaumenbaumbestandenen Feld saß. Das Motorrad war nicht da.

Als Adamsberg sich näherte, sprang Soliman mit einem Satz auf.

»Nichts Neues«, bemerkte Adamsberg und bedeutete ihm, sich wieder zu setzen. »Papierkram. Doch, etwas«, fügte er nach kurzem Nachdenken hinzu. »Die Fingernägel aus dem Hotel sind tatsächlich von Massart.«

Adamsberg sah sich um.

»Ist Laurence nicht da?« fragte er.

»Er ist wieder in den Süden gefahren«, erklärte Camille. »Er hat Visa-Probleme. Er kommt zurück.«

»Es heißt, sein alter Wolf sei gestorben«, sagte Adamsberg.

»Ja«, erwiderte Camille erstaunt. »Er hieß Augustus. Er konnte nicht mehr jagen, und Lawrence hat Kaninchen für ihn gefangen. Aber er hat keine Nahrung mehr zu sich genommen und ist gestorben. Einer der Aufseher im Park hat gesagt: ›Wenn man nicht mehr kann, kann man nicht mehr‹, und das hat Lawrence genervt.«

»Das versteh ich«, sagte Adamsberg.

Adamsberg gesellte sich zum Wacher unter dem Pflaumenbaum, um ein Glas mit ihm zu trinken, während Soliman und Camille schlafen gingen. Gegen ein Uhr morgens wankte er mit von dem heimtückischen Wein schwerem Schädel zum Laster zurück. Mit der Rückkehr der Hitze war auch der Wollschweißgeruch wieder stärker geworden. Geräuschlos schob Adamsberg die Plane beiseite. Camille lag auf dem Bauch und schlief, die Decke bis zum halben Rücken zurückgeschoben. Er setzte sich auf sein Bett und sah sie lange an, während er versuchte nachzudenken. Er hatte den heimlichen Ehrgeiz nie aufgegeben, eines Tages auf Danglards Weise nachdenken zu können, das heißt beim Denken Ergebnisse zu erzielen. Nach ein paar Minuten der Anstrengung gab er es ohne bewußten Entschluß wieder auf und tauchte in Träumereien ein. Nach einer Viertelstunde schreckte er hoch, er war kurz davor, einzuschlafen. Er streckte den Arm aus und legte seine Hand flach auf Camilles Rücken. »Liebst du mich nicht mehr?« fragte er ruhig.

Camille öffnete die Augen, sah ihn in der Dunkelheit an und schlief wieder ein.

Mitten in der Nacht ging ein weiteres, heftigeres Gewitter als in der Nacht zuvor über Belcourt nieder. Der Regen hämmerte auf das Dach des Wagens. Camille stand auf, schlüpfte mit bloßen Füßen in ihre Stiefel und befestigte die Planen vor den Sichtfenstern, die im Wind hin und her schlugen und das Wasser eindringen ließen. Sie legte sich leise wieder hin und belauerte Adamsbergs Atem, so wie man einen schlafenden Feind überwacht. Adamsberg streckte den Arm aus und ergriff ihre Hand. Camille erstarrte, als ob sie mit einer einzigen Geste die Situation plötzlich hätte verschlimmern können, so wie man sagt, daß eine unbesonnene Bewegung eine Lawine auslösen kann. Es schien ihr, Adamsberg habe ihr zu Beginn der Nacht etwas gesagt. Ja, jetzt erinnerte sie sich. Mehr verunsichert als feindselig sann sie über ein Manöver nach, um ihre Hand freizubekommen, ganz unauffällig, ohne jemandem weh zu tun. Aber ihre Hand blieb, wo sie war, eingeklemmt in Adamsbergs Fingern. Sie war da nicht schlechter aufgehoben als woanders. Unschlüssig ließ Camille sie da.

Sie schlief schlecht. Sie fühlte eine Anspannung, die sie gut kannte und die ihr sagen wollte, daß etwas aus dem Gleis lief. Am Morgen ließ Adamsberg ihre Hand los, schnappte sich seine Kleider und verließ den Laster. Erst in diesem Augenblick schlief sie für zwei lange Stunden ein.

Um neun fuhr Adamsberg los, um sich erneut zu dem schüchternen Aimont zu begeben, und kam keine halbe Stunde später wieder zurück.

»Neun getötete Schafe am Champ des Meules«, verkündete er.

Soliman sprang mit einem Satz auf und rannte zum Laster, um die Karte zu holen.

»Nicht nötig«, sagte ihm Adamsberg ruhig. »Es ist ganz in der Nähe von Vaucouleurs, direkt im Norden. Er hat klar und deutlich seine Strecke verlassen.«

Bestürzt sah Soliman Adamsberg an.

»Du hast dich geirrt«, sagte er erstaunt und enttäuscht.

Adamsberg schenkte sich wortlos einen Kaffee ein.

»Du hattest unrecht«, fuhr Soliman beharrlich fort. »Er hat eine andere Strecke genommen. Er wird fliehen. Er wird uns entwischen.«

Sehr aufrecht erhob sich der Wacher.

»Wir heften uns an seine Fersen«, sagte er. »Strecke oder nicht Strecke. Wir brechen das Lager ab. Sag Camille Bescheid, Sol.«

»Nein«, sagte Adamsberg.

»Was?« fragte der Wacher.

»Wir brechen das Lager nicht ab. Wir bleiben hier. Wir rühren uns nicht.«

»Massart ist in Vaucouleurs«, sagte Soliman jetzt lauter. »Und wir fahren da hin, wo Massart hinfährt. Nach Vaucouleurs.«

»Wir fahren nicht nach Vaucouleurs«, sagte Adamsberg, »weil er genau das will. Massart ist nicht von seiner Route abgewichen.«

»Ach nein?« fragte Soliman.

»Nein. Er will nur, daß wir Belcourt verlassen.«

»Und wozu?«

»Um ungestört zu sein. Er hat jemanden in Belcourt umzubringen.«

»Ich bin nicht einverstanden«, sagte Soliman und schüttelte heftig den Kopf. »Je länger wir hier bleiben, desto weiter entfernt er sich von uns.«

»Er entfernt sich nicht von uns. Er überwacht uns. Fahr nach Vaucouleurs, wenn du magst, Soliman. Fahr, wenn dir das Spaß macht. Du hast das Mofa, du kannst fahren. Und du, Wacher, fahr du auch, wenn du willst, frag Camille. Sie ist die Fahrerin. Ich bleibe hier.«

»Was beweist uns, daß du recht hast, Junge?« fragte der Wacher irritiert.

Adamsberg zuckte mit den Schultern.

»Du kennst die Antwort«, erwiderte er.

»Der Schlenker auf der Strecke?«

»Unter anderem.«

»Das ist eine Kleinigkeit.«

»Die aber nicht erklärlich ist. Es gibt noch weitere.«

Hin- und hergerissen zwischen Auflehnung und Hingabe, ging Soliman eine Stunde am Laster – seinem Revier – auf und ab, bis er sich entschieden hatte. Schließlich holte er die Wäsche und die blaue Wanne, das Zeichen dafür, daß er die Waffen gestreckt hatte.

Adamsberg ging zu seinem Wagen zurück. Man erwartete ihn bei der Gendarmerie wegen der Ermittlungen in Vaucouleurs. Bevor er die Wagentür öffnete, nahm er seine Pistole heraus und überprüfte das Magazin.

»Bewaffnest du dich?« fragte der Wacher.

»Mein Name steht heute morgen in der Zeitung«, erwiderte Adamsberg und verzog das Gesicht. »Irgend jemand hat geredet. Ich weiß nicht, wer. Aber wenn sie mich sucht, dann findet sie mich jetzt.«

»Die Killerin?«

Adamsberg nickte.

»Würde sie auf dich schießen?«

»Ja. Eine hübsche kleine Kugel in den Wanst. Wache, Wacher, wache über mich. Ein großes, rothaariges, dürres Mädchen mit Ringen um die tiefliegenden Augen, langes, sich lockendes Haar, eine kleine Nase, blasse Haut. Vielleicht mit zwei mageren kleinen Mädchen im Gefolge. Ach, da, schau«, sagte er und zog ein Foto aus der Tasche.

»Was hat sie so an?« fragte der Wacher ernst, während er das Bild genau musterte.

»Sie wechselt ständig. Sie schminkt sich wie ein Kind.«

»Soll ich den anderen Bescheid sagen?«

»Ja.«

Adamsberg verbrachte den Rest des Tages mit Aimont und den Polizisten von Vaucouleurs. Aimont sah zum ersten Mal, was der große Wolf angerichtet hatte, und war sichtlich beeindruckt von dem Massaker an der Herde. Am späten Nachmittag schickte die Polizei von Digne ein Foto von Massart nach Belcourt, das Aimont vergrößern und verbreiten ließ. Die Unterlagen über den Mann, die aus Puygiron kommen sollten, waren dagegen noch immer nicht da. Adamsberg beschäftigte sich damit, Auguste Massarts Porträt zu betrachten. Ein dickes, weißes, verdrossenes Gesicht, feindselig und nicht sehr gefällig. Glatte, aufgedunsene Wangen, eine kurze Stirn unter einem langen Pony schwarzer Haare, engstehende dunkle Augen, wenig ausgeprägte Brauen, eine Art schläfrige Roheit.

Das von Danglard vorbereitete Dossier kam um sieben in Belcourt an. Adamsberg faltete es sorgfältig zusammen, steckte es gut geschützt in seine Innentasche und fuhr zum Lastwagen zurück.

Bevor er schlafen ging, nahm er die 357 aus ihrem Futteral und legte sie unter sein Bett, in unmittelbarer Nähe seiner rechten Hand. Er streckte sich aus, nahm Camilles Hand und schlief ein. Camille sah eine Weile mit leerem Kopf auf ihre Hand und ließ sie dort, wo sie war.

Anstatt Interlock zusammengerollt auf seinen Füßen schlafen zu lassen, hatte der Wacher ihn draußen postiert.

»Paß auf dieses Mädchen auf«, hatte er ihm eingeschärft, während er ihn an den Ohren kraulte. »Groß, rothaarig, mager. Eine Killerin. Schimpf, so laut du kannst. Mach dir keine Sorgen«, fügte er hinzu, nachdem er sich den Himmel angesehen hatte, »es wird heute nacht nicht regnen.«

Interlock hatte so getan, als kapierte er alles, und sich auf den Boden gelegt.

Am Donnerstag, dem 2. Juli, nahm die Hitze noch ein wenig zu. Benommen warteten sie. Camille fuhr den Laster in den Ort, um den Wassertank zu füllen. Der Wacher rief bei der Herde an, um sich nach dem Knöchel von George zu erkundigen. Soliman vertiefte sich ins Wörterbuch. Camille, die von der Passivität ihrer linken Hand, auf die ihr Geist keinerlei Einfluß zu besitzen schien, etwas durcheinandergebracht war, ließ die Musik sein und flüchtete sich in den *Katalog für handwerkliches Arbeitsgerät*. Da würde sich gewiß ein Gerät finden, das ihr in der heiklen Situation, in der sie sich befand, weiterhelfen könnte. Der *Einpolige thermische Sicherungsschalter +Nulleiter 6 A bis 25 Ampère* schien ihr beispielsweise geeignete Eigenschaften zu besitzen. Wenn Adamsberg ihre Hand losließe, würde sich das Problem von selbst lösen. Das Einfachste würde sein, ihn darum zu bitten.

Erst gegen fünf Uhr nachmittags informierten die Gendarmen von Poissy-le-Roy ihre Kollegen in Vaucouleurs über ein Schafmassaker, das in der vergangenen Nacht in der Schäferei von Chaumes stattgefunden hatte. Die Polizisten von Vaucouleurs alarmierten Belcourt mit Verspätung, und Adamsberg erfuhr erst um acht Uhr abends davon.

Er breitete die Karte auf der Holzkiste aus.

»Fünfzig Kilometer westlich von Vaucouleurs«, sagte er. »Wieder abseits der Strecke.«

»Er entfernt sich«, schimpfte Soliman.

»Wir rühren uns nicht«, sagte Adamsberg.

»Er entwischt uns!« rief der junge Mann und stand auf.

Der Wacher, der zwei Meter entfernt das Feuer schürte, streckte seinen Stock aus und stupste den jungen Mann.

»Reg dich nicht auf, Sol«, sagte er. »Wir kriegen ihn. Was immer geschieht, wir kriegen ihn.«

Mit betrübter Miene ließ Soliman sich auf seinen Stuhl fallen, wie jedesmal, wenn der Wacher ihn mit seinem Stock stupste. Camille fragte sich, ob er vielleicht irgendwas in den Stock tat.

»›Gefügigkeit‹«, brummte Soliman. »›Die Eigenschaft, sich zu unterwerfen; die Neigung zu gehorchen.‹«

Nach dem Abendessen machte sich Camille hartnäckig daran, den *Katalog* bis zur Erschöpfung durchzublättern. In der vergangenen Nacht hatte sie kaum geschlafen, und ihre Augen waren schwer. Gegen zwei Uhr morgens ging sie mit der Vorsicht eines Spions zu Bett. Soliman war noch immer mit dem Mofa im Ort. Der Wacher hatte sich an der Landstraße postiert. Er wachte. Er hielt nach dem rothaarigen Mädchen Ausschau. Er schützte Adamsberg, das Wolltrikot auf seinen Füßen zusammengerollt. »Mir schnurz, ich bin nicht müde«, hatte er gesagt.

Camille setzte sich zunächst auf Solimans Bett, um ihre Stiefel auszuziehen, auch wenn sie dadurch auf dem schmuddeligen Boden des Viehtransporters laufen mußte. Auf diese Weise riskierte sie nicht, Adamsberg zu wecken. Und wer nicht geweckt wird, nimmt auch niemandes Hand. Langsam schob sie die Plane beiseite, indem sie in der Stille vorsichtig eine Bewegung nach der anderen ausführte, und ließ sie geräuschlos wieder fallen. Adamsberg lag auf dem Rücken und atmete gleichmäßig. Mit der Vorsicht eines Diebes bewegte sie sich in dem schmalen Gang, der die beiden Betten trennte, und versuchte dabei, die auf dem Boden glänzende Pistole nicht zu berühren. Adamsberg streckte beide Arme in ihre Richtung.

»Komm«, sagte er behutsam.

Camille erstarrte in der Dunkelheit.

»Komm«, wiederholte er.

Mit leerem Kopf und unentschlossen tat Camille einen Schritt. Aus der weiten Leere stiegen unbestimmte Erinnerungen, stammelnde Schatten auf. Er legte eine Hand auf ihren Arm und zog sie zu sich. Undeutlich erahnte Camille, wie hinter einer dicken Scheibe eingemauert, die unerreichbaren Umrisse ihrer früheren Sehnsüchte. Adamsberg strich ihr über die Wange, über das Haar. In der Dunkelheit öffnete Camille die Augen, den *Katalog* noch immer fest in ihrer linken Hand, der Wolke flüchtiger Bilder, die aus den verschlossenen Räumen ihrer Erinnerung aufgestiegen war, jetzt aufmerksamer zugewandt als dem Gesicht, das sie ansah. Sie bewegte die Hand auf dieses Gesicht zu, mit dem beklemmenden Gefühl, daß bei einer Berührung irgend etwas explodieren würde. Vielleicht die dicke Scheibe. Oder die unvermuteten Laderäume dieser Erinnerung, die voll waren mit altem Kram, der noch funktionierte und scheinheilig, lauernd und der Zeit trotzend wartete. Und ungefähr das passierte auch, eine lange Verpuffung, die eher beunruhigend als angenehm war. Sie betrachtete dieses ganze Getöse und das verblüffende

Durcheinander, das den untersten Laderäumen ihres eigenen Schiffes entwichen war. Sie wollte aufräumen, es zurückhalten, Ordnung schaffen. Aber da ein Teil von ihr nach Unordnung begehrte, gab sie es auf und legte sich neben ihn.

»Kennst du die Geschichte vom Baum und dem Wind?« fragte Adamsberg und schloß sie in seine Arme.

»Ist das eine Geschichte von Soliman?« fragte Camille.

»Das ist eine Geschichte von mir.«

»Ich mag deine Geschichten nicht allzusehr.«

»Die hier ist nicht schlecht.«

»Ich mißtraue ihr trotzdem.«

»Du hast recht.«

31

Es war schon nach zehn, als Soliman plötzlich hinter der Plane nach ihr rief.

»Camille! Verdammt, steh auf. Der Bulle ist weg.«

»Was sollen wir tun?« fragte Camille.

»Komm!« rief Soliman.

Der junge Mann bebte vor Aufregung. Camille schlüpfte in ihre Kleider und Stiefel und ging hinaus zu ihm.

»Er ist trotzdem gekommen!« rief Soliman. »Und niemand hat ihn gesehen. Und auch das Auto nicht und rein gar nichts.«

»Von wem redest du?«

»Von Massart, verdammt! Verstehst du nicht?«

»Hat er angegriffen?«

»Er hat heute nacht einem Mann die Kehle zerfetzt, Camille.«

»Scheiße«, keuchte Camille.

»Der Junge hatte recht«, sagte der Wacher und schlug mit seinem Stock auf den Boden. »Er hat in Belcourt zugeschlagen.«

»Unmittelbar danach hat er dreißig Kilometer weiter drei Schafe getötet.«

»Auf seiner Strecke?«

»Ja, in Châteaurouge. Er zieht nach Westen, Richtung Paris.«

Camille ging die Karte holen, deren Ecken durch den ständigen Gebrauch eingerissen waren, und faltete sie auseinander.

»Weißt du nicht mal, wo Paris ist?« fragte Soliman nervös.

»Schon gut, Sol«, erwiderte Camille. »Haben die Bullen im Ort ihn nicht gesehen?«

»Er ist nicht von da gekommen«, sagte der Wacher. »Ich habe die ganze Nacht die Landstraße im Auge behalten.«

»Was ist passiert?« fragte Camille.

»Was passiert ist?« rief Soliman. »Er ist mit seinem Wolf vorbeigekommen und hat ihn auf diesen armen Typen gehetzt! Was soll sonst noch passiert sein?«

»Ich weiß nicht, warum du dich so aufregst«, sagte der Wacher bedächtig. »Er mußte diesen Typ umbringen, und er hat ihn umgebracht. Dem Werwolf entgeht seine Beute nicht.«

»Es waren zehn Gendarmen in der Stadt!«

»Der Werwolf ist so stark wie zwanzig Männer. Kapier das endlich.«

»Weiß man, wer der Tote ist?« fragte Camille.

»Ein alter Mann, das ist alles, was bekannt ist. Er ist außerhalb des Städtchens getötet worden, zwei Kilometer entfernt in den Hügeln.«

»Was hat er nur gegen alte Männer?« murmelte Camille.

»Das sind Typen, die er gekannt hat«, brummte der Wacher. »Er hat was gegen Typen. Gegen alle Typen.«

Camille schenkte sich Kaffee ein und schnitt sich Brot ab.

»Sol«, sagte sie. »Du warst doch heute nacht in der Stadt. Hast du nichts gehört?«

Soliman schüttelte wortlos den Kopf.

»Adamsberg hat darum gebeten, daß wir auf dem großen Platz auf ihn warten«, sagte er dann. »Für den Fall, daß wir schnellstens nach Châteaurouge fahren. Die Bullen verlagern sicher ihr gesamtes Aufgebot nach dort.«

Camille rollte langsam nach Belcourt hinein und stellte den Viehtransporter auf dem großen Platz zwischen Bürgermeisteramt und Gendarmerie in den Schatten.

»Wir warten«, sagte Soliman.

Sie blieben alle drei schweigend vorne im Laster sitzen. Camille, die Arme auf dem Lenkrad ausgestreckt, beobachtete die still daliegenden Straßen. An einem Freitag um elf war der Platz von Belcourt fast ausgestorben. Von Zeit zu Zeit ging eine Frau mit einem Korb vorbei. Eine graugekleidete Ordensschwester auf einer Steinbank gegenüber der Kirche warf ihnen einen Blick zu, dann vertiefte sie sich wieder in die Lektüre eines dicken, ledergebundenen Buches. Von der Kirche schlug es halb, dann Viertel vor.

»Den Schwestern muß im Sommer ganz schön warm sein«, bemerkte Soliman.

Dann herrschte wieder Stille im Laster. Die Kirchturmuhr schlug Mittag. Ein Polizeiwagen kam aus einer Seitenstraße und blieb vor der Gendarmerie stehen. Adamsberg stieg mit Aimont und zwei Gendarmen aus. Er winkte in Richtung Viehlaster und betrat das Gebäude hinter seinen Kollegen. Die Sonne heizte den Platz immer stärker auf. Die Nonne im lichten Schatten der Platane hatte sich nicht gerührt.

»›Selbstlosigkeit, Aufopferung, Entsagung‹«, sagte Soliman. »Sie erwartet Besuch«, fügte er lächelnd hinzu. »Eine Heimsuchung.«

»Halt die Klappe, Sol«, sagte der Wacher. »Du störst mich.«

»Was machst du gerade?«

»Das siehst du doch. Ich wache.«

Die Kirchturmuhr schlug Viertel nach, Adamsberg kam allein wieder aus der Gendarmerie und überquerte den weiten gepflasterten Platz, um zum Viehtransporter zu kommen. Als er die Strecke zur Hälfte hinter sich hatte, sprang der Wacher plötzlich aus dem Laster, stolperte auf den Trittstufen und flog auf den Bürgersteig.

»Auf den Boden, Junge!« brüllte er, so laut er konnte.

Adamsberg verstand, daß er gemeint war. Er warf sich genau in dem Augenblick zu Boden, als eine Detonation die Stille zerriß. Bis die Nonne ein weiteres Mal gezielt hatte, war er hinter die Bank gehechtet, hatte sie am Hals gepackt und schnürte ihr mit seinem linken Arm die Kehle zu. Sein rechter Arm blutete und hing kraftlos herunter. Camille und Soliman saßen wie versteinert da, ihnen schlug das Herz bis zum Hals. Camille reagierte als erste, sprang aus dem Laster und stürzte zum Wacher, der noch immer auf dem Bürgersteig lag und höhnisch »Gut gemacht, Junge, gut gemacht« vor sich hin brummte. Vier Gendarmen rannten auf Adamsberg zu.

»Wenn du mich nicht losläßt«, brüllte das Mädchen, »knall ich sie ab!«

Fünf Meter vor der Bank blieben die Gendarmen stehen.

»Und wenn sie schießen, mach ich den Alten nieder!« fügte sie hinzu und richtete ihre Waffe auf den Wacher, der noch immer am Boden lag, die Schultern auf Camilles Arm. »Und ich ziele gut! Fragt den Dreckskerl, ob ich gut ziele!«

Über dem Platz lag bleierne Stille, niemand rührte sich, alle waren in ihrer Haltung erstarrt. Adamsberg, der das Mädchen noch immer am Hals gepackt hielt, näherte seinen Mund ihrem Ohr.

»Hör mir zu, Sabrina«, sagte er behutsam.

»Laß mich los, Arschloch!« rief sie außer Atem. »Oder ich mach den Alten und sämtliche Bullen in diesem verdammten Kaff alle!«

»Ich habe deinen Jungen gefunden, Sabrina.«

Adamsberg spürte, wie das Mädchen sich unter seinem Arm verkrampfte.

»Er ist in Polen«, fuhr er fort, die Lippen noch immer an der grauen Haube der Nonne. »Einer von meinen Männern ist dort.«

»Du lügst«, murmelte Sabrina haßerfüllt.

»Er ist in der Nähe von Danzig. Nimm deine Waffe runter.«

»Du lügst!« schrie das Mädchen, nach Luft ringend, den zitternden Arm noch immer ausgestreckt.

»Ich habe sein Foto in meiner Tasche«, fuhr Adamsberg fort. »Das ist vor zwei Tagen gemacht worden, als er gerade aus der Schule kam. Ich komm nicht dran, du hast mich am Arm verletzt. Und wenn ich dich loslasse, erschießt du mich. Was machen wir, Sabrina? Willst du sein Foto sehen? Willst du ihn wiederhaben? Oder willst du alle abknallen und ihn nie wiedersehen?«

»Das ist eine Falle«, zischte Sabrina.

»Laß einen von den Gendarmen herkommen. Er nimmt das Foto und zeigt es dir. Du wirst ihn wiedererkennen. Du wirst sehen, daß ich nicht lüge.«

»Kein Bulle.«

»Also ein unbewaffneter Mann.«

Sabrina überlegte einen Moment, unter dem Druck des Arms noch immer nach Luft ringend.

»Einverstanden«, keuchte sie.

»Sol!« rief Adamsberg. »Komm langsam her, mit erhobenen Armen.«

Sol stieg aus dem Laster und kam zur Bank.

»Komm hinten rum zu mir. In meiner linken Innentasche ist ein Umschlag. Mach ihn auf, nimm das Foto heraus. Zeig es ihr.«

Sol kam der Aufforderung nach, nahm das Schwarzweißfoto eines kleinen, etwa achtjährigen Jungen aus dem Umschlag und hielt es dem Mädchen vors Gesicht. Sabrina senkte den Blick auf das Bild.

»Laß das Foto jetzt auf der Bank liegen, Sol. Geh zum Laster zurück. Also, Sabrina? Erkennst du den Kleinen?«

Das Mädchen nickte.

»Wir werden ihn zurückholen«, sagte Adamsberg.

»Er wird ihn nie rausrücken«, flüsterte Sabrina.

»Glaub mir, er wird. Nimm deine Waffe runter. Mir liegt sehr an dem Alten, der da am Boden liegt. Mir liegt sehr an den beiden, die im Laster sitzen. Mir liegt an den vier Bullen, die da vorne stehen und die ich nicht besser kenne als du. Mir liegt an mir. Und mir liegt an dir. Wenn du dich rührst, werden sie aus der Deckung auf dich schießen. Es ist gar nicht gut, einen Bullen zu verletzen.«

»Sie bringen mich in den Knast.«

»Sie bringen dich dahin, wo ich es sage. *Ich* kümmere mich um dich. Nimm deine Waffe runter. Gib sie mir.«

Sabrina, die am ganzen mageren Leibe zitterte, senkte den Arm und ließ die Waffe auf den Boden fallen. Adamsberg ließ langsam ihren Hals los, gab den Gendarmen ein Zeichen, ein paar Schritte zurückzugehen, ging um die Bank herum und nahm die Waffe an sich. Sabrina krümmte sich zusammen und brach in Tränen aus. Er setzte sich neben sie, nahm ihr sorgfältig die graue Haube ab und strich über ihr rotes Haar.

»Steh auf«, sagte er behutsam. »Einer von meinen Leuten wird dich hier abholen. Er heißt Danglard. Er bringt dich nach Paris zurück, und dort wirst du auf mich warten. Ich habe hier noch zu tun. Aber du wirst auf mich warten. Und wir fahren den Jungen holen.«

Taumelnd stand Sabrina auf. Adamsberg legte ihr den Arm um die Taille und begleitete sie in die Gendarmerie. Einer der Gendarmen besah sich den Knöchel des Wachers.

»Helfen Sie mir, ihn in den Laster zu tragen«, sagte Camille. »Ich fahr ihn zum Arzt.«

»In Ihrem Laster stinkt's ja gewaltig«, sagte der Gendarm, als er den Wacher auf das erste Bett rechts legte.

»Es stinkt nicht«, sagte der Wacher. »Das ist der Wollschweiß.«

»Wohnen Sie hier?« fragte der Gendarm, den der hergerichtete Viehtransporter sichtlich verstörte.

»Nur vorübergehend«, sagte Camille.

In dem Moment stieg Adamsberg in den Laster.

»Wie geht es ihm?«

»Der Knöchel«, erwiderte der Gendarm. »Ich glaube, es ist nichts gebrochen. Aber es wäre besser, zum Arzt zu gehen. Für Sie auch, Kommissar«, fügte er hinzu und sah auf Adamsbergs Arm, der notdürftig verbunden war.

»Ja«, erwiderte Adamsberg. »Es ist nicht tief. Ich kümmer mich schon drum.«

Der Gendarm hob die Hand an sein Käppi und verließ den Laster. Adamsberg setzte sich auf das Bett des Wachers.

»Na?« sagte der Wacher und grinste. »Ich hab dich gerettet, Junge.«

»Wenn du nicht geschrien hättest, hätte ich die Kugel direkt in den Wanst bekommen. Ich hatte sie nicht erkannt. Ich habe nur an Massart gedacht.«

»Ich dagegen«, sagte der Wacher und zeigte auf sein Auge, »ich wache. Man nennt mich schließlich nicht umsonst den Wacher.«

»Nicht umsonst.«

»Ich hab nichts für Suzanne tun können«, sagte er düster, »aber für dich schon. Ich hab dir deine Haut gerettet, mein Junge.«

Adamsberg nickte.

»Wenn du mir mein Gewehr dagelassen hättest«, fuhr der Wacher fort, »hätte ich auf sie geschossen, bevor sie dich getroffen hätte.«

»Sie ist ein armes Mädchen, Wacher. Es hat gereicht, zu schreien.«

»Hm …«, erwiderte der Wacher skeptisch. »Was hast du ihr ins Ohr geflüstert?«

»Die Weichenstellung.«

»Ah ja«, sagte der Wacher lächelnd. »Ich erinnere mich.«

»Ich bin dir was schuldig.«

»Ja. Besorg mir Weißwein. Die Flaschen von Saint-Victor haben wir alle ausgetrunken.«

Adamsberg verließ den Laster und schloß Camille wortlos in die Arme.

»Laß dich versorgen«, sagte sie.

»Ja. Wenn der Wacher beim Arzt war, dann fahrt nach Châteaurouge. Wartet am Ortseingang an der D 44.«

32

Wo immer sie anhielten, wurde das Kampieren auf dieselbe Weise geregelt, nach einer strengen Planung, die sich um kein Jota mehr veränderte, so daß Camille anfing, die vielen Ortseingänge, an denen sie den Viehtransporter abgestellt hatte, miteinander zu verwechseln. Dieses System, das sich Solimans strukturierter und gewissenhafter Geist ausgedacht hatte, bot den Vorteil, an so wüsten Orten wie einem Parkplatz oder einem Straßenrand eine beruhigende Vertrautheit zu schaffen. Soliman stellte die Holzkiste und die rostigen Klappstühle für die Mahlzeiten hinter dem Laster auf und wusch die Wäsche an der rechten Seite. Camille komponierte daher in der Fahrerkabine, aber verzog sich nach hinten, wenn sie mit Hilfe des *Katalogs* meditieren wollte.

Bei dem chaotischen und gewagten Rennen, das sie an Massart kettete, fand Camille in der Unveränderlichkeit dieses Arrangements einen wohltuenden Rückhalt. Es war vielleicht nicht gerade etwas Besonderes, sich an vier Klappstühle zu klammern, aber für den Augenblick war das ein wesentlicher Bezugspunkt geworden. Vor allem jetzt, wo ihr Leben sich in radikaler Unordnung befand. Sie hatte sich an diesem Tag nicht getraut, Lawrence anzurufen. Sie fürchtete, daß irgend etwas von dieser Unordnung sich in ihrer Stimme verraten würde. Der Kanadier war ein methodischer Mensch, er würde es mit Sicherheit hören.

Soliman hatte den Spätnachmittag damit verbracht, den Wacher überall herumzutragen – zum Aussteigen, zum

Einsteigen, zum Pinkeln, zum Essen –, und behandelte ihn wie einen Greis.

»Du hast die verdammten Stufen ja ganz ordentlich verpaßt«, sagte er zu ihm.

»Ohne mich«, antwortete der Wacher hochmütig, »wäre der kleine Bulle nicht mehr da.«

»Du hast sie ganz ordentlich verpaßt«, beharrte Soliman.

Camille setzte sich neben die Holzkiste auf den rot-grün gestreiften Klappstuhl, der ihr zugefallen war. Soliman trug den Wacher zu dessen Klappstuhl, dem gelben, und legte seinen Fuß auf der umgedrehten Wanne ab. Er selbst hatte den blauen Stuhl. Der vierte, der blau-grüne, war für Adamsberg. Soliman wollte nicht, daß die Farben getauscht würden.

Adamsberg kam gegen neun Uhr abends zurück, um sich auf seinen Stuhl zu setzen. Ein Gendarm hatte Adamsbergs Wagen zurückgebracht, ein anderer hatte ihn bis zum Laster gefahren und sich nicht zu fragen getraut, warum er die Begleitung dieser Zigeuner dem Komfort des Hotels im benachbarten Montdidier vorzog.

Adamsberg ließ sich wie ein Stein in seinen reservierten Klappstuhl fallen, den rechten Arm in der Schlinge, das Gesicht von Erschöpfung gezeichnet. Mit der Gabel in der linken Hand spießte er eine Wurst und drei Kartoffeln auf und ließ sie ungeschickt auf seinen Teller fallen.

»›Handicap‹«, sagte Soliman. »›Beliebiger Nachteil, Gebrechen, das jemanden in den Zustand der Unterlegenheit versetzt.‹«

»Im Gepäckraum meines Autos sind zwei Kisten Wein«, sagte Adamsberg. »Bring sie her.«

Soliman machte eine Flasche auf und füllte die Gläser. Sobald es sich nicht um einen Saint-Victor handelte, hatte jeder das Recht, einzuschenken. Der Wacher kostete mit mißtrauischem Blick, bevor er mit einem kurzen Kopfnicken seine Einwilligung gab.

»Jetzt erklär mal, Junge«, sagte er und wandte sich Adamsberg zu.

»Es ist dasselbe Muster«, sagte Adamsberg. »Dem Mann ist mit einem einzigen Biß die Kehle durchgetrennt worden, nachdem er einen Schlag auf den Schädel bekommen hat. Sie haben die ziemlich deutlichen Abdrücke der beiden Vorderpfoten. Genau wie Sernot und Deguy ist das Opfer ein nicht mehr ganz junger Mann, ein ehemaliger Handelsvertreter. Er hat zwanzigmal die Welt umrundet, indem er Kosmetika verkauft hat.«

Er zog sein Notizheft heraus und blätterte darin.

»Paul Hellouin«, sagte er. »Er war dreiundsechzig.«

Er steckte sein Heft wieder ein.

»Diesmal hat man drei Haare neben der Wunde gefunden«, fuhr er fort. »Sie sind sofort ans IRCG in Rosny gegangen. Ich habe dort angerufen und sie gebeten, sich ranzuhalten.«

»Was ist das IRCG?« fragte der Wacher.

»Das *Institut de Recherches Criminelles de la Gendarmerie nationale*«, erwiderte Adamsberg. »Das Institut für kriminaltechnische Untersuchungen der Gendarmerie. Da, wo man einen Mann mit einem einzigen Fädchen von seinen Strümpfen vernichten kann.«

»Gut«, sagte der Wacher. »Ich versteh halt gern, worum es geht.«

Er betrachtete seine bloßen Füße, die in seinen groben Schuhen steckten.

»Ich hab immer gesagt, daß Strümpfe unnütz sind«, fügte er wie zu sich selbst hinzu. »Jetzt weiß ich, warum. Erzähl weiter, mein Junge.«

»Der Veterinärmediziner ist vorbeigekommen, um die drei Haare zu untersuchen. Seiner Aussage nach stammen sie nicht von einem Hund. Dann wäre es ein Wolf.«

Adamsberg rieb sich den Arm und schenkte sich mit der

linken Hand ein Glas Wein ein, wobei er etwas verschüttete.

»Diesmal hat er das Opfer am Zugang zu einer Wiese erwischt, und es gibt kein einziges Kreuz in der Nähe«, sagte er. »Was besagt, daß Massart nicht so penibel ist, wie man denkt, wenn es um Effektivität geht. Und wenn er ihn weit von dessen Haus entfernt umgebracht hat, dann sicher wegen der Bullen, die überall in der Stadt herumliefen. Das bedeutet, daß er die Möglichkeit hatte, ihn nach draußen zu locken. Durch einen Brief oder einen Anruf.«

»Um wieviel Uhr?«

»Gegen zwei Uhr morgens.«

»Eine Verabredung um zwei Uhr morgens?« fragte Soliman.

»Warum nicht?«

»Der Typ hätte doch mißtrauisch werden müssen.«

»Alles hängt von dem Vorwand ab, unter dem man ihn dahingelockt hat. Vertraulichkeit, Familiengeheimnis, Erpressung, es gibt haufenweise Möglichkeiten, einen Mann nachts rauszulocken. Ich denke, daß auch Sernot und Deguy ihr Haus nicht aus Vergnügen verlassen haben. Sie wurden einbestellt, genau wie Hellouin.«

»Ihre Frauen haben ausgesagt, es habe keinen Anruf gegeben.«

»Nein, nicht am selben Tag. Die Verabredungen müssen vorher getroffen worden sein.«

Soliman verzog das Gesicht.

»Ich weiß, Sol«, sagte Adamsberg. »Du glaubst an einen Zufall.«

»Ja«, erwiderte Soliman.

»Nenn mir einen guten Grund, warum dieser gute alte Kosmetikvertreter um zwei Uhr morgens rausgegangen sein soll, um frische Luft zu schnappen. Kennst du viele Leute, die nachts spazierengehen? Der Mensch mag die

Nacht nicht. Weißt du, wie viele nächtliche Spaziergänger ich in meinem ganzen Leben kennengelernt habe? Zwei.«

»Wer?«

»Mich und einen Kerl aus meinem Dorf, in den Pyrenäen. Er heißt Raymond.«

»Und weiter?« fragte der Wacher und wischte Raymond mit einer Handbewegung beiseite.

»Weiter: Es gibt keinerlei Verbindung zu Deguy und Sernot, auch keinen Grund, warum er Massart begegnet sein soll. Aber etwas ist anders bei diesem Hellouin«, fügte Adamsberg nachdenklich hinzu.

Der Wacher drehte drei Zigaretten auf den Knien. Er leckte das Papier an, klebte es zusammen und streckte die Zigaretten Soliman und Camille hin.

»Es gibt mindestens eine Person, die einen guten Grund gehabt hätte, ihn umzubringen«, fuhr Adamsberg fort. »Das kommt im Leben eines Menschen nicht so oft vor.«

»Hat das irgendeinen Zusammenhang mit Massart?« fragte Soliman.

»Das ist eine alte Geschichte«, sagte Adamsberg, ohne auf Solimans Frage einzugehen. »Eine so gewöhnliche wie schmutzige Geschichte, die mich interessiert. Sie ist vor fünfundzwanzig Jahren in den Vereinigten Staaten passiert.«

»Da hat Massart nie auch nur einen Fuß hingesetzt«, bemerkte der Wacher.

»Es interessiert mich trotzdem«, sagte Adamsberg.

Er kramte mit der linken Hand in seiner Tasche und holte zwei Tabletten heraus, die er mit einem Schluck Wein hinunterspülte.

»Das ist für meinen Arm«, erklärte er.

»Zieht's?« fragte der Wacher.

»Es sticht.«

»Kennst du die Geschichte von dem Mann, der dem

Löwen seinen Arm geliehen hatte?« fragte Soliman. »Der Löwe fand das praktisch und originell und wollte ihn nicht mehr zurückgeben, und der Mann wußte sich keinen anderen Rat mehr, als sich etwas auszudenken, um sein Eigentum zurückzuerlangen.«

»Es reicht, Sol«, unterbrach ihn der Wacher. »Erzähl diese alte Geschichte aus Amerika, Junge«, bat er Adamsberg.

»Nun fand sich aber eines Tages, als der Mann mit einem einzigen Arm am Tümpel Wasser schöpfte, ein Fisch ohne Flossen in seinem Wassereimer«, fuhr Soliman fort. »›Laß mich gehen‹, bat der Fisch ...«

»Verdammt noch mal, Sol«, rief der Wacher. »Erzähl diese Sache mit Amerika«, sagte er und wandte sich erneut Adamsberg zu.

»Zu Anfang gab es zwei Brüder, Paul und Simon Hellouin«, begann Adamsberg. »Sie haben zusammen für diese kleine Kosmetikfirma gearbeitet, und Simon hatte in Austin, in Texas, eine Niederlassung aufgemacht.«

»Ziemlich langweilig, diese Geschichte«, bemerkte Soliman.

»Dort hatte Simon sich das Leben schwer gemacht, indem er mit einer Frau geschlafen hat, einer Französin, die mit einem Amerikaner verheiratet war. Sie hieß Ariane Germant, verheiratete Padwell«, fuhr Adamsberg fort. »Könnt ihr mir folgen? Denn häufig schläfere ich die Leute ein, wenn ich rede.«

»Das liegt daran, daß du zu langsam redest«, sagte der Wacher.

»Ja«, erwiderte Adamsberg. »Ihr Mann, das heißt der Amerikaner, John Neil Padwell, hat sich das Leben schwer gemacht, indem er vor Eifersucht schier verrückt wurde und schließlich den Liebhaber seiner Frau gefoltert und umgebracht hat.«

»Simon Hellouin«, faßte der Wacher zusammen.

»Ja. Padwell ist vor Gericht gestellt worden. Der Bruder, Paul – unserer –, hat im Prozeß ausgesagt und Padwell schwer belastet. Er hat der Anklageschrift die Briefe seines Bruders beigefügt, in denen Simon die Brutalität und Grausamkeit von Padwell gegenüber seiner Frau beschrieb. John Neil Padwell wurden zwanzig Jahre Knast aufgebrummt, von denen er achtzehn abgesessen hat. Ohne die Aussage von Paul wäre er mit sehr viel weniger davongekommen, weil man auf Unzurechnungsfähigkeit im Augenblick der Tat plädiert hätte.«

»Keinerlei Zusammenhang mit Massart«, bemerkte Soliman.

»Nicht mehr als deine Löwengeschichte«, erwiderte Adamsberg. »Padwell muß vor ungefähr sieben Jahren aus dem Knast gekommen sein. Wenn der Kerl irgend jemanden zu erledigen hatte, dann Paul Hellouin. Nach dem Prozeß hat Ariane alles aufgegeben und ist mit dem Bruder, Paul, dessen Geliebte sie ein oder zwei Jahre lang gewesen ist, nach Frankreich zurückgekommen. Doppelte Kränkung also. Erst hat er gegen ihn ausgesagt, dann hat er ihm auch noch die Frau weggenommen. Die Geschichte habe ich von der Schwester von Paul Hellouin.«

»Aber was nutzt das?« fragte Camille. »Massart hat Hellouin umgebracht. Man hat die Fingernägel. Die Polizei ist doch sicher, was die Fingernägel angeht.«

»Das weiß ich sehr gut«, sagte Adamsberg. »Diese Geschichte mit den Fingernägeln nervt mich.«

»Warum?« fragte Soliman.

»Ich weiß es nicht.«

Soliman zuckte mit den Achseln.

»Entfern dich nicht von Massart«, sagte er. »Wir scheißen auf den texanischen Sträfling.«

»Ich entferne mich nicht. Vielleicht nähere ich mich. Vielleicht ist Massart nicht Massart.«

»Mach nicht alles kompliziert, Junge«, sagte der Wacher. »Jedem Tag reicht eine Plage.«

»Massart ist erst vor ein paar Jahren nach Saint-Victor zurückgekommen«, fuhr Adamsberg fort, der sich Zeit nahm.

»Vor etwa sechs Jahren«, präzisierte der Wacher.

»Und zwanzig Jahre lang hatte ihn niemand gesehen.«

»Er war auf den Märkten. Er hat Stühle geflochten.«

»Was beweist das? Eines Tages kommt da ein Mann zurück, der sagt: ›Ich bin Massart.‹ Und alle antworten ›O. k., du bist Massart, wir haben dich ja lange nicht mehr gesehen.‹ Und alle stellen sich vor, daß es Massart ist, der da scheu am Mont Vence lebt. Keine Verwandten mehr, keine Freunde, ein paar Bekannte, die ihn seit seiner frühen Kindheit nicht mehr gesehen haben. Was beweist uns, daß Massart Massart ist?«

»Mein Gott«, sagte der Wacher. »Es ist Massart, verdammt. Was versuchst du da zu erfinden?«

»Hast du Massart wiedererkannt?« fragte Adamsberg und sah den Wacher an. »Könntest du schwören, daß er der junge Mann ist, den du vor zwanzig Jahren hast das Dorf verlassen sehen?«

»Verdammt, ich glaube wohl, daß er das ist. Ich erinnere mich an den jungen Auguste. Er war nicht gerade sehr schön, schwerfällig, schwarzes Haar wie eine Krähe. Aber unerschrocken, hart bei der Arbeit.«

»Es gibt Tausende solcher Typen. Könntest du schwören, daß er es ist?«

Der Wacher kratzte sich am Bein und dachte nach.

»Ich könnte es nicht bei meiner Mutter schwören«, sagte er nach einer Weile bedauernd. »Und wenn ich es nicht schwören kann, kann niemand in Saint-Victor es schwören.«

»Genau das sage ich«, bemerkte Adamsberg. »Nichts beweist, daß Massart Massart ist.«

»Und der richtige Massart?« fragte Camille mit gerunzelter Stirn.

»Ausgelöscht, eliminiert, ersetzt.«

»Warum ausgelöscht?«

»Aus Gründen der Ähnlichkeit.«

»Du denkst, daß Padwell den Platz von Massart eingenommen hat?« fragte Soliman.

»Nein«, antwortete Adamsberg seufzend. »Padwell ist heute einundsechzig. Massart ist erheblich jünger. Wie alt würdest du ihn schätzen, Wacher?«

»Er ist vierundvierzig Jahre alt. Er ist in derselben Nacht geboren wie der kleine Lucien.«

»Ich frage dich nicht nach dem richtigen Alter von Massart. Ich frage dich, wie alt du den Mann schätzt, der Massart genannt wird.«

»Ah«, sagte der Wacher und kniff die Augen zusammen. »Nicht älter als fünfundvierzig und nicht weniger als siebenunddreißig, achtunddreißig. Sicher nicht einundsechzig.«

»Da sind wir uns einig«, bemerkte Adamsberg. »Massart ist nicht John Padwell.«

»Warum nervst du uns dann seit einer Stunde damit?« fragte Soliman.

»Auf diese Weise ziehe ich Schlußfolgerungen.«

»Du ziehst keine Schlußfolgerungen, du denkst völlig planlos.«

»Genau das. Auf diese Weise ziehe ich Schlußfolgerungen.«

Der Wacher stupste Soliman mit seinem Stock.

»Respekt, Sol«, sagte er. »Was machst du jetzt, Junge?«

»Die Bullen haben beschlossen, einen Fahndungsaufruf mit dem Foto von Massart zu veröffentlichen. Der Richter denkt, daß dafür ausreichend Beweismaterial vorliegt. Morgen ist sein Gesicht in allen Zeitungen.«

»Ausgezeichnet«, sagte der Wacher lächelnd.

»Ich habe Kontakt mit Interpol aufgenommen«, fügte Adamsberg hinzu. »Ich habe um das gesamte Dossier Padwell gebeten. Ich erwarte es morgen.«

»Aber was kann dir das nutzen?« fragte Soliman. »Selbst wenn dein Texaner Hellouin umgebracht hätte, hätte er weder Sernot noch Deguy angerührt, nicht wahr? Und noch weniger meine Mutter, oder?«

»Ich weiß«, sagte Adamsberg behutsam. »Das paßt nicht.«

»Warum bist du dann so hartnäckig?«

»Ich weiß es nicht.«

Soliman räumte den Tisch ab, trug die Kiste, die Klappstühle und die blaue Wanne hinein. Dann packte er den Wacher unter den Schultern und den Knien und trug ihn in den Laster. Adamsberg fuhr Camille mit der Hand übers Haar.

»Komm«, sagte er nach kurzem Schweigen.

»Ich würde dir am Arm weh tun«, sagte Camille. »Es ist besser, getrennt zu schlafen.«

»Das ist nicht besser.«

»Aber es ist auch gut.«

»Es ist auch gut. Aber es ist nicht besser.«

»Und wenn ich dir weh tue?«

»Nein«, sagte Adamsberg kopfschüttelnd. »Du hast mir nie weh getan.«

Noch hin- und hergerissen zwischen Ruhe und Chaos, zögerte Camille.

»Ich habe dich nicht mehr geliebt«, sagte sie.

»Das geht vorbei«, erwiderte Adamsberg.

33

Derselbe Gendarm holte Adamsberg am nächsten Morgen wieder ab und fuhr ihn um neun zur Gendarmerie von Belcourt, wo er zwei Stunden bei Sabrina Monge in der Zelle verbrachte, in der sie übernachtet hatte. Danglard und Inspektor Gulvain kamen mit dem Zug um 11 Uhr 07, und Adamsberg vertraute ihnen die junge Frau samt einer Menge unnötiger Empfehlungen an. Er setzte blindes Vertrauen in Danglards Feingefühl, dessen Fähigkeiten er, was Menschlichkeit betraf, den seinen weit überlegen hielt.

Mittags ließ er sich zur Gendarmerie von Châteaurouge fahren, um dort die Interpol-Akten über John Neil Padwell abzuwarten. Fromentin, der Gendarmeriehauptmann von Châteaurouge, war ein ganz anderer Mann als Aimont, rotgesichtig und vierschrötig, wenig geneigt, der zivilen Kriminalpolizei zur Hilfe zu kommen. Er war – zu Recht – der Ansicht, daß Kommissar Adamsberg außerhalb seines Kompetenzbereichs und ohne Befugnisübertragung keinerlei Recht hatte, ihm Befehle zu erteilen, was Adamsberg übrigens auch nicht tat. Adamsberg begnügte sich wie in Belcourt und in Bourg damit, um Informationen zu bitten und Ratschläge zu geben.

Aber da Hauptmann Fromentin feige war, wagte er es nicht, sich dem Kommissar, dessen zweideutige Berühmtheit er kannte, direkt entgegenzustellen. Zudem erwies er sich als sehr empfänglich für die einschmeichelnden Freundlichkeiten, die Adamsberg aufzubieten verstand, wenn es erforderlich war, so daß der massige Fromentin sich schließlich fast dem Befehl des Kommissars unterstellt hatte.

Auch er wartete auf das Fax von Interpol, ohne zu verstehen, was Adamsberg sich wohl von einem längst erledigten Fall erhoffte, der nichts mit den Überfällen der Bestie vom Mercantour zu tun hatte. Soweit bekannt war, das heißt nach dem, was Hellouins Schwester erzählt hatte, war Simon Hellouin nicht an einer Bißwunde gestorben. Er war schlicht auf die amerikanische Art erledigt worden: mit einer hübschen Kugel ins Herz. Unmittelbar davor hatte Padwell sich noch die Zeit genommen, ihm als Vergeltungsmaßnahme die Genitalien zu verbrennen. Verschreckt und angewidert verzog Fromentin das Gesicht. In seiner Vorstellung war die Hälfte der Amerikaner auf das Niveau von Wilden zurückgefallen und die andere ins Gegenteil, auf das Niveau von Plastikspielzeug.

Die Ergebnisse der IRCG-Analysen erreichten um fünfzehn Uhr dreißig den Schreibtisch von Hauptmann Aimont, der sie fünf Minuten später an Fromentin übermittelte. Die an der Leiche von Paul Hellouin aufgefundenen Haare stammten von der Art *Canis lupus*, dem gewöhnlichen Wolf. Adamsberg leitete die Information augenblicklich an Hermel weiter sowie an Montvailland und den Gendarmeriehauptmann Brévant in Puygiron. Es machte ihm Spaß, diesem Burschen, der ihm die erwarteten Unterlagen über Auguste Massart noch immer nicht geschickt hatte, ein wenig auf die Nerven zu gehen.

Am Morgen war Massarts Foto in der Presse veröffentlicht worden, und der Druck, der von den Zeitungen, dem Fernsehen und vom Radio ausging, wurde größer. Der Mord an Paul Hellouin und das darauf folgende Schafmassaker in Châteaurouge hatten Journalisten und Polizei endgültig aufgeschreckt. Die blutige Route des Werwolfs war in allen

Tageszeitungen abgedruckt. Als rote Linie die bisherige Mordspur des psychopathischen Killers, als blaue seine voraussichtliche Route in Richtung Paris, die Strecke, die er selbst markiert hatte und die er bislang mit Ausnahme von Vaucouleurs und Poissy-le-Roy sorgfältig eingehalten hatte. Wiederholte Aufrufe mahnten die Bewohner der an der Strecke des Wolfmannes liegenden Städte und Dörfer entschieden zur Vorsicht und warnten davor, nachts das Haus zu verlassen. Inzwischen gingen erste Anrufe, Anzeigen und unterschiedlichste Zeugenaussagen bei allen Kommissariaten und Gendarmerieposten Frankreichs ein. Einstweilen wurde alles, was nicht die unmittelbare Umgebung von Massarts roter Strecke betraf, beiseite gelassen. Angesichts der Dimensionen des Falles wurde es notwendig, die verschiedenen lokalen Aktivitäten zu bündeln. Auf Veranlassung der Obersten Kriminalpolizeibehörde wurde Jean-Baptiste Adamsberg damit betraut, den »Werwolf-Fall« zu übernehmen und zu koordinieren. Diese Nachricht erreichte Châteaurouge gegen siebzehn Uhr. Von diesem Augenblick an enthielt sich Hauptmann Fromentin ohne weitere Umstände jeden Kommentars und versuchte dem Kommissar jeglichen Wunsch von den Lippen abzulesen. Aber Adamsberg brauchte nicht viel. Er wartete auf die Akten von Interpol. Ausnahmsweise ging er an diesem Samstag nicht ein einziges Mal spazieren und kritzelte im Stehen in sein Zeichenheft, während er auf das Knattern des Faxgeräts horchte. Er zeichnete den Kopf des Hauptmanns Fromentin.

Die Akten erreichten ihn kurz vor achtzehn Uhr, sie kamen vom Büro des Police Department in Austin, Texas, und stammten von Lieutenant H. H. G. Lanson. Adamsberg schnappte sich die Blätter mit gezügelter Ungeduld und las sie im Stehen, während er sich an Fromentins Bürofenster lehnte.

Die Ehe- und Kriminalgeschichte von John N. Padwell schien in allen Punkten den Aussagen der Schwester Paul und Simon Hellouins zu entsprechen. Der Mann stammte aus Austin, Texas, wo er den Beruf des Metallarbeiters ausgeübt hatte. Mit sechsundzwanzig hatte er Ariane Germant geheiratet, mit der er einen Sohn hatte, Stuart D. Padwell. Nach elf Jahren gemeinsamen Lebens hatte er Simon Hellouin, den Liebhaber seiner Frau, gefoltert und ihm dann eine Kugel ins Herz geschossen. John Neil Padwell war zu zwanzig Jahren Zuchthaus verurteilt worden, von denen er achtzehn verbüßt hatte, und war schließlich vor nunmehr sieben Jahren und drei Monaten freigelassen worden. Seitdem hatte J. N. Padwell Nordamerika nicht mehr verlassen und nichts mehr mit der Justiz zu tun gehabt.

Adamsberg besah sich lange die drei Porträts des Mörders, die ihm sein amerikanischer Kollege geschickt hatte, eins von vorn, eins im Profil von links, eins im Profil von rechts. Ein blonder Mann mit kantigem Gesicht und entschlossenem Gesichtsausdruck, helle, etwas leere Augen, dünne und heimtückische Lippen, eine Mischung aus Gerissenheit und beschränktem Starrsinn.

Er war in Austin, Texas, am 13. Dezember, vor einem Jahr und sieben Monaten eines natürlichen Todes gestorben.

Adamsberg schüttelte den Kopf, rollte die Blätter zusammen und stopfte sie in seine Jacke.

»Interessant?« fragte Fromentin, der gewartet hatte, bis der Kommissar die Augen von seinen Unterlagen hob.

»Die Spur hört da auf«, sagte Adamsberg und verzog mißbilligend das Gesicht. »Der Typ ist letztes Jahr gestorben.«

»Schade«, erwiderte Fromentin, den diese Spur nicht einen einzigen Augenblick lang beschäftigt hatte.

Adamsberg schüttelte ihm die Hand und verließ die Gendarmerie mit noch langsameren Schritten als gewöhnlich. Der ihm beigeordnete Gendarm folgte ihm bis zum Dienstkombi. Bevor er einstieg, nahm Adamsberg die zusammengerollten Blätter wieder heraus und musterte nochmal das Photo von J. N. Padwell. Dann steckte er es nachdenklich wieder ein und setzte sich auf den Beifahrersitz. Der Gendarm setzte ihn fünfzig Meter vor dem Laster ab.

Zuerst sah er das schwarze Motorrad, das am Rand der Landstraße aufgebockt stand. Dann sah er Lawrence, der rechts an der Seite des Viehtransporters saß und damit beschäftigt war, einen Haufen Fotos zu sortieren, die er zu seinen Füßen ausgebreitet hatte. Adamsberg verspürte keinen Ärger, aber einen Stich des Bedauerns darüber, Camille heute abend nicht an sich drücken zu können, und flüchtig, kaum erkennbar, auch leichte Besorgnis. Der Kanadier war wesentlich seriöser und solider als er. Im Grunde – wenn er einzig und allein auf seine Vernunft hörte – hätte er ihn Camille sogar entschieden empfohlen. Aber sein Sehnen und sein persönliches Interesse hinderten ihn daran, Camille aufzugeben und dem richtigen Mann für's Abenteuer zu überlassen.

Camille saß starr neben dem Kanadier und konzentrierte ihre ganze Aufmerksamkeit auf die Bilder von den Wölfen des Mercantour, die im trockenen Gras verstreut lagen. Lawrence gab Adamsberg ein paar abgehackte Erklärungen, zeigte ihm Marcus, Elektra, Sibellius, Proserpina und die Schnauze des verstorbenen Augustus. Der Kanadier wirkte ruhig und eher wohlwollend, aber er richtete noch immer diesen inquisitorischen Blick auf Adamsberg, der zu fragen schien: ›Was suchst du?‹

Soliman deckte den Tisch auf der Holzkiste, während

der Wacher im Sitzen, den Fuß auf die Wanne gelegt, die Glut schürte. Lawrence fragte den Wacher mit einer Kinnbewegung in Richtung Knöchel.

»Er ist aus dem Laster gefallen«, erklärte Soliman.

»Neuigkeiten vom Texaner, Junge?« fragte der Wacher Adamsberg, um das Thema zu wechseln.

»Ja. Austin hat mir sein komplettes Curriculum vitae gefaxt.«

»Was ist das, ein Curriculum vitae?«

»Sein Lebenslauf«, erklärte Soliman.

»Gut. Ich versteh gern, worum es geht.«

»Nun, der Typ hat aufgehört zu laufen«, bemerkte Adamsberg. »Padwell ist vor anderthalb Jahren gestorben.«

»Du hattest unrecht«, stellte Soliman fest.

»Ja. Das hast du mir schon gesagt.«

Adamsberg verzichtete mit seinem verletzten Arm darauf, zusammengekauert im Auto zu schlafen. Statt dessen rief er bei der Gendarmerie an und ließ sich in das Hotel in Montdidier fahren. Den Sonntag verbrachte er in einem kleinen, überheizten Zimmer damit, die Nachrichten zu hören, sich nach Neuigkeiten von Sabrina zu erkundigen und erneut die Akten zu lesen, die in den letzten acht Tagen eingegangen waren. Von Zeit zu Zeit rollte er das Foto von J. N. Padwell auseinander und betrachtete es mit einer Mischung aus Neugier und Bedauern, wobei er das Bild des Mannes im Schatten und im Licht hin und her bewegte. Er besah es sich von der einen Seite, von der anderen, drehte es in alle Richtungen und senkte seinen Blick starr in die abwesenden Augen. Dreimal zog er sich in seinen Schlupfwinkel zurück, den er in einem verlassenen Gemüsegarten entdeckt hatte. Er zeichnete den Wacher mit seinem Fuß auf der Wanne, aufrecht und mit über die Augen gezogenem, schwarzem Hut mit Band. Er zeichnete Soliman mit nacktem Oberkörper, leichtem Hohlkreuz, hochmütigem Blick, in einer jener stolzen Posen, die er so gerne einnahm und die er alle vom Wacher übernommen hatte. Er zeichnete Camille, die Hände am Steuer des Lasters, das Gesicht zur Straße gewandt. Er zeichnete Lawrence, der sich auf sein Motorrad stützte und ihn mit dieser stummen Frage in seinem blauen Blick ernst ansah.

Gegen halb acht abends klopfte es an der Tür, und Soliman trat ein, glänzend vor Schweiß. Adamsberg hob den Blick und schüttelte den Kopf, womit er ihm sagen wollte, daß nichts Neues geschehen sei. Massart verhielt sich ruhig.

»Ist Laurence immer noch da?« fragte er.

»Ja«, antwortete Soliman. »Das soll dich nicht hindern, zu uns zu kommen, nicht? Der Wacher will ein Stück Rindfleisch auf dem Hühnerkäfig grillen. Er erwartet dich. Ich bin gekommen, um dich zu holen.«

»Hat er Neuigkeiten von George Gershwin?«

»George Geshwin ist dir doch völlig schnurz.«

»Nicht ganz.«

»Hältst du wegen dem Trapper Abstand?«

Adamsberg lächelte.

»Es gibt vier Betten«, sagte er. »Wir sind fünf.«

»Ein Mann zuviel.«

»Ganz richtig.«

Soliman setzte sich stirnrunzelnd aufs Bett.

»Du verdrückst dich«, sagte er, »aber du tust nur so. Sobald der Trapper sich umdreht, schlüpfst du auf seinen Platz. Ich weiß, was du machst. Ich weiß es sehr gut.«

Adamsberg antwortete nicht.

»Und ich frage mich, ob das redlich ist«, fuhr Soliman angestrengt fort, den Blick zur Decke gerichtet. »Ich frage mich, ob es korrekt ist.«

»Korrekt in bezug auf was, Sol?«

Soliman zögerte.

»In bezug auf die Regeln«, sagte er.
»Ich hatte gedacht, du scheißt auf die Regeln.«
»Das stimmt«, gab Soliman erstaunt zu.
»Also?«
»Trotzdem. Du schießt dem Trapper in den Rücken.«
»Er wendet mir nicht den Rücken zu, er steht mir gegenüber. Er ist kein Naivling.«
Soliman schüttelte unzufrieden den Kopf.
»Du leitest den Strom um«, sagte er, »du lenkst den Fluß vorbei, du sammelst das ganze Wasser für dich und schleichst dich in das Bett des Trappers. Das ist Diebstahl.«
»Es ist das genaue Gegenteil, Soliman. Alle Liebhaber von Camille – denn wir reden doch wohl über Camille, nicht wahr? –, alle Liebhaber von Camille schöpfen aus meinem Fluß, und alle meine Geliebten schöpfen aus ihrem. Flußaufwärts gibt es nur sie und mich. Flußabwärts gibt es zuzeiten eine ganze Menge Leute. Deshalb fischt man unten in trüberem Wasser als oben.«
»Ach so«, sagte Soliman ratlos.
»Um es zu vereinfachen«, sagte Adamsberg.
»Und im Augenblick fährst du flußaufwärts?« fragte Soliman zögernd.
Adamsberg nickte.
»So daß ich mich«, fuhr Soliman fort, »wenn ich diese verdammten fünfzig Meter überwunden hätte und sie hätte berühren können, noch immer flußabwärts von eurem ganzen idiotischen hydrographischen System befunden hätte?«
»So ungefähr«, sagte Adamsberg.
»Weiß das Camille, oder ist das deine eigene Träumerei?«
»Sie weiß es.«
»Und der Trapper? Weiß der das?«
»Er denkt darüber nach.«
»Aber heute abend erwartet dich der Wacher. Er hat sich den ganzen Tag, den Fuß auf der Wanne, ziemlich gelang-

weilt. Er erwartet dich. Genaugenommen hat er mir befohlen, dich zurückzuholen.«

»Das ist etwas anderes«, erwiderte Adamsberg. »Wie bist du hergekommen?«

»Mit dem Mofa. Du brauchst dich bloß mit dem linken Arm an mir festzuhalten.«

Adamsberg rollte seine Unterlagen zusammen und stopfte sie in seine Jacke.

»Nimmst du das alles mit?« fragte Soliman.

»Manchmal kommen mir Ideen durch die Haut. Ich habe das lieber am Körper.«

»Erhoffst du dir wirklich was davon?«

Adamsberg verzog das Gesicht und zog seine durch die Papiere beschwerte Jacke an.

»Hast du eine Idee?« fragte Soliman.

»Unterschwellig.«

»Das heißt?«

»Das heißt, daß ich sie nicht sehe. Sie zittert am Rande meines Gesichtsfeldes.«

»Nicht sehr praktisch.«

»Nein.«

In das angespannte Schweigen hinein erzählte Soliman seine dritte afrikanische Geschichte und übertönte mit seinen Worten die dumpfen Blicke, die in alle Richtungen geworfen wurden, von Camille zu Adamsberg, von Adamsberg zu Lawrence, von Lawrence zu Camille. Adamsbergs Blick schien manchmal zu flackern, wenn er Lawrence ansah. Er gibt nach, dachte Soliman, er gibt nach. Er wird seinen ganzen Fluß im Stich lassen. Unter dem aggressiven Blick des Kanadiers senkte der Kommissar erneut den Blick auf seinen Teller und verharrte so, wie benommen, absorbiert von den Motiven auf dem Steingutteller. Soliman fuhr mit seiner Geschichte fort, einer ziemlich verwickelten Angelegenheit zwischen einer rachsüchtigen Spinne und einem verängstigten Vogel, deren Ende er zunächst selbst noch nicht kannte.

»Als der Gott des Sumpfes die auf den Boden gefallene Brut sah«, sagte Soliman, »wurde er von großem Zorn ergriffen und ging los, um den Sohn der Spinne Mombo zu suchen. ›Warst du es, Sohn der Mombo‹, fragte er, ›der die Äste der Bäume mit deinen verdammten Mundwerkzeugen abgeschnitten hat? Von jetzt an wirst du nie mehr Holz mit deinem Munde nagen, sondern Fäden mit deinem Hintern spinnen. Und mit dem Faden wirst du Tag für Tag die Äste wieder ankleben und die Vögel nisten lassen.‹ – ›Rein gar nicht‹, erwiderte der Sohn der Mombo ...«

»God«, unterbrach Lawrence. »Versteh ich nicht.«

»Darum geht es nicht«, erklärte Camille.

Gegen halb eins war Adamsberg mit Soliman allein. Er lehnte dessen Angebot, ihn ins Hotel zu bringen, ab, die Fahrt auf dem Mofa war für seinen Arm ziemlich strapaziös gewesen.

»Mach dir keine Sorgen«, sagte er. »Ich gehe zu Fuß zurück.«

»Das sind acht Kilometer.«

»Ich brauche ein bißchen Bewegung. Ich nehm die Abkürzung durch die Felder.«

Adamsbergs Blick war so distanziert, so verloren, daß Soliman nicht insistierte. Es kam vor, daß der Kommissar in andere Welten abtauchte, und in solchen Momenten verspürte niemand Lust, ihn zu begleiten.

Adamsberg verließ die Straße und bog in den schmalen Weg ein, der zwischen einem Feld mit jungem Mais und einem Flachsfeld hindurchführte. Die Nacht war nicht sehr hell, es war windig, im Westen waren im Lauf des Abends

Wolken aufgezogen. Er kam langsam voran, den rechten Arm angewinkelt, den Kopf den Steinen zugewandt, die eine weiße, gewundene Linie am Boden bildeten. Der Weg führte auf die Ebene, und Adamsberg orientierte sich am dunklen Kirchturm von Montdidier, den man in der Weite erkennen konnte. Er verstand noch immer nicht, was ihn an diesem Abend so erschreckt hatte. Es mußte diese Geschichte mit dem Fluß gewesen sein, die ihm die Sicht trübte, seine Gedanken verzerrte. Und doch hatte er etwas gesehen. Die unbestimmte Idee, die am Rand seines Gesichtsfelds gezittert hatte, nahm Form und Konsistenz an. Eine furchtbare, nicht hinnehmbare Konsistenz. Aber er hatte etwas gesehen. Und alles, was an dieser Wolfsmensch-Geschichte quietschte wie falsch laufende Räder, fügte sich angesichts dieser Hypothese geschmeidig ineinander. Der absurde Tod von Suzanne Rosselin, die immer eingehaltene Route, Crassus der Kahle, die Fingernägel von Massart, die Wolfshaare, das fehlende Kreuz, alles paßte zusammen. Winkel und Kanten traten zurück, und übrig blieb nur noch eine glatte, klare, ganz offensichtliche Strecke. Und Adamsberg sah die gesamte, teuflisch geplante, mit Schmerzen und Brutalität gepflasterte und mit einer Prise Genie versehene Strecke von ihrem Anfang bis zu ihrem Ende.

Er blieb stehen, setzte sich zu Füßen eines Baumes auf den Boden und prüfte die Stichhaltigkeit seiner Gedanken. Nach einer Viertelstunde stand er langsam auf, machte kehrt und wandte sich in Richtung der Gendarmerie von Châteaurouge.

Auf halber Strecke, bei der Einmündung des Weges, der die beiden Felder trennte, blieb er wie angewurzelt stehen. In fünf oder sechs Metern Entfernung versperrte ihm eine dunkle, massige, zusammengekauerte Gestalt den Zugang zum Weg. Die Nacht war nicht hell genug, um Gesichtszüge zu erkennen. Aber Adamsberg wußte in diesem Moment, daß er dem Werwolf gegenüberstand. Dem umherziehenden Mörder, dem Mann der ständigen Ausweichmanöver, dem, der sich seit nunmehr zwei Wochen verborgen hielt und der jetzt endlich für ein mörderisches Duell aus seiner Deckung kam. Bis jetzt hatte keines seiner Opfer den Angriff überlebt. Aber keines seiner Opfer war bewaffnet gewesen. Adamsberg schätzte die beeindruckende Größe der Gestalt ab und wich ein paar Schritte zurück, während der Mann schweigend und leicht schwankend langsam näher kam. *Wie glühende Holzstückchen, Bürschchen, wie glühende Holzstückchen leuchten die Wolfsaugen in der Nacht.* Mit der linken Hand zog Adamsberg seine Pistole und merkte am Gewicht, daß die Waffe leer war.

Der Mann stürzte sich auf ihn und brachte ihn mit einem einzigen gewaltigen Stoß aus dem Gleichgewicht. Adamsberg wurde mit dem Rücken auf den Boden gepreßt und verzog schmerzerfüllt sein Gesicht, während die Knie des Mannes mit ihrem gesamten Gewicht seine Schultern niederdrückten. Mit seinem linken Arm versuchte er, die Masse, die ihn am Boden hielt, abzuwehren, aber dann ließ er ihn kraftlos zurückfallen. In der Dunkelheit suchte er den Blick seines Gegners.

»Stuart Donald Padwell«, keuchte er. »Dich habe ich gesucht.«

»Halt's Maul«, erwiderte Lawrence.

»Laß mich loß, Padwell. Ich hab die Bullen schon benachrichtigt.«

»Nicht wahr«, entgegnete Lawrence.

Der Kanadier griff in seine Jacke, und Adamsberg erkannte in seiner Hand, direkt vor seinem Gesicht, einen weißen Kiefer, der ihm riesig erschien.

»Der Schädel eines Polarwolfs«, sagte Lawrence höhnisch. »Du stirbst nicht unwissend.«

Ein Schuß zerriß die Luft. Lawrence schreckte hoch, ohne sein Gewicht von Adamsberg zu nehmen. Mit einem Satz war Soliman bei ihm und drückte ihm den Lauf des Gewehrs auf die Brust.

»Keine Bewegung, Trapper!« brüllte Soliman. »Oder ich jag dir eine Kugel durchs Herz. Hinlegen! Auf den Rükken!«

Lawrence legte sich nicht hin. Mit erhobenen Händen stand er langsam auf – in einer eher aggressiven als fügsamen Haltung. Soliman hielt ihn mit dem Gewehrlauf in Schach und drängte ihn rückwärts zum Maisfeld. In der Nacht wirkte Solimans hochaufgeschossene Silhouette erschütternd zierlich. Der junge Mann würde dem Schock nicht lange standhalten, Gewehr hin oder her. Adamsberg suchte nach einem schweren Stein und zielte auf den Kopf. An der Schläfe getroffen, sackte Lawrence zusammen. Adamsberg stand auf, ging zu ihm und untersuchte ihn.

»Das reicht«, keuchte er. »Gib mir irgendwas zum Fesseln. Er wird nicht lange so bleiben.«

»Ich hab nichts zum Fesseln«, sagte Soliman.

»Her mit deinen Klamotten.«

Während Adamsberg die Lederriemen seines Holsters löste und sein Hemd auszog, um etwas zum Festbinden zu haben, gehorchte Soliman.

»Nicht das T-Shirt«, sagte Adamsberg. »Gib mir deine Hose.«

In Unterhosen fesselte Soliman Arme und Beine des Kanadiers, der stöhnend auf dem Boden lag.

»Er blutet«, sagte er.

»Er wird sich wieder erholen. Sieh her, Soliman, sieh dir das Tier an.«

Im schwachen Nachtlicht zeigte Adamsberg Soliman den großen weißen Schädel des Polarwolfs, den er sorgfältig am Hinterhauptsloch festhielt. Soliman streckte entsetzt die Hand danach aus und fuhr mit dem Finger über die Spitzen der Zähne.

»Er hat die Spitzen geschärft«, sagte er. »Das schneidet wie Säbel.«

»Hast du dein Telefon?« fragte Adamsberg.

Soliman tastete im Gras nach seiner Hose und zog das Handy heraus. Adamsberg rief die Polizei in Châteaurouge an.

»Sie kommen«, sagte er und setzte sich neben dem Kanadier ins Gras.

Er legte den Kopf auf die Knie und bemühte sich, langsam zu atmen.

»Wie hast du mich gefunden?« fragte er dann.

»Nachdem du weg warst, habe ich mich hingelegt. Lawrence ist durch den Laster gegangen und hat sich draußen angezogen. Ich habe die Plane hochgehoben und gesehen, wie er sich in deine Richtung entfernt hat. Ich hab mir gedacht, daß er dich wegen einer netten kleinen Erklärung sucht, was Camille betrifft, und habe mir gesagt, daß mich das nichts angeht. Nicht wahr? Aber der Wacher hat sich kerzengerade auf sein Bett gesetzt und gesagt: ›Geh ihm nach, Sol.‹ Und er hat das Gewehr unter seinem Bett vorgezogen und es mir in die Hand gedrückt.«

»Der Wacher wachte«, sagte Adamsberg.

»Offenbar. Dann habe ich gesehen, wie der Trapper dir den Weg versperrte, und habe gedacht, daß das eine nette kleine Erklärung werden würde. Schließlich hat es eine schlechte Wendung genommen, und du hast zu ihm gesagt: ›Hallo Padwell‹, oder so was in der Art. In dem Moment hab ich kapiert, daß es sich nicht um eine nette kleine Erklärung handelt.«

Adamsberg lächelte.

»Du wärst beinahe umgebracht worden«, bemerkte Soliman.

»Wir hatten immer einen Zug Verspätung«, sagte Adamsberg stirnrunzelnd. »Von Anfang an. Wir haben einen Teil aufgeholt, aber ein paar Stunden fehlten uns.«

»Ich dachte, Padwell wäre tot.«

»Es ist sein Sohn. Stuart.«

»Willst du damit sagen, daß der Sohn die Pläne des Vaters ausführte?« fragte Soliman und musterte den am Boden liegenden Trapper.

»Als der Vater Simon Hellouin getötet hat, war der Junge zehn Jahre alt. Er hat den Mord mit angesehen. Daraufhin war der kleine Stuart erledigt. Um so mehr, als seine Mutter unmittelbar danach mit dem Bruder von Hellouin abgehauen ist. Während der achtzehn Jahre im Knast hat Padwell seinen Sohn in der fixen Idee nach Rache erzogen, der Idee, alle Männer zu vernichten, die ihm seine Mutter weggenommen haben.«

»Und die anderen beiden Typen? Sernot und Deguy?«

»Zwangsläufig zwei Geliebte der Mutter. Es gibt keine andere Erklärung.«

»Und Suzanne?« fragte Soliman dumpf. »Was hatte Suzanne mit der Sache zu tun? Soll sie das alles über den Trapper gewußt haben?«

»Suzanne wußte gar nichts.«

»Hat sie gesehen, wie er die Schafe mit seinem verdammten Schädel umgebracht hat?«

»Nichts von alldem, sag ich dir. Er hat sie nicht umgebracht, weil sie von einem Werwolf geredet hat. Er hat sie umgebracht, weil sie *nicht* von einem Werwolf geredet hat und nie davon geredet hätte. Aber nachdem sie tot war, konnte er sie sagen lassen, was er wollte. Dazu diente ihm Suzanne. Sie war nicht mehr da, um es abzustreiten.«

»Aber warum denn nur, um Himmels willen?« fragte Soliman mit zitternder Stimme.

»Um das Gerücht von einem Werwolf in die Welt zu setzen. Nur deshalb, Soliman. Er hätte nie den Fehler begangen, es selbst zu tun.«

Soliman seufzte im Dunkeln.

»Ich verstehe diesen ganzen Zirkus mit den Wölfen nicht.«

»Es war nötig, damit man an das Gemetzel eines Verrückten glaubt, an zufällige Morde, und er brauchte einen Schuldigen. Er hat sich die ganze Psychostory von dem lykanthropischen, mordgierigen Massart ausgedacht. Er hatte ausgezeichnete Möglichkeiten. Berufserfahrung, Mittel, Kenntnisse, das Alibi seiner Anwesenheit im Mercantour.«

»Und Massart?«

»Massart ist tot. Das war er schon von Anfang an. Lawrence wird ihn irgendwo am Mont Vence begraben haben. Da kommen die Bullen, Sol.«

Adamsberg und Soliman gingen den Gendarmen entgegen, der eine mit nacktem Oberkörper, der andere in Unterhosen. Fromentin hatte die Männer der Brigade von Montdidier zur Verstärkung mitgebracht. Zehn Mann schienen ihm nicht zuviel, um den Werwolf zu bändigen.

»Da liegt er«, sagte Adamsberg und zeigte auf Lawrence. »Rufen Sie einen Arzt, ich habe ihn am Kopf verletzt.«

»Wer ist der Kerl?« fragte Fromentin, während er seine Stablampe auf das Gesicht des Kanadiers richtete.

»Stuart Donald Padwell, der Sohn von John Padwell. Hier ist er unter dem Namen Laurence Donald Johnstone bekannt. Das ist die Waffe, Fromentin.«

»Scheiße«, sagte er, »das war kein Wolf.«

»Nur sein Schädel. Irgendwo in den Packtaschen seines Motorrads werden noch die Pfoten des Tieres liegen.«

Interessiert richtete der Hauptmann seine Lampe auf den Schädel.

»Das ist ein Polarwolf«, sagte Adamsberg. »Er hatte dort drüben alles vorbereitet.«

»Verstehe«, bemerkte Fromentin und nickte. »Polarwölfe sind die mit Abstand größten Wölfe.«

Adamsberg sah ihn erstaunt an.

»Ich interessiere mich für Tiere«, erklärte Fromentin verlegen. »Ich informiere mich hier und da.«

Er richtete die Lampe auf Adamsbergs Arm.

»Sie bluten«, sagte er.

»Ja«, antwortete Adamsberg. »Die Wunde ist wieder aufgegangen, als er sich auf mich gestürzt hat.«

»Was hat ihn dazu gebracht, aus der Deckung zu gehen?«

»Das war heute abend. Ich habe ihn angesehen.«

»Ja und?«

»Ich habe in seinem Gesicht die Züge von John Padwell wiedergefunden. Er wußte, daß ich hartnäckig die Spur seines Vaters verfolge, er hat kapiert, daß ich's kapieren würde.«

Lawrence kam an ihm vorbei, von zwei Gendarmen gestützt. Ein dritter Gendarm gab Adamsberg sein Hemd und sein Holster zurück. Soliman holte sich seine Hose wieder.

»Waren Sie heute abend mit ihm zusammen?« fragte Fromentin stirnrunzelnd und machte Anstalten, den Gendarmen zu folgen.

»Er war ständig da«, sagte Adamsberg und setzte sich ebenfalls in Bewegung. »Er hat dieses Gerücht von dem Wolfsmenschen in die Welt gesetzt, dann hat er ihm drei Personen hinterhergeschickt, um es weiter zu nähren. Er wußte jeden Tag genau über den Stand der Verfolgung Bescheid. Nicht wir sind ihm gefolgt, er hat uns geleitet.«

Lawrence wurde in das Krankenhaus von Montdidier gefahren, und Fromentin brachte Adamsberg und Soliman persönlich zum Laster.

»Morgen um fünfzehn Uhr Verhör, wenn der Kanadier

dazu in der Lage ist«, sagte Adamsberg. »Benachrichtigen Sie die Staatsanwaltschaft, und zwar so früh es geht, geben Sie Montvailland in Villard-de-Lans, Hermel in Bourg-en-Bresse und Aimont in Belcourt Bescheid. Brévant in Puygiron rufe ich selbst an, damit sie um Massarts Hütte herum suchen.«

Fromentin nickte. Er gab seinem Kollegen ein Zeichen, das Motorrad von Lawrence mitzunehmen, und fuhr los.

»Verdammt!« rief Soliman plötzlich und sah den Gendarmeriekombis hinterher. »Verdammt, das Haar! Die Fingernägel! Was machst du mit den Fingernägeln?«

»Das klärt die Frage mit den Fingernägeln.«

»Das waren doch die Nägel von Massart. Was machst du damit?«

»Es waren die Nägel von Massart«, sagte Adamsberg, während er langsam die Straße entlangging, »und es waren abgeschnittene Fingernägel. In der Hütte am Mont Vence hat Brévant nicht einen einzigen Fingernagel im Bad gefunden. Erst mußte Hermel noch auf die Idee kommen, das Zimmer zu durchkämmen, damit schließlich Fingernägel gefunden wurden. Aber abgekaute Fingernägel, Soliman. Das war das Störende daran. Einerseits ein Typ, der eine Nagelzange benutzt, andererseits ein Typ, der abgekaute Fingernägel neben dem Bett hinterläßt. Entweder oder, Sol. Danach, als wir sein Hotel ausfindig gemacht und dann diese zwei Fingernägel und das Haar gefunden haben, hatte ich den Eindruck, daß wir wirklich Glückspilze sind. Ja, wir waren wirklich Glückspilze. Angesichts der Karte habe ich daran gezweifelt, daß Massart zufällig zuschlägt. Angesichts dieser Sache mit den Fingernägeln habe ich an der Existenz von Massart gezweifelt.«

»Aber verdammt, wo kommen die Fingernägel dann her?« fragte Soliman.

»Laurence hat sie dem Toten abgeschnitten, Soliman.«

Soliman verzog angewidert das Gesicht.

»Er hat nicht bedacht, daß Massart an den Nägeln kauen könnte. Er hat sich so was einfach nicht vorgestellt. Er ist ein zu sauberer, zu sorgfältiger Mann. Der erste Fehler des Kanadiers.«

»Gab es weitere?« fragte Soliman, den Blick auf Adamsberg geheftet.

»Ein paar. Die Kerzen und die Morde am Fuß der Kreuze. Ich weiß nicht, ob Laurence Massarts Neigung zum Aberglauben kannte oder ob Camille ihn nichtsahnend darüber informiert hat. Es hat ihm gefallen, sich dieser Tatsache zu bedienen, da sie euch interessierte. In Belcourt hat er es jedoch, bedrängt von den Bullen, vorgezogen, weitab von jedem Kalvarienberg und jedem Kreuz zu morden. Abergläubische Menschen tun so was nicht. Sie klammern sich hartnäckig an ihren Aberglauben, sie lassen gerade bei einer so wichtigen Sache keinesfalls davon ab. Aber er hat Hellouin auf einer ganz gewöhnlichen Wiese umgebracht. Das bedeutete, daß die Kreuze zweifellos keinen tieferen Sinn haben konnten. Ebensowenig die Kerzen. Alles deutete auf denselben Punkt zurück: In diesem Fall wäre Massart nicht Massart gewesen. Verstehst du, Sol, ich war bereit für die Hypothese Padwell. Ich habe sie erwartet.«

»Aber ohne die Ähnlichkeit mit seinem Vater«, wandte Soliman mit einer Spur Beklommenheit ein, »hättest du den Kanadier nie erwischt. Niemals.«

»Aber natürlich. Es hätte nur länger gedauert, das ist alles.«

»Wie?«

»Mit etwas Hartnäckigkeit hätten die Akten Sernot, Deguy und Hellouin schließlich ihren gemeinsamen Nenner zum Vorschein gebracht: Ariane Germant. Von da aus kommt man zum Fall Padwell. Padwell ist tot, aber er hatte einen Sohn, der bei dem Gemetzel dabeiwar. Ich hätte die Spur dieses Sohnes verfolgt und hätte sein Foto bekommen. Und ich hätte Laurence erkannt.«

»Und wenn du nicht hartnäckig gewesen wärst?«

»Ich wäre hartnäckig gewesen.«

»Und wenn du die Spur dieses Sohnes nicht verfolgt hättest?«

»Ich hätte sie verfolgt, Sol.«

»Und wenn nicht?« beharrte Sol.

»Wenn nicht, dann hätte es noch länger gedauert. Wer kennt sich mit Wölfen aus? Laurence. Wer hat als erster von einem Werwolf geredet? Laurence. Wer hat Massart gesucht? Laurence. Wer hat ihn als vermißt gemeldet? Wer hat die Vermutung geäußert, Massart habe Suzanne umgebracht? Laurence. Man hätte ihn schließlich gefunden, Sol.«

»Vielleicht auch nicht«, wandte Soliman ein.

»Vielleicht auch nicht. Aber da gab es noch die Wolfshaare. Kaum haben wir uns danach gefragt, finden wir plötzlich welche. Wer wußte darüber Bescheid? Die Bullen und wir fünf.«

»Ich gehe zum Wacher«, sagte Soliman. »Er muß es erfahren.«

»Nein«, sagte Adamsberg und hielt ihn am Arm fest. »Du weckst bloß Camille.«

»Na und?«

»Ich weiß noch nicht, wie man's ihr am besten beibringt. Überleg doch.«

Soliman blieb stehen.

»Scheiße«, sagte er.

»Ja«, erwiderte Adamsberg.

34

Adamsberg saß auf dem Bettrand und wartete, bis Camille aufwachte. Sobald sie angezogen war, nahm er sie mit auf einen kleinen Spaziergang und brachte ihr die Neuigkeit behutsam, sehr behutsam bei. Camille setzte sich im Schneidersitz ins Gras und blieb eine ganze Weile niedergeschlagen sitzen, die Hände an ihren Stiefeln, den Blick auf den Boden geheftet. Adamsberg hielt sie an der Schulter und wartete, bis der Schock etwas nachließ. Er redete leise und ohne Unterbrechung, um Camille in der Stille dieser düsteren Entdeckung nicht allein zu lassen.

»Ich verstehe das nicht«, murmelte Camille. »Ich habe nichts gesehen, nichts gespürt. Er hatte überhaupt nichts Beunruhigendes.«

»Nein«, erwiderte Adamsberg. »Er bestand aus zwei Teilen, dem ruhigen Mann und dem zerrissenen Kind. Laurence und Stuart. Du hattest nur einen der beiden Teile. Du brauchst es nicht zu bereuen, ihn geliebt zu haben.«

»Er ist ein Mörder.«

»Er ist ein Kind. Sie haben ihn kaputtgemacht.«

»Er hat Suzanne massakriert.«

»Er ist ein Kind«, wiederholte Adamsberg entschieden. »Sie haben ihm keine Chance gelassen zu leben. Das ist die Wahrheit. Sieh es so.«

Der Wacher erfuhr mit Bestürzung aus Solimans Mund, daß es nicht die geringste Hoffnung mehr gab, daß der Mörder sich als Werwolf entpuppte. Daß es nichts bringen würde, Lawrence von der Kehle bis zu den Eiern aufzuschlitzen und daß der harmlose Massart seit sechzehn Tagen tot war. Der Alte nahm diese schmutzige Wahrheit nicht ohne Mühe auf, aber paradoxerweise beruhigte ihn die Enthüllung der wahren Umstände von Suzannes Tod. Suzanne war ein Bauernopfer gewesen. Er hatte sich schwere Vorwürfe gemacht, weil er in dem Augenblick, als der Wolf Suzanne angriff, nicht dagewesen war. Aber Suzanne war nicht das überraschende Opfer eines unvorhergesehenen Angriffs gewesen. Sie war in eine Falle gelockt worden, und das hätte auch der Wacher mit seiner ganzen Wachsamkeit nicht verhindern können. Lawrence hatte dafür gesorgt, daß der Schäfer wegmußte, bevor er Suzanne rief. Nichts und niemand hätte daran irgend etwas ändern können. Der Wacher atmete endlich auf.

»Dich, mein Junge«, sagte er zu Adamsberg, »habe ich gerettet.«

»Ich bin dir was schuldig«, sagte Adamsberg.

»Das hast du mir schon gegeben.«

»Den Wein?«

»Den Mörder von Suzanne. Aber paß auf, Junge, paß auf dich auf. Er hätte dich fast gekriegt, und das rothaarige Mädchen auch.«

Adamsberg nickte.

»Du träumst zuviel, Junge«, fuhr der Wacher fort, »und wachst nicht genug. Das ist nicht gut in deinem Beruf. Aber mich nennt man nicht umsonst den Wacher. Immer gut beinander.«

»Was hast du gesehen, Wacher?«

»Ich hab den Kanadier gesehen, als er hinter dir rausgegangen ist, und ich habe gesehen, daß er dir nichts Gutes wollte. Ich bin nicht blind. Ich habe geglaubt, es sei wegen der Kleinen. Und ich habe gesehen, daß er dich wegen der Kleinen aufschlitzen wollte. Das hab ich so klar gesehen, wie ich dich jetzt sehe.«

»Woran hast du das gesehen?«

»An seinem Gang.«

»Wo hattest du die Patronen her?«

»Ich hab deine Sachen durchsucht. Hast du das nicht genauso gemacht, als du sie mir weggenommen hast?«

Um drei Uhr nachmittags betrat Adamsberg die Gendarmerie. Fromentin, Hermel, Montvailland, Aimont und vier Gendarmen umringten Lawrence, der auf der äußersten Kante seines Stuhls saß, die Hände in Handschellen, und sie ruhig ansah. Der Kanadier folgte Adamsberg aufmerksam mit dem Blick, während dieser reihum seine Kollegen begrüßte.

»Brévant hat angerufen, mein Lieber«, sagte Hermel, als er ihm die Hand schüttelte. »Sie haben gerade Massart ausgegraben, acht Meter von seiner Hütte entfernt am Hang. Er ist mit seiner Dogge, seinem Geld und seiner gesamten Bergausrüstung begraben worden. Die Fingernägel waren kurz geschnitten.«

Adamsbergs Blick wanderte zu Lawrence, der ihn noch immer starr, mit einer Frage im Blick, ansah.

»Camille?« fragte Lawrence.

»Sie bereut nichts«, antwortete Adamsberg, der nicht wußte, ob er die Wahrheit sagte.

Irgend etwas in Lawrences Körper schien sich zu entspannen.

»Es gibt etwas, was nur du weißt«, sagte Adamsberg, ging zu ihm hinüber, zog einen Stuhl zu sich heran und setzte sich neben ihn. »Sollten noch mehr Männer umgebracht werden, oder war Hellouin der letzte?«

»Der letzte«, erwiderte Lawrence mit einem kaum wahrnehmbaren Lächeln. »Hab sie alle gekriegt.«

Adamsberg nickte und begriff, daß Lawrence jetzt niemals mehr seine Ruhe verlieren würde.

Mehr als zwanzig Stunden antwortete Lawrence auf die Fragen der Polizei, ohne den geringsten Versuch, irgend etwas zu leugnen. Friedlich, distanziert und auf seine Weise kooperativ. Er bat um einen sauberen Stuhl, weil er fand, daß der, den man ihm gegeben hatte, schmuddelig sei. Wie die Gendarmerie auch, schmuddelig.

Er antwortete in elliptischen, aber präzisen Sätzen. Da er allerdings keinerlei Hilfe anbot und von sich aus keinen Kommentar abgab und – eher durch die ihm eigene Wortkargheit als durch bösen Willen – passiv darauf wartete, befragt zu werden, brauchten die Polizisten mehr als zwei Tage, bis sie ihm Stückchen für Stückchen die gesamte Geschichte entlockt hatten. Camille, Soliman und der Wacher wurden im Laufe des Dienstags als Hauptzeugen gehört.

Am Abend des dritten Tages erbot sich Hermel, an Adamsbergs Stelle einen ersten kurzen Bericht zu diktieren. Adamsberg, der derlei logische und synthetische Übungen verabscheute, nahm das Angebot dankbar an und lehnte sich an die Wand des Büros. Hermel überflog rasch seine Notizen und die seines Kollegen, breitete sie auf dem Tisch aus und schaltete das Tonband ein.

»Welchen Tag haben wir heute, mein Lieber?« fragte er.

»Mittwoch, den 8. Juli.«

»Gut. Schnell gemacht, mein Lieber, wir nehmen es auf und vervollständigen es morgen. ›Mittwoch, 8. Juli, 23 Uhr 45. Gendarmerie von Châteaurouge, Haute-Marne. Vernehmungsprotokoll von Stuart Donald Padwell, fünfunddreißig Jahre alt, Sohn von John Neil Padwell, amerikanischer Staatsbürger, und Ariane Germant, französische Staatsbürgerin, angeklagt wegen vorsätzlicher Tötung. Die Vernehmungen erfolgten am 6., 7. und 8. Juli durch Kommissar Jean-Baptiste Adamsberg und Hauptmann Lionel Fromentin, in Anwesenheit von Kommissar Jacques Hermel und Hauptmann Maurice Montvailland. John N. Padwell, der

Vater des Beschuldigten, trat 19... – Sie geben mir noch die Daten, mein Lieber – wegen vorsätzlichen Mordes an Simon Hellouin, dem Liebhaber seiner Frau, eine Haftstrafe im Gefängnis von Austin an. Die Tat war vor den Augen seines damals zehnjährigen Sohnes verübt worden.‹«

Hermel schaltete das Tonband aus und wandte sich mit einer Kopfbewegung an Adamsberg.

»Können Sie sich das vorstellen, mein Lieber?« sagte er. »Vor den Augen des Kindes. Wo ist der Junge danach hingekommen?«

»Bis zum Prozeß ist er bei seiner Mutter geblieben.«

»Ja, aber dann? Als sie abgehauen ist?«

»Er wurde in eine Einrichtung, eine Art staatliches Waisenhaus verfrachtet.«

»Eiserne Disziplin?«

»Nein, eine tadellose Einrichtung, nach allem, was Lanson geschrieben hat. Aber wenn dem Jungen noch irgendeine Chance blieb, der Psychose zu entgehen, hat der Vater sie endgültig zerstört.«

»Die Briefe?«

»Ja. Im ersten Jahr hat er ihm fünf- oder sechsmal geschrieben, dann häufiger. Einen Brief im Monat, dann einen pro Woche, als der Junge dreizehn war, und so ging das, bis er neunzehn war.«

Hermel trommelte nachdenklich mit den Fingern auf seinem Schreibtisch.

»Und die Mutter?«

»Hat nie was von sich hören lassen. Hat ihren Sohn nie wiedergesehen. Sie ist in Frankreich gestorben, als er einundzwanzig war.«

Hermel verzog kopfschüttelnd das Gesicht.«

»Was für eine häßliche Sache, mein Lieber.«

Er streckte die Hand aus und schaltete das Band wieder ein.

»›Fast zehn Jahre lang bereitete John Neil Padwell seinen Sohn, den jungen Stuart, mit Hilfe von Briefen auf die heilige Aufgabe vor, die dieser erfüllen sollte – ich zitiere die Worte des Beschuldigten. Mit Blick auf dieses Ziel änderte Stuart, als er zweiundzwanzig war, mit Hilfe eines ehemaligen Sträflings, eines Freundes des Vaters, seine Identität und wanderte nach Kanada aus – Sie geben mir noch die Daten, mein Lieber. Während seiner Haft nahm John Padwell die Dienste eines Detektivs in Anspruch – mir fehlt noch der Name –, der die Ehefrau verfolgte, die sich seit dem Ende des Prozesses nach Frankreich geflüchtet hatte. Auf diese Weise waren Vater und Sohn über das Liebesleben von Ariane Germant, verheiratete Padwell, ebenso informiert wie über die Identität der beiden Liebhaber, die auf Simon und Paul Hellouin folgten, die ihrerseits das doppelte Verbrechen begangen hatten – ich zitiere weiterhin –, dem Vater die Ehefrau weggenommen und dem Kind die Mutter geraubt zu haben. Es war niemals die Rede davon, der Mutter nach dem Leben zu trachten, da die vier Männer in den Augen des Vaters wie des Beschuldigten die alleinige Schuld am familiären Unglück trugen – ich zitiere. Nachdem Simon Hellouin eliminiert worden war, mußte Stuart das heilbringende Werk vollenden – weiteres Zitat –, indem er seinerseits Paul Hellouin eliminierte, mit dem Ariane Germant nach Frankreich geflohen war – Sie geben mir dann noch das genaue Datum, mein Lieber –, sowie Jacques-Jean Sernot und Ferndand Deguy, die sie kennengelernt hatte, als sie ein paar Jahre später, 19… – noch zu vervollständigen – nach Grenoble gezogen war. John Padwell drängte seinen Sohn, mit dem er seit dessen Identitätswechsel nur mit großer Vorsicht in Verbindung treten konnte, sich die erforderliche Zeit zu nehmen, um eine Strategie zu entwickeln, die ihn von jedem Verdacht freisprechen würde, da er ihm die Haftstrafe zu ersparen wünschte, die er selbst erlitten hatte. Stuart Padwell – genannt Lawrence Donald Johnstone – erarbeitete mehrere Pläne, zunächst ohne einen zu finden, der ihn vollständig befriedigt hätte – Zitat. Seit seinen Anfängen als Parkaufseher in den Nationalparks Kanadas – Sie sagen mir noch, wo, mein Lieber, ich habe keine Ahnung von Kanada – hatte er sich in dreizehn Jahren durch harte Arbeit und lange Einsamkeit – Zitat – einen soliden Ruf in der Welt der Karibuspezialisten geschaffen.‹«

»Grizzlyspezialisten«, berichtigte Adamsberg.

»›Der Grizzlyspezialisten. Die Nachricht von der Rückkehr der Wölfe in die französischen Alpen erreichte die Kreise der kanadischen Naturforscher zu dem Zeitpunkt, als John Padwell gerade verstorben war. Stuart sah darin ein Zeichen und die Gelegenheit, endlich seine Mission – Zitat – zu erfüllen; er bereitete ein Jahr lang jede Einzelheit vor. Er ließ sich in den Mercantour-Naturpark schicken, eine Aufgabe, die ihm angesichts seines Rufs ohne jegliche Bedenken übertragen wurde. Im Dezember – die Daten, mein Lieber, die Daten – machte er halt in Paris, wo er seine Kenntnisse über die französischen Werwolflegenden vervollständigte und wo er Camille Forestier kennenlernte. Er ermutigte die junge Frau dazu, ihn zu begleiten, zum einen, weil er Zuneigung zu ihr gefaßt hatte – Zitat –, zum anderen, weil ein einzelner Mann in den Dörfern Neugier und Kommentare hervorruft – noch immer Zitat. Von Valberg in den Alpes-Maritimes aus, wo er sich vorübergehend niederließ, machte er sich auf die Suche nach einem Sündenbock. Er machte drei Kandidaten für diese Rolle ausfindig – ich zitiere – und entschied sich für Auguste Massart, wohnhaft in Saint-Victor-du-Mont, in den Alpes-Maritimes, wo er etwa im Januar – Datum ist zu überprüfen – ein Haus bezog. In Saint-Victor blieb er sechs Monate und nahm sich die nötige Zeit, Auskünfte über Massart einzuholen und für seinen Ruf und den Erfolg seines Vorhabens zu sorgen. Am Dienstag, dem 16. Juni, begann er mit der Operation, indem er zunächst in der Schäferei von Ventebrune mit Hilfe eines Polarwolfschädels mit zuvor extra geschärften Zähnen mehrere Schafe tötete, was er in den darauffolgenden Nächten – die Daten, mein Lieber – in Pierrefort und Saint-Victor wiederholte. Am Samstag, 20. Juni, setzte er das Gerücht in die Welt, Auguste Massart sei ein Werwolf, und berief sich dabei auf die vermeintliche Aussage von Suzanne Rosselin, Schafzüchterin in Saint-Victor. In der Nacht von Samstag auf Sonntag, den 21. Juni, gab er seiner Gefährtin Camille Forestier ein Schlafmittel, verließ seine Wohnung, ermordete Auguste Massart, den er zusammen mit dessen Bergausrüstung und dessen Hund begrub, und tötete dann Suzanne Rosselin. In Massarts Wohnung hinterließ er eine Straßenkarte mit einer markierten Strecke, um den Zusammenhang zwischen Massart und den gerissenen Tieren deutlich zu machen. Nachdem er nacheinander in den Schäfereien von Guillos und ...‹ – wie war der Name, mein Lieber?«

»La Castille.«

»›... und La Castille zugeschlagen hatte, begab er sich zu Gendarmeriehauptmann Brévant und setzte Soliman Diawara, den Adoptivsohn von Suzanne Rosselin, sowie Philibert Fougeray, genannt der Wacher, Schäfer in Saint-Victor, auf die Fährte des Wolfsmannes. Seine Gefährtin Camille Forestier begleitete sie. Nacheinander tötete er in der Nacht vom 24. auf den 25. Juni Jacques-Jean Sernot in Sautrey, Isère, und in der Nacht vom 27. auf den 28. Juni Fernand Deguy in Bourg-en-Bresse, im Departement Ain. Er lenkte die Ermittlungen auf ein Hotel in Combes, wo er zwei Fingernägel und ein Haar deponierte, die von der Leiche Massarts stammten. In der Nacht vom 2. auf den 3. Juli tötete er Paul Hellouin in Belcourt, Haute-Marne, und sorgte für einige Schafsmassaker entlang der Strecke in den Orten ... – geben Sie mir noch die ganze Liste, mein Lieber, ich komme offengestanden ziemlich durcheinander –, die dazu bestimmt waren, die Werwolf-Theorie glaubwürdig erscheinen zu lassen. Er verfuhr nach einem immer gleichen *modus operandi*; er bewegte sich mit dem Motorrad fort, um die Morde zu begehen, wobei er durch das Alibi seiner Anwesenheit im Mercantour geschützt wurde, das dank der Größe des menschenleeren Geländes nicht überprüfbar war. Dennoch machte er aus Gründen der Sicherheit – ich zitiere den Beschuldigten – drei kurze Abstecher dorthin und nahm im Laufe des letzten Besuchs die Wolfshaare mit, die dann bei Paul Hellouin gefunden wurden. In der Nacht vom Sonntag, dem 5. Juli, auf Montag, den 6. Juli, griff er, bedroht durch die von Kommissar Adamsberg durchgeführten Ermittlungen zum Dossier Padwell, diesen in Châteaurouge, Departement-Marne, an der Wegkreuzung mit dem Flurnamen Camp du Tondu an, ein Angriff, der durch das Einschreiten von Soliman Diawara abgewehrt wurde. Kommissar Jean-Baptiste Adamsberg gibt zu, wissentlich ein Wurfgeschoß in Richtung von Stuart D. Padwell geschleudert und dabei auf dessen Kopf gezielt zu haben, was zu einer nur leichten Verletzung führte, wie die von Dr. Vian im Krankenhaus von Montdidier am Montag, dem 6. Juli, um 1 Uhr 50 durchgeführte Untersuchung ergeben hat. Die Festnahme des Beschuldigten erfolgte durch Hauptmann Lionel Fromentin am selben Tag um 1 Uhr 10 morgens.‹«

Hermel schaltete das Band ab.

»Habe ich was vergessen?«

»Crassus den Kahlen und Augustus.«

»Wer sind die beiden Typen?«

»Zwei Wölfe. Laurence muß den ersten gleich nach seiner Ankunft weggeschafft haben. Es sei denn, Crassus wäre von alleine verschwunden, das ist möglich. Er war der größte Wolf seines Rudels. Augustus war ein alter Wolf, den Laurence unter seine Fittiche genommen hatte. Während seines Coups hat er ihn nicht weiterernähren können, deshalb ist der Alte gestorben. Laurence hat um ihn getrauert.«

»Er bringt fünf Menschen um und trauert um einen Wolf?«

»Es war *sein* Wolf.«

35

Adamsberg kehrte nach ein Uhr morgens zum Laster zurück. Camille saß im Schneidersitz auf ihrem Bett und las mit einer Taschenlampe im *Katalog für handwerkliches Arbeitsgerät*. Adamsberg setzte sich neben sie und besah sich die Seite mit den Schleifbohrern.

»Was suchst du nur darin?« fragte er.

»Trost und Stärkung.«

»So schlimm?«

»Alles ist nur Zufall, Wirrnis und Vergehen, außer dem *Katalog*.«

»Bist du dir dessen sicher?«

Camille zuckte mit den Achseln und lächelte kurz.

»Laurence wird morgen nach Paris überstellt«, sagte Adamsberg. »Ich fahre mit ihm zurück.«

»Wie ist er?«

»So wie die letzten Tage. Friedlich. Er findet, die Gendarmen stinken nach Schweiß.«

»Und stimmt das?«

»Natürlich stimmt das.«

»Ich werde ihm schreiben. Wenn ich in den Bergen bin.«

»Fährst du nach Saint-Victor zurück?«

»Ich begleite sie zurück nach Les Écarts. Ich fahre auch zurück.«

»Ja.«

»Ich bin die Fahrerin.«

»Ja, natürlich.«

»Sie können nicht Auto fahren.«

»Ja. Paß gut auf, auf der Strecke.«

»Ja.«

»Sei vorsichtig.«

»Ich werde vorsichtig sein.«

Adamsberg legte seinen unverletzten Arm um Camilles Schultern und sah sie im Licht der Taschenlampe schweigend an.

»Kommst du zurück?« fragte er.

»Ich werde ein paar Tage dort bleiben.«

»Und dann fährst du?«

»Ja. Sie werden mir fehlen.«

»Kommst du zurück?«

»Wohin?«

»Na, ich weiß nicht. Nach Paris?«

»Ich weiß es nicht.«

»Oh, verdammt, Camille, red nicht so wie ich. Wir kommen nicht voran, wenn du so redest wie ich.«

»Um so besser«, sagte Camille, »das kommt mir gelegen. Es gefällt mir, wie es gerade ist.«

»Aber übermorgen wird es anders sein. Übermorgen gibt es keinen Straßenrand mehr, keinen Laster, nichts Vorläufiges mehr, nichts Vorübergehendes. Auch keine Flußufer mehr.«

»Ich werde neue schaffen.«

»Flußufer?«

»Ja.«

»Womit?«

»Mit dem *Katalog*. Der *Katalog* kann alles.«

»Wenn du das sagst. Was machst du dann mit den Flußufern?«

»Ich geh an ihnen entlang und schau, ob du da bist.«

»Ich werde dasein.«

»Vielleicht«, sagte Camille.

Am nächsten Morgen klemmte sich Camille hinter das Steuer des Viehtransporters, ließ den Motor an und setzte ein Stückchen zurück, um unter großem Blechgeschepper zum Wenden anzusetzen. Nebeneinander aufgereiht, sahen der Wacher, der sich mit Hilfe seines Stocks wieder aufrecht hielt, Soliman und Adamsberg schweigend und ernst zu, wie der Laster das Manöver vollführte. Camille überquerte die Landstraße, setzte erneut ein Stück zurück, hielt am rechten Straßenrand an, die Front in Richtung Osten, und stellte den Motor ab.

Adamsberg überquerte langsam die Straße, kletterte die beiden Trittstufen zur Fahrerkabine hinauf, umarmte Camille, strich ihr über das Haar und kam auf die Wiese zurück, wo ihn die beiden Männer erwarteten. Er schüttelte dem Wacher die Hand.

»Wache über dich, mein Junge«, sagte der Wacher. »Ich bin nicht mehr hinter dir.«

»Es brauchen dich ja nicht alle im Gefolge zu haben«, sagte Soliman.

Soliman warf Camille einen Blick zu, dann schüttelte er Adamsbergs Hand.

»›Trennung‹«, sagte er. »›Die Tatsache, sich zu trennen, eine Bindung zu lösen, sich zu verlassen.‹«

Er ging zum Laster, kletterte durch die rechte Tür, hievte den Wacher auf seinen Sitz und schlug die Tür zu. Adamsberg hob die Hand, und der Viehtransporter setzte sich unter großem Lärm in Bewegung. Er sah zu, wie der Wagen sich entfernte und dann nach achtzig Metern anhielt. Soliman sprang aus der Fahrerkabine und kam auf ihn zugerannt.

»Die Wanne, verdammt!«

Er rannte an Adamsberg vorbei, ohne stehenzubleiben, flitzte zu ihrem alten Standplatz und nahm die Wanne, die noch im Gras lag, das von den Rädern und dem Umherlaufen niedergetreten war. Außer Atem und in großen Schritten kam er zurück. Als er auf Adamsbergs Höhe war, blieb er stehen und streckte ihm noch einmal die Hand hin.

»›Schicksal‹«, sagte er. »›Möglichkeiten, Begegnungen. Wechselfälle oder Umstände, die einen – zufällig oder nicht – einer Person oder Sache begegnen lassen.‹«

Er lächelte und ging zum Viehtransporter zurück, während er elegant die blaue Wanne schwenkte. Der Laster fuhr wieder an und bog um die nächste Kurve.

Adamsberg zog sein Heft aus seiner Gesäßtasche, schlug es auf und notierte, solange er sich noch daran erinnerte, Solimans letzte Definition.

Das Phänomen
FRED VARGAS

1994 erscheint in Frankreich ihr erster Roman. Sie nennt ihn rom.pol – von »roman policier«. Jahrelang bleibt die junge Autorin ein Geheimtip. Fred Vargas, geboren 1957, arbeitet als Archäologin in einem Forschungsinstitut und lebt mit ihrem Sohn im Pariser Stadtteil Montparnasse. Sie schreibt fast ausschließlich in den Ferien. Für ihre Krimis hat sie das seit der Kindheit vertraute Diminutiv Fred (für Frédérique) gewählt.

Im Mai 2006 bringt ihre Verlegerin Viviane Hamy ihren neunten Roman heraus. Längst schon ist Fred Vargas »la reine du polar«, die Königin des französischen Kriminalromans, Bestsellerautorin in Europa, übersetzt in 30 Sprachen, gekrönt mit bedeutenden nationalen und internationalen Literaturpreisen. Für »Fliehe weit und schnell« erhält sie den Deutschen Krimipreis 2004. »Der vierzehnte Stein« wird von der Jury der KrimiWelt zu einem der drei besten Krimis des Jahres 2005 gekürt.

Ihre Bücher haben alles, was einen guten Kriminalroman auszeichnet: einen hoch spannenden Plot, die angemessene Zahl von Toten, einen schwer zu findenden Mörder. Aber darüber hinaus haben sie etwas für das Genre Einzigartiges: unerschöpfliche literarische Phantasie, reine Poesie, einen teuflischen Humor und wundervoll schräge Dialoge.

»Es gibt eine Magie Vargas.« Le Monde

Das Universum der FRED VARGAS

Kein Vargas-Roman ohne das charakteristische Personenensemble – die einzigartig schrägen Charaktere der Autorin sind schon fast legendär. Die wichtigsten Figuren des Vargas-Kosmos hier kurz vorgestellt:

Kommissar Jean-Baptiste Adamsberg

Unter den Kommissaren dieser Welt ist Adamsberg wohl die seltenste Erscheinung. In seinem Wesen ein Wald- und Gebirgsmensch geblieben, aufgewachsen in den Pyrenäen, kommt er nach Paris (***»Es geht noch ein Zug von der Gare du Nord«***), wo ihm der Ruf vorausgeht, eine Reihe komplizierter Fälle auf ziemlich unerwartete Weise gelöst zu haben. Schweiger, Träumer, Einzelgänger, vertraut er seiner Intuition mehr als der Logik und hat es damit inzwischen zum Chef der Mordbrigade des 13. Pariser Arrondissements gebracht – bewundert, aber nicht nur geliebt. Denn seine Genialität hat auch etwas Selbstherrliches, Hochmütiges, das ohne den Beitrag seiner Mitarbeiter auszukommen meint. Ein dramatisches Erlebnis im ***»Vierzehnten Stein«*** kuriert ihn von seinem eigenen Mythos.
Adamsberg hat ein schönes, zerklüftetes Gesicht und eine Stimme, die sich wie Balsam um sein Gegenüber zu winden vermag. »Für diesen Kommissar«, schreibt eine Rezensentin von ELLE, »würde man schon gern

mal eine kleine Gaunerei begehen, nur um von ihm die Handschellen angelegt zu bekommen.« Auf sein Äußeres jedoch legt er nicht den geringsten Wert: sein zerknautschtes, meist noch regennasses Jackett ist legendär. Er begehrt die Frauen, viele Frauen, und verletzt damit immer wieder die einzige, die er wirklich liebt, Camille.

Adrien Danglard

Adamsbergs engster Mitarbeiter ist sein vollendeter Gegenpol (*»Es geht noch ein Zug von der Gare du Nord«* und alle späteren Romane). Der Capitaine ist durch und durch Rationalist, ja auf liebenswerte Weise pedantisch. Mit scharfem Verstand und sagenhaftem Wissen ausgestattet, gebraucht er das Instrument der Logik wie Adamsberg das der Intuition – Anlaß für so manch amüsanten Schlagabtausch. Kein historisches, geographisches, linguistisches oder literarisches Detail, das ihm fremd wäre, Danglard ist wandelndes Lexikon und Born von Zitaten. Seine Passion: Reliquienbücher aus dem 17. Jahrhundert. Sein Laster: Weißwein oder Wacholderschnaps zur Beflügelung der detektivischen Inspiration. Mit all diesen Charakterstärken ist er Adamsbergs Retter in so mancher heiklen Situation. Von der Natur wenig begünstigt, schwabbelig und mit Bauch, versucht er sich durch makellose Eleganz ein wenig englischen Charme zu verleihen. Mit den Frauen hatte er jedoch nie Glück, weshalb er zum sehr einfallsreichen alleinerziehenden Vater von fünf Kindern wurde. Und zärtlich beschützt er Camille, wann immer ihr Leben einen neuerlichen Zusammenbruch erleidet.

Die drei »Evangelisten« oder die drei »Historiker«

Drei wissenschaftlich tätige, aber arbeitslose Jungakademiker, die gemeinsam ein baufälliges Haus im Pariser Faubourg Saint-Jacques gemietet und instand gesetzt haben. Mathias, der Prähistoriker und Spurenleser, ist ein Hüne mit nackten Füßen in Ledersandalen, sommers wie winters, und ein großer Schweiger; er wohnt ganz unten. Über ihm wohnt Marc, der Mann fürs Mittelalter, elegant, grazil, feinfühlig, leicht aufbrausend und ein begabter Zeichner. Im dritten Stock Lucien, Zeitgeschichtler mit Krawatte, Spezialist für den ersten Weltkrieg; er interpretiert die Welt häufig aus der Perspektive eines Schützengrabens.
Matthäus, Markus, Lukas ... Der Zufall macht die drei »Evangelisten« zu Kriminalisten: erstmals in ***»Die schöne Diva von Saint-Jacques«***, danach in ***»Der untröstliche Witwer von Montparnasse«***. Auch in späteren Romanen tauchen sie auf, wo sie mit ihren besonderen Begabungen und Eignungen Entscheidendes zur Aufklärung eines Falles beitragen.
Als Entwurf finden sich die drei Historiker bereits in den drei exzentrischen französischen Studenten des Romans ***»Im Schatten des Palazzo Farnese«***, Vargas' erstem Krimi von 1994.

Louis Kehlweiler

Auch »Ludwig« genannt, Ex-Inspektor des Pariser Innenministeriums, bewegt sich etwas außerhalb der Legalität, weil er mit nicht mehr gültigen Visitenkarten noch immer heimlich recherchiert. Zum Glück – denn sein geradezu visionärer Starrsinn und sein fabelhaftes Langzeitgedächtnis gehen so manchem aussichtslos erscheinenden Fall auf den Grund. Ludwig ist grandios in ***»Das Orakel von Port-Nicolas«*** und ***»Der untröstliche Witwer von Montparnasse«***. Nicht zu verwechseln mit Adamsberg, mit dem er gleichwohl einige Berührungspunkte hat: Was Adamsberg der Ur-Fisch in einem kanadischen See, bedeutet Kehlweiler die Kröte Bufo im Handschuhfach seines Wagens.

Camille

Musikerin, Tochter der Meereskundlerin Mathilde Forestier. Hübsch, zart, fast immer in Stiefeln, selbst bei großer Hitze in den provenzalischen Alpen (***»Bei Einbruch der Nacht«***). Zu ihrem Vergnügen spielt sie Bratsche: Bach und Vivaldi. Zu ihrem Broterwerb komponiert sie die Soundtracks von Fernsehserien, klempnert gelegentlich und entspannt sich bei der Lektüre von Werkzeugkatalogen. Sie liebt Adamsberg und kann dennoch nicht mit ihm leben. Zu oft hat er sie verletzt, und in solchen schlimmen Augenblicken schnürt sie auf der Stelle ihre Stiefel, packt den Synthesizer ein, schließt die Werkzeugtasche und verschwindet, ohne eine Spur zu hinterlassen. Nach Lille, nach Lissabon oder nach Montreal. Unerreichbar für Adamsberg – es sei denn, Danglard, ihr Vertrauter, der sie still verehrt, gibt dem Kommissar eines Tages ihre Adresse (***»Fliehe weit und schnell«***).

Waltraud Schwarze

Die Krimiwelt der fred vargas

Im Schatten des Palazzo Farnese
Kriminalroman
Aus dem Französischen
von Tobias Scheffel
207 Seiten
ISBN *978-3-7466-1515-8*

Auf dem europäischen Kunstmarkt tauchen unbekannte Zeichnungen von Michelangelo auf. Alle Spuren weisen darauf hin, dass sie aus der Vatikanbibliothek gestohlen wurden. Henri Valhubert, Kunsthistoriker, begibt sich auf die Spur nach Rom. Bei einer nächtlichen Gala der Französischen Botschaft wird Valhubert mit einem Becher Schierling umgebracht. »Im Schatten des Palazzo Farnese« ist der erste Roman von Fred Vargas.

»Fred Vargas schreibt Kriminalromane, die irrsinnig sind. Irrsinnig gut.« FRANKFURTER RUNDSCHAU

Die schöne Diva von Saint-Jacques
Kriminalroman
Aus dem Französischen
von Tobias Scheffel
298 Seiten,
ISBN *978-3-7466-1510-3*
Als Hörbuch
ISBN *978-3-89813-180-3*

Dieser Roman ist der Auftakt des beliebten Vargas-Zyklus mit dem für sie charakteristischen großartigen Personenensemble. Irgendwo zwischen Montparnasse und der Place d'Italie leben die drei arbeitslosen Junghistoriker Mathias, Marc und Lucien. Sie mögen sich – privat. Sie verachten einander – beruflich. Eines Tages werden sie unfreiwillig zu Kriminalisten, als ihre schöne Nachbarin spurlos verschwindet.

»Wer Fred Vargas noch nicht kennt, der hat etwas verpasst!« BERLINER ZEITUNG

Der untröstliche Witwer von Montparnasse
Kriminalroman
Aus dem Französischen
von Tobias Scheffel
278 Seiten
ISBN *978-3-7466-1511-0*
Als Hörbuch
ISBN *978-3-89813-241-1*

Ein ehemaliger Inspektor des Pariser Innenministeriums versteckt den leicht beknackten Akkordeonspieler Clément, der des Mordes an zwei jungen Frauen schwer verdächtig ist, bei seinen drei Historikerfreunden Mathias, Marc und Lucien. Diese sind hell begeistert über den mörderischen Gast.

»Vargas ist einzig in ihrer Art.« LE NOUVEL OBSERVATEUR

Das Orakel von Port-Nicolas
Kriminalroman
Aus dem Französischen
von Tobias Scheffel
285 Seiten
ISBN *978-3-7466-1514-1*

Ex-Inspektor Louis Kehlweiler sitzt auf einer Bank, als sein Blick auf ein blankgewaschenes Knöchelchen fällt. Nach wenigen Tagen findet er heraus, dass es sich um den kleinen Zeh einer Frau handelt, der von einem Hund verdaut worden ist. Eine dazugehörige Leiche gibt es allerdings nicht. Mit Hilfe der drei jungen Historiker Mathias, Marc und Lucien stößt er schließlich auf einen verdächtigen Pitbull-Besitzer.

»Mörderisch menschlich, mörderisch gut.«
FRANKFURTER RUNDSCHAU

Es geht noch ein Zug von der Gare du Nord
Kriminalroman
Aus dem Französischen
von Tobias Scheffel
239 Seiten
ISBN 978-3-7466-1512-7
Als Hörbuch
ISBN 978-3-89813-312-8

Auf Pariser Bürgersteigen erscheinen über Nacht mysteriöse blaue Kreidekreise, und darin stets ein verlorener oder weggeworfener Gegenstand: ein Ohrring, eine Bierdose, ein Brillenglas, ein Joghurtbecher... Keiner hat den Zeichner je gesehen, die Presse amüsiert sich, niemand nimmt die Sache ernst. Niemand, außer dem neuen Kommissar im 5. Arrondissement, Jean-Baptiste Adamsberg. Und eines Nachts geschieht, was er befürchtet hat: es liegt ein toter Mensch im Kreidekreis.

»Vargas schreibt die schönsten und spannendsten Krimis in Europa.« DIE ZEIT

Bei Einbruch der Nacht
Kriminalroman
Aus dem Französischen
von Tobias Scheffel
336 Seiten
ISBN 978-3-7466-1513-4

Ein Wolfsmensch, so sagen die Leute, zieht in der Dunkelheit mordend durch die Dörfer des Mercantour, reißt Schafe und hat in der letzten Nacht die Bäuerin Suzanne getötet. Gemeinsam mit der schönen Camille machen sich Suzannes halbwüchsiger Sohn und ihr wortkarger Schäfer an die Verfolgung des Mörders, doch der ist ihnen immer einen Schritt voraus. Schweren Herzens entschließt sich Camille, Kommissar Adamsberg aus Paris um Hilfe zu bitten, den Mann, den sie einmal sehr geliebt hat.

»Prädikat: hin und weg.« WDR

Fliehe weit und schnell
Kriminalroman
Aus dem Französischen
von Tobias Scheffel
399 Seiten
ISBN 978-3-7466-2115-9

Die Pest in Paris! Das Gerücht hält die Stadt in Atem, seit auf immer mehr Wohnungstüren über Nacht eine seitenverkehrte 4 erscheint und morgens ein Toter auf der Straße liegt – schwarz. Während Kommissar Adamsberg die rätselhafte lateinische Formel im Kopf hat, die auf jenen Türen stand, lauscht er einem Seemann, der anonyme Annoncen verliest: auch lateinische. Plötzlich hat Adamsberg, der Mann mit der unkontrollierten Phantasie, eine Vision.

»Ein meisterhafter Roman voll düsterer Spannung, leiser Poesie und schrägen Dialogen.« ELLE

Der vierzehnte Stein
Kriminalroman
Aus dem Französischen
von Julia Schoch
479 Seiten
ISBN 978-3-7466-2275-0
Als Hörbuch
ISBN 978-3-89813-515-3

Durch Zufall stößt Adamsberg auf einen grässlichen Mord. In einem Dorf wird ein Mädchen mit drei blutigen Malen gefunden, erstochen mit einem Dreizack. Eines ähnlichen Verbrechens wurde einst sein jüngerer Bruder Raphaël verdächtigt. Seitdem sind 30 Jahre vergangen, der wirkliche Mörder ist längst begraben. Wer also mordet weiter mit gleicher Waffe? Für Adamsberg beginnt ein atemloser, einsamer Lauf gegen die Zeit.

»Eine Autorin ihres Ranges findet sich unter deutschen Krimischreibern nicht.« SPIEGEL

Die dritte Jungfrau
Kriminalroman
Aus dem Französischen
von Julia Schoch
474 Seiten
ISBN 978-3-7466-2455-6
Als Hörbuch
ISBN 978-3-89813-625-9

Paris, ein Doppelmord an der Porte de la Chapelle. Kommissar Adamsberg auf einsamer Suche nach einem Mörder, der sich nur als Schatten zeigt. Ein teuflisches Elixier aus einem Reliquienbuch des 17. Jahrhunderts, das zum Mordinstrument wird. Und die Dämonen einer weit zurückliegenden Vergangenheit, mit denen der Kommissar sich plötzlich konfrontiert sieht.

»Die Krimis der Französin Fred Vargas gehören mit Sicherheit zu den poetischsten des Genres.«
STERN

Die schwarzen Wasser der Seine
Kriminalgeschichten
Aus dem Französischen
von Tobias Scheffel und Julia Schoch
147 Seiten
ISBN 978-3-7466-2350-4
Als Hörbuch
ISBN 978-3-89813-705-8

Der alte Vasco sitzt Tag für Tag wortlos auf einer Bank vor dem Kommissariat, in Begleitung einer Stehlampe. Was will er? In der Weihnachtsnacht wird eine Tote aus der Seine gefischt. Ein Obdachloser beobachtet im Dunkel der Nacht einen Mord, verweigert aber seine Aussage. – Drei Geschichten mit Kommissar Adamsberg, voll skurrilem Humor und erstaunlichen Dialogen.

»Fred Vargas hat ein Talent, Menschen ohne ihren Zivilisations-Lack in allen Schwächen und Lebenslügen zu zeigen.« BRIGITTE

Das Zeichen des Widders
Mit Zeichnungen von Baudoin
Aus dem Französischen
von Julia Schoch
224 Seiten
ISBN *978-3-351-03250-0*

Sommer in Paris: Adamsberg ist auf der Jagd nach einem Serienmörder, der für Angst und Schrecken sorgt.
Ein überaus origineller Kriminalfall in Vargas'scher Manier, mit dem außergewöhnlichen Pinselstrich des Comic-Meisters Baudoin.

»Es ist eine Mischung aus Roman und kunstvollem Comic-Strip. Dieses Experiment ist nicht nur geglückt, sondern großartig! ... unbedingt lesen, weil man solche künstlerische Kongenialität nur ganz selten bewundern kann.« EMOTION

Der verbotene Ort
Roman
Aus dem Französischen
von Waltraud Schwarze
423 Seiten. Gebunden
ISBN *978-3-351-03256-2*

Ein grausiger Fund auf einem Friedhof in London, ein kaltblütiger Mord in Paris und ein mysteriöser Brief führen Kommissar Adamsberg in seinem neuesten Fall in das einstige Transsilvanien, das Ursprungsland des Vampirglaubens, wo Wagemut und Unbedachtheit ihn an die Grenze von Leben und Tod bringen.

»Vargas kann das, was bei anderen Krimiautoren mühsam und konstruiert daherkommt: Tausend Fäden spinnen und sie am Ende logisch und doch sehr überraschend zusammenführen. Wie sie schreibt, das ist großes Kino.« WDR2

Rendezvous mit FRED VARGAS

Die Autorin im Gespräch

In einer der ersten Kritiken sprach »Le Monde« von einer »Magie Vargas«. Ihre Krimis sind eine ganz eigene Welt, in der sehr viel mehr steckt als das bloße Interesse am »Whodunit«. Wie sind Sie auf diese Personen gekommen, die »außerhalb der Norm« leben und die Ihre Leser so lieben?

FV: Da stellen Sie mir eine schwierige Frage, denn ich kontrolliere diese Figuren ja kaum. Ich habe nicht geplant, daß ihre Welt »außergewöhnlich« sein würde, wie ich jetzt überall lese. Das erstaunt mich, denn diese Welt und ihre Personen sind für mich vollkommen natürlich. Sicher, ich verforme die Wirklichkeit bewußt ein bißchen, oder auch sehr, um mich in einer Welt wiederzufinden, in der ich mich wohl fühle. Aber als ich diese Welt nach und nach erfand und diese Menschen, bei denen ich mich wohl fühle, ahnte ich nicht, daß sie von der Kritik schließlich als »besonders«, als eigentümlich beurteilt werden würden. Ich selbst, und ich halte das für normal, finde sie nicht außergewöhnlicher oder magischer als ein Kleidungsstück, in dem ich mich wohl fühle. Bei einigen wenigen Figuren allerdings, zum Beispiel Adamsberg, waren mir wirkliche Personen Vorbilder in ihrem Verhalten, ihrem Denken, einer Art, sich zu geben, die ich selbst nicht so gut kenne. Alle anderen habe ich erfunden.

Warum, Fred, wählen Sie die Form des Kriminalromans, der ja eine ganz bestimmte Mechanik zu respektieren hat? Ihre Romane, Ihre Figuren sind doch sehr weit von dieser Mechanik, diesem Klischee entfernt.

FV: Man sieht es vielleicht nicht, aber ich respektiere dieses sogenannte Klischee des Kriminalromans durchaus! Für mich ist die »Mechanik« kein Makel, keine Schande, sondern ganz im Gegenteil ein sehr interessantes System, das etwas mit Mythen und Fabeln zu tun hat. Zum Beispiel kommt es überhaupt nicht in Frage, daß man dem Leser keine Lösung, also symbolische Erleichterung (eine Art Katharsis) bietet! Nein, ich trickse keineswegs mit dem Krimi-Code, ich halte ihn sogar für sehr wichtig. Das Problem ist nur: Wie geht man mit der »Mechanik« um, damit sie da ist, aber das Buch nicht kaputtmacht, indem ihre Technik allzu sichtbar bleibt? Man muß den Code verschleiern, darf ihn aber nicht zerstören. Und dafür gibt es nur eine Möglichkeit: an allem zu arbeiten, was den Kriminalroman wie jeden anderen Roman ausmacht: das Leben, die Wörter, ihre Musik. Wenn Sie das wegnehmen, dann, ja dann sieht man nur noch die Knochen, die »Mechanik«. Einen Polar zu schreiben bedeutet, ebensoviel Aufmerksamkeit auf die Wörter zu verwenden wie bei jedem anderen literarischen Genre. Mehr noch vielleicht, eben wegen des »Codes«, den man gleichzeitig beachten und verbergen muß.

Ein Werwolf, der in »Bei Einbruch der Nacht« mordend durch die Dörfer zieht, die Pest, die in »Fliehe weit und schnell« ganz Paris in Angst und Schrecken versetzt – interessiert Sie das Motiv der kollektiven Psychose im besonderen?

FV: Nein, mich persönlich nicht, aber ich glaube, daß es den Kriminalroman interessiert. Ich denke, daß das, was man »kollektive Psychosen« nennt, wie der Wolf, die Pest, in der kollektiven Vorstellungswelt verankerte Themen sind, weil sie an Urängste rühren, die uns allen gemein sind. Und da der Kriminalroman, wie in ähnlicher Weise auch die Mythen, der Ort ist, an dem ein »Problem«, eine beängstigende Frage aufgeworfen (und gelöst) wird, wähle ich gern ein Sujet von so allgemeiner Bedeutung, fast ein Klischee, nicht zu konkret, nicht zu abstrakt, irgendwo dazwischen. Der Werwolf, die Pest, das sind schon Sujets von fast symbolischem Wert. Darum habe ich in »Fliehe weit und schnell« auch gar nicht sehr auf dem biologischen Aspekt der Pest beharrt. Interessant ist vielmehr die Vorstellung von der Pest, wie die Vorstellung vom Werwolf. Die Vorstellung, die man sich von ihnen macht.

Fast alle Ihre Figuren leben mit Brüchen und einer gescheiterten Liebe. Gibt es etwas, das Sie ihnen gern erspart hätten?

FV: Ich habe diese Sache mit meinen Figuren, die überall als »Loser« beschrieben werden, nie begriffen. Ich versuche überhaupt nicht, ihnen weh zu tun. Die Kritik hält sie für Loser, weil sie keine richtig guten Jobs und keine ordentliche Familie haben. Aber wie die Helden in den Märchen auch, sind sie fiktive Personen in einem fiktiven Leben. Man kann schließlich auch Odysseus oder Lancelot nicht fragen, was sie für einen Job haben, oder von ihnen erwarten, daß sie was fürs Abendessen mit nach Hause bringen. Nein, das wäre unmöglich! Und eben darum, weil diese Personen vorübergehend, in unterschiedlichem Maße natürlich, eine »heroische Mission« zu erfüllen haben (nämlich die Angst zu lösen, die im Zentrum der Geschichte steht), sind sie nicht ganz so wie wir. Man kann ihr Leben nicht mit dem wirklichen Leben vergleichen. Ja, für die Dauer des Romans hat es schon etwas Verrücktes.

Aus einem Gespräch mit Katja Ernst